Grundlagen des computer-gestützten
dynamischen Entscheidungssystems der Absatzpolitik

Modernes Marketing

Ein geschlossener Grundriß in Einzeldarstellungen

Herausgegeben von Ernst Gerth

Band III

Die Absatzstrategie der Unternehmung

Teil 3

Physica-Verlag · Würzburg - Wien

ISBN 3 7908 0142 9 (Für das Gesamtwerk)

Joachim Miehe

Grundlagen des computer-gestützten dynamischen Entscheidungssystems der Absatzpolitik

Physica-Verlag · Würzburg - Wien 1975

ISBN 3 7908 0155 0

Composersatz und Offsetdruck „Journalfranz" Arnulf Liebing
Printed in Germany
ISBN 3 7908 0155 0 (Einzelwerk)
ISBN 3 7908 0142 9 (Gesamtwerk)

Vorwort

Das vorliegende Buch von *Miehe* erscheint als dritter Band der 3. Abteilung „Die Absatzstrategie der Unternehmung“ dieses Grundrisses (vgl. die Gliederung auf der Rückseite des Einbanddeckels). Es baut auf den beiden vorgeordneten Arbeiten auf:
Thiele legt im Band 3.1, Das System der mittelfristigen Absatzpolitik, den theoretischen Grund für die Absatzstrategie der Unternehmung. Er entwickelt mit der Absatz- und Erlösfunktion ein allgemeines Modell des Absatzes. Dieses geht davon aus, daß die Unternehmung eine nach Produkten und Mengen bestimmte Absatzaufgabe hat. Der Kundenkreis ist heterogen zusammengesetzt: Die Kunden bedürfen unterschiedlicher Absatzmitteleinsätze um zu kaufen. Dementsprechend bildet die Unternehmung Absatzsysteme. Ein Absatzsystem umfaßt eine Kundengruppe. Jede Kundengruppe soll homogen sein. Maßstab dafür ist, daß die in einer solchen Gruppe zusammengefaßten Kunden gleiche Absatzmittel binden. In der Erlösfunktion wird der Erlös nach Kundengruppen gegliedert und in seiner Abhängigkeit von den auf die einzelnen Kundengruppen gerichteten Absatzmitteleinsätzen ausgewiesen.

Der Band 3.2 von *Thelen* knüpft an dieser theoretischen Grundlegung an und zeigt das Absatzsystem als Operationseinheit der Unternehmung am Markt. *Thelen* legt dar, wie sich ein Absatzsystem durch Veränderung des Absatzmitteleinsatzes, der Kundenzusammensetzung oder einer Mischung aus beiden umgestalten läßt. Bei den entsprechenden Operationen werden die Rückwirkungen auf andere Absatzsysteme beachtet. Dieser Band schließt mit einem offenen Entscheidungsmodell, mit dessen Hilfe in einem sukzessiven Entscheidungsprozeß die Operationen mit Absatzsystemen optimiert werden können. Aus der Abfolge solcher Entscheidungsprozesse entsteht über längere Zeit hinweg ein komparativ-statischer Lernprozeß.

Das vorliegende Buch von *Miehe* schließt diesen Fragenkreis ab:
Für eine dynamische Absatzführung werden zunächst die Voraussetzungen der Entscheidungsstruktur, der EDV-Anlagen und deren Nutzung seitens der Unternehmung geklärt. Dann wird gezeigt, wie instrumentell ein dynami-

sches Entscheidungssystem aufzubauen und rational kritisch im Entscheidungsprozeß zu handhaben ist. Die dafür benötigte Software für die Methoden-, Modell- und Datenbänke wird in ihrer generellen Form genau beschrieben. An Hand eines praktischen Falles wird die Gewinnung von Daten, welche in das Entscheidungssystem eingehen, konkret demonstriert.

Damit sind alle Grundlagen genau behandelt, die eine Unternehmungsführung befähigen, Zustände von Absatzsystemen funktional abzubilden. Die Zusammenhänge zwischen den Kundenerlösen und den Absatzkosten werden quantitativ erklärt. Diese Erklärung ist dynamisch-operational, weil Fehldispositionen immer schon dann, wenn ihre Folgen erstmals eintreten, sichtbar werden und sich die Unternehmungsführung in laufender Auseinandersetzung über die Verbesserung des Absatzes an Hand der aktuellen quantitativen Fakten befindet.

Die weiteren Bände dieser dritten Abteilung ergänzen die vorherigen mit der Behandlung von Spezialproblemen. *Bergmann* zeigt im Band 3.4 die Besonderheiten der Absatz- und Kundenpolitik bei Investitionsgütern. *Kühnast* behandelt im Band 3.5 die mittel- bis kurzfristige Absatzprognose als notwendige Informationsquelle für die in den übrigen Bänden dieser Abteilung behandelten absatzstrategischen Fragen.

Auf diese Weise ist der vorliegende Band von *Miehe* in den gesamten Grundriß eingeordnet. Dabei ist auch hier wie bei allen Bänden die Abhandlung so abgerundet, daß der Inhalt dieses Buches auch ohne Lektüre der in der Systematik vorangehenden Darstellungen voll verständlich ist.

Der Herausgeber

Inhaltsverzeichnis

0. Einführung

0.1 Einordnung des Themas

Das wirtschaftliche Geschehen wird von den Veränderungen auf den Märkten, von dem Wandel der Bedürfnisstruktur der Warenabnehmer und vom Absatz der produzierten Güter bestimmt. Die Unternehmensleitung eines jeden Unternehmens hat sich deshalb insbesondere mit der Absatzpolitik und ihrer Koordination mit den übrigen betrieblichen Teilbereichen zu befassen.

Leitmaxime der Absatzpolitik muß es gemäß des erwerbswirtschaftlichen Prinzips sein, die Produkte der Unternehmung möglichst kostengünstig in einer bestimmten Zeitperiode abzusetzen. Um dieser Forderung nachkommen zu können, hat eine Unternehmungsführung die gegenwärtige Marktsituation zu berücksichtigen. Diese zeichnet sich dadurch aus, daß der Massenproduktion differenzierte Kundenwünsche aufgrund des sich entwickelnden Wohlstandes gegenüberstehen. Unter diesem Gegensatz haben die Absatzmittel an Menge und Vielfalt zugenommen. Sie versetzen eine Unternehmung in die Lage, produktionswirtschaftlich in einheitlichen Massen hergestellte Güter den Kunden nach deren Wünschen differenziert nahezubringen. Dazu dient eine mittelfristige Absatzpolitik, die das betriebliche Teilsystem „Absatz“ in einzelne Absatzsysteme gliedert. Mit diesem Teilbereich der Unternehmungspolitik befassen sich unsere Ausführungen über das computer-gestützte dynamische Entscheidungssystem der Absatzpolitik.

Die langfristige Absatzpolitik, in der es darum geht zu entscheiden, welche Produkte im Unternehmen hergestellt werden sollen, ist in engem Zusammenhang mit allen betrieblichen Teilsystemen (Absatz, Produktion, Finanzierung, Forschung und Entwicklung) zu diskutieren. Die dabei zu führenden Auseinandersetzungen sollen in dieser Arbeit nicht behandelt werden. Vielmehr wird davon ausgegangen, daß das Produktionsprogramm feststeht.

Anhand des Bezugsrahmens (vgl. Abb. 1, S. 12) für die Stellung der Absatzsysteme innerhalb der Unternehmungs- und Absatzpolitik sei näher erklärt für welchen Bereich der Absatzpolitik Grundlagen für das Entscheidungssystem geschaffen werden sollen. [1]

---

1) Wir folgen in der Darstellung des Bezugsrahmens E. Gerth; vgl. derselbe: Betriebswirtschaftliche Absatz- und Marktforschung, Wiesbaden 1970, S. 103f.; derselbe: Probleme der Absatzkosten-Rechnung, in: ZfbFuP, 21. Jahrg. 1969, S. 693f. und

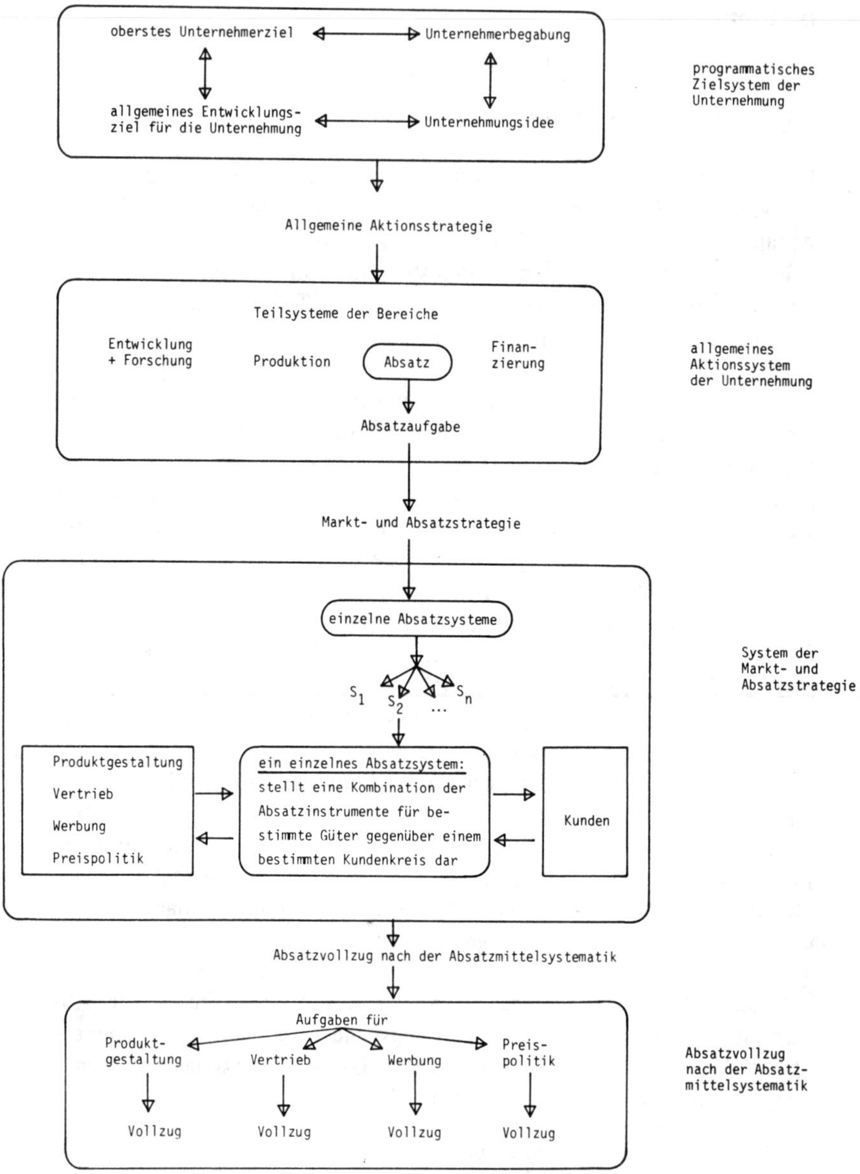

Abb. 1: Bezugsrahmen für die Stellung der einzelnen Absatzsysteme innerhalb der Unternehmungs- und Absatzpolitik

Die einzelnen Funktionsbereiche (Teilsysteme) einer Unternehmung, wie Forschung und Entwicklung, Produktion, Absatz und Finanzierung sind durch das programmatische Zielsystem der Unternehmung nach bestimmten konstitutiven Prinzipien und Zielen richtlinienmäßig gebunden und koordiniert.

Das oberste Unternehmerziel stellt einen Ausgangspunkt im Zielsystem dar (vgl. Abb. 1). Es umfaßt die Motive, aufgrund derer das Unternehmen von seinen Trägern betrieben wird. Zum anderen gehen daraus die Leitnormen und allgemeinen Auflagen hervor, die richtungsweisend für die gesamten Aktivitäten im Betrieb sind. Das oberste Unternehmerziel wird beeinflußt von der Unternehmerbegabung und dem daraus resultierenden persönlichen Engagement. Es ist näher bestimmt durch das allgemeine Entwicklungsziel: Wachstum, Erhaltung oder Schrumpfung der Unternehmung. [2)]

Die Willensbekundungen und Handlungsmaxime des Zielsystems werden in der Unternehmungsidee konkretisiert. In ihr kommt zum Ausdruck, welche wirtschaftlichen Güter und Leistungen zu erzeugen und abzusetzen sind.

Die Formulierung der Vorstellungen zur Durchführung der Unternehmungsidee erfolgt in der allgemeinen Aktionsstrategie. Sie umfaßt Richtlinien, nach denen die Bereiche der Unternehmung aufeinander abzustimmen sind. Die Teilpolitiken bzw. die Aufgaben und Ziele für jeden Unternehmungsbereich sind unter Beachtung der Bedingungen und Möglichkeiten der betrieblichen Teilsysteme in dem allgemeinen Aktionssystem des Unternehmens zu entwerfen. Hierzu gehört auch die Produktpolitik, nämlich die endgültige Bestimmung der art- und mengenmäßigen Zusammensetzung des Produktionsprogramms in dem Teilsystem „Produktion".

Die Absatzaufgabe geht aus dem Koordinationsprozeß der Teilsysteme und der damit verbundenen globalen Festlegung der Absatzpolitik hervor. Sie beinhaltet die Vorstellung, welche Produkte in welchen Mengen zu welchen Zeiten zu verkaufen sind.

Auf der Basis der absatzmäßigen Zielvorstellungen hat die Führung des Absatzbereiches ihre Markt- und Absatzstrategien zu bilden. Das Manage-

---

Schwarzmann, J.: Möglichkeiten und Grenzen des Einsatzes der elektronischen Datenverarbeitung für Planung und Kontrolle der Wahl der Werbemedia, Diss. TU Braunschweig 1971, S. 27f.

2) Zu dem obersten Unternehmerziel und den anderen Selbstbestimmungsbereichen einer Betriebswirtschaft vgl. Gerth, E.: Zwischenbetriebliche Kooperation, Stuttgart 1971, S. 40f.

ment muß dabei versuchen, den Absatzaufgabenforderungen durch geeignete Teilzielformulierungen und Durchführungsprogramme nachzukommen. Solche programmatischen Entwürfe sind als Absatzstrategien in einzelnen Absatzsystemen zu konkretisieren. D.h. für ein Absatzsystem des Teilsystems „Absatz" ist eine gezielte Einsatzkombination von Absatzinstrumenten für bestimmte Güter gegenüber einem ausgewählten Kundenkreis aufzustellen.[3)] Dabei umfaßt jedes Absatzinstrument (Produktgestaltung, Vertrieb, Werbung und Preispolitik) eine Fülle einzelner Absatzmittel innerhalb eines Absatzsystems.[4)] So gliedert sich z.B. das Absatzinstrument „Werbung" in eine größere Zahl von Werbemitteln (Inserate, Fernsehspots etc.). Aus einem Absatzsystem resultieren die Aufgaben und die Anweisungen für den Absatzmitteleinsatz im Hinblick auf die abzusetzenden Waren gegenüber einer abgegrenzten Kundengruppe (vgl. Abb. 1). Die Entscheidung für das jeweilige zukünftige Absatzsystem wird nur wirklichkeitsbezogen sein und zu wirtschaftlichen Erfolgen führen, wenn vorher eine Vergangenheitsanalyse der Kunden und der Absatzmittel sowie eine sorgfältige Bestimmung der Kundenkreise stattgefunden hat. Dazu hat sich nach unserer Auffassung eine Unternehmensleitung eines computer-gestützten dynamischen Entscheidungssystems der Absatzpolitik zu bedienen. *Die in dem Entscheidungssystem zu verwendenden Methoden und Durchführungsinstrumente hinsichtlich der Ermittlung der Absatzsysteme sind das zentrale Thema dieser Untersuchung.*

Innerhalb der „Software" des Entscheidungssystems zur Bildung der Absatzsysteme (vgl. Abb. 1) kommt der Erlösfunktion der Absatzsysteme besondere Bedeutung zu. Die Vorrangstellung der Erlösfunktion ist begründet durch die Tatsache, daß eine zukünftige Absatzpolitik i.d.R. in wesentlichen Teilen eine Fortsetzung der Entwicklung der jüngeren Vergangenheit darstellt. Ihren formalen Ausdruck findet die vergangene Entwicklung des Absatzgeschehens in der Erlösfunktion. Auf sie hat sich eine Unternehmungsführung bei der Formulierung ihrer zukünftigen Strategien notwendigerweise zu stützen. Nur mit Hilfe der Erlösfunktion kann u.E. ein Management eine

---

3) Wir übernehmen den Gedankengang zur Bildung von Absatzsystemen von E.Gerth; vgl. denselben: Betriebswirtschaftliche . . . , a.a.O., S. 111f.
Vgl. dazu auch Alewell, K.: Die Kopplung des Systems Unternehmung mit dem Umsystem, dargestellt am Beispiel des Absatzsystems, in: Organisation als System, Hrsg. K.Bleicher, Wiesbaden 1972, S. 323f.

4) Die Einteilung der Mittel der Absatzpolitik in vier Gruppen entspricht dem absatzpolitischen Instrumentarium Gutenbergs; vgl. Gutenberg, E.: Grundlagen der Betriebswirtschaftslehre, Bd. II, Der Absatz, Berlin 1968, S. 40f.

gründliche Absatzanalyse durchführen. Deshalb wird in unserer Arbeit besonders auf die Erlösfunktion der Absatzsysteme eingegangen.

Die Funktion sei schon an dieser Stelle zum besseren Verständnis des späteren Textes kurz skizziert.

Eine Vergangenheitsanalyse bzw. eine Erlösfunktion erstreckt sich inhaltlich auf den zentralen Wirkungszusammenhang für das Zustandekommen des Absatzes, d.h. auf die gegenseitige Abhängigkeit zwischen dem absatzpolitischen Mitteleinsatz und den Kundenreaktionen (vgl. dazu Abb. 2 auf S. 17).[5]

Es besteht keine direkte Beziehung zwischen dem Absatzmitteleinsatz und den Reaktionen der Kunden: Die Einwirkungen der absatzpolitischen Mittel und die der übrigen Umwelt werden von den Kunden in einem inneren Prozeß verarbeitet. Dabei entstehen subjektive Nutzenerwartungen gegenüber den einzelnen Gütern. Als Reaktionen auf diese Nutzenerwartungen erfolgen die Käufe der Kunden.

Das produktionswirtschaftliche Leistungsangebot (die Offerte) und der Absatzmitteleinsatz einer Unternehmung rufen umso mehr Käufe hervor, je stärker diese den Nutzenvorstellungen der Kunden entsprechen. Gelingt es einer Unternehmensführung, ihren Mitteleinsatz den Kundenbedingungen anzugleichen, so wird die Höhe des Warenabsatzes auch ihren Zielvorstellungen entsprechen.

Aufgrund dieser Abhängigkeiten und Wechselwirkungen läßt sich sagen, daß es zwischen dem Erlös E und dem Einsatz der Absatzmittel bzw. deren betrieblichen Einsatzkosten einen funktionalen Zusammenhang gibt. Die von den Kunden abgenommenen Gütermengen x_e und die von ihnen bezahlten Preise p_e für die Produkte e (e = 1, . . ., q) ergeben für das Unternehmen nämlich für eine bestimmte Zeitperiode insgesamt den Erlös

$E = \sum_{e=1}^{q} x_e \cdot p_e$. Diesem Erlös stehen die Absatzkosten K_A der Unternehmung gegenüber. Sie entstehen durch den Einsatz der betrieblichen Absatzmittelmengen s_i und den Preisen p_i der Absatzmittel i (i = 1, . . . , n) zu

$K_A = \sum_{i=1}^{q} s_i \cdot p_i$. Der mathematische Zusammenhang des Erlöses und der Absatzkosten läßt sich in der Funktion $E = f\ (K_A)$ oder

5) Die Abbildung (2) wurde weitgehend aus dem Vorlesungsmanuskript von E.Gerth übernommen; vgl. dazu auch Gerth, E.: Betriebswirtschaftliche . . . , a.a.O., S. 29.

$$E = \sum_{e=1}^{q} x_e \cdot p_e = f(s_1 \cdot p_1, s_2 \cdot p_2, \ldots, s_n \cdot p_n) \text{ abbilden.}^{6)}$$

Es ist unsere Absicht zu zeigen, welche Möglichkeiten der Absatzpolitik mit der Erlösfunktion eröffnet werden und daß die Erlösfunktion das grundlegende Element im Entscheidungssystem zu sein hat. Bestimmte Einschränkungen und Voraussetzungen sind jedoch zu beachten, falls eine Unternehmensleitung gewillt ist, unsere Grundlagen zu prüfen oder anzuwenden.

1. Das jeweilig prüfende Unternehmen hat gemäß der Gliederung der Einzelwirtschaften nach Abb. 3 (s. S. 18) dem Zweig der Verbrauchsgüter-, Produktionsmittel- oder Handelsbetriebe zuzugehören. Es ist ein Unternehmen auszuschließen, das erst mit der Leistungserstellung beginnt, nachdem gemäß eines Werkvertrages Art und Vergütung des Werkes mit dem Besteller festgelegt worden ist. 7) In dem jeweiligen Betrieb sollte Massenproduktion vorherrschen.

2. Ein Kundenstamm hat zu bestehen, d.h. der Anteil der typischen „Einmal-Kunden" muß gering sein. Der Absatz einer Unternehmung hat sich also im wesentlichen auf Abnehmer zu stützen, mit denen das Unternehmen schon längere Zeit in Geschäftsbeziehung steht.
Die Anzahl der Kunden sollte groß sein und die Kunden sich durch Inhomogenität auszeichnen.

3. Die Unternehmung muß über eine automatisierte Datenverarbeitungsanlage (ADV-Anlage) verfügen. Sie hat in ihrer Betriebsorganisation soweit fortgeschritten zu sein, daß sie auf einer Entwicklungsstufe der Datenverarbeitung steht, die durch den Einsatz hochleistungsfähiger ADV-Anlagen der dritten Computer-Generation gekennzeichnet ist (vgl. dazu Abb. 4, S. 19). 8)

---

6) Wir folgen hier dem Erlösbegriff von E.Schäfer, vgl. derselbe: Zur Ertragslehre, in: BFuP, 1955, S. 363. Zur Auseinandersetzung mit diesen i. u. S. verwendeten entscheidungsorientierten Erlösbegriff vgl. Riebel, P.: Ertragsbildung und Ertragsverbundenheit im Spiegel der Zurechenbarkeit von Erlösen, in: Beiträge zur betriebswirtschaftlichen Ertragslehre, Hrsg. P. Riebel, Opladen 1971, S. 150f. und Weber, H.K.: Untersuchungen zum Ertragsbegriff, in: Beiträge . . . , a.a.O., S. 50f. mit den dortigen Literaturangaben.
Zur Entwicklung der Formel $E = f(K_A)$ vgl. Thiele, H.-H.: Das System der mittelfristigen Absatzpolitik, Würzburg-Wien 1974.

7) Vgl. BGB § 631.

8) Abb. 4 wurde übernommen von Dworatschek, S.: Management Informations-Systeme, Berlin 1971, S. 21.

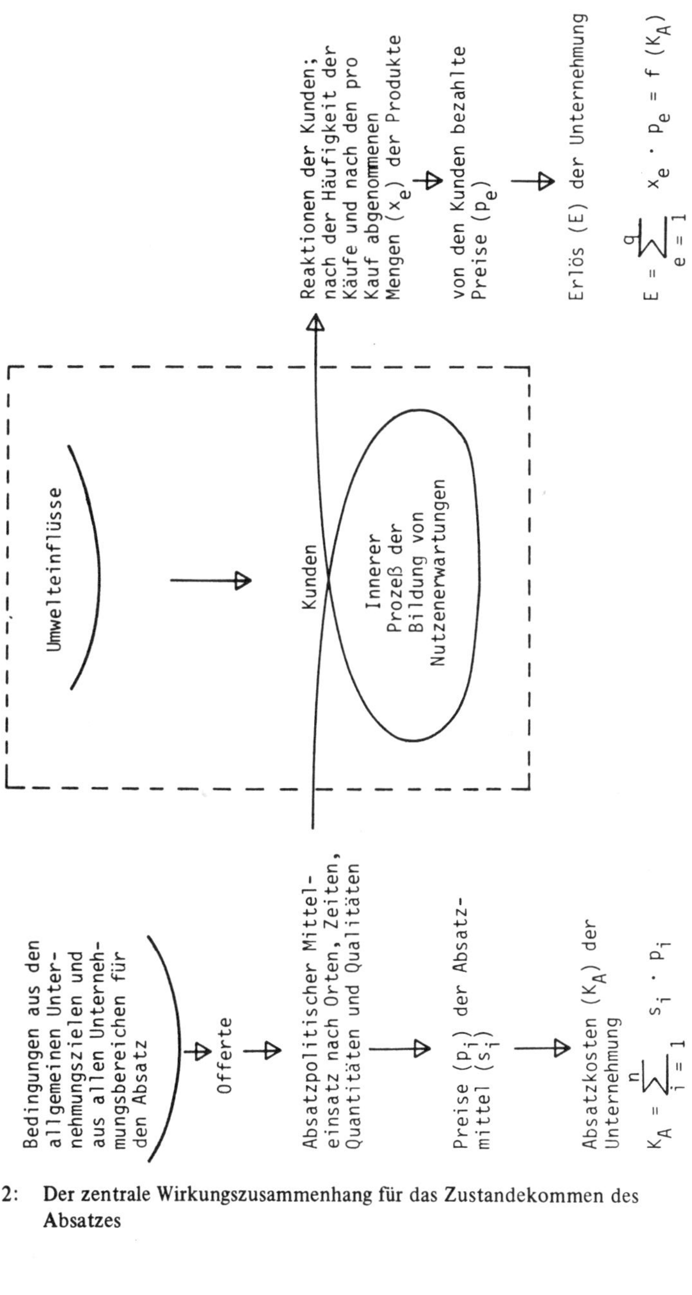

Abb. 2: Der zentrale Wirkungszusammenhang für das Zustandekommen des Absatzes

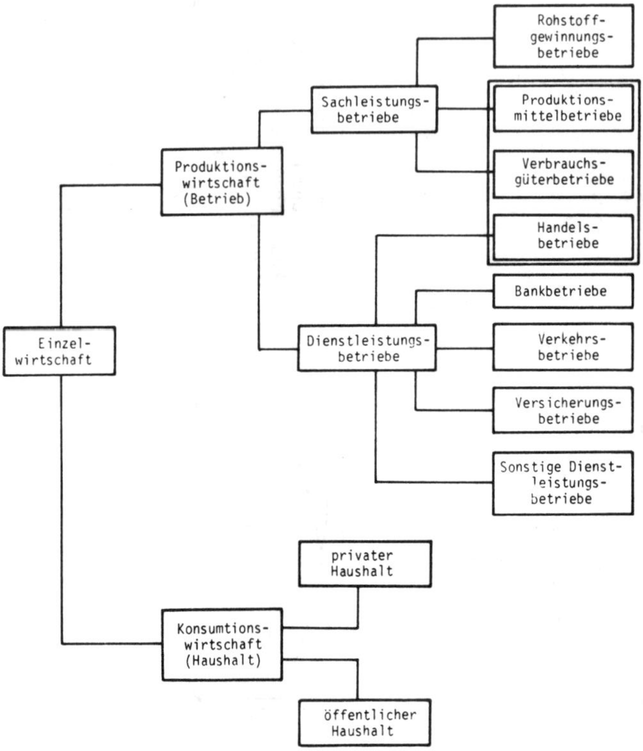

Abb. 3: Gliederung der Einzelwirtschaften
Quelle: Günter Wöhe, Einführung in die Allgemeine Betriebswirtschaftslehre, Berlin 1968, S. 15

4. Die Hauptfunktionen der ADV-Anwendung und die daraus resultierenden Systeme sind
   (1) die Abrechnungssysteme (Massen-ADV)
   (2) die Dispositionssysteme (Integrierte ADV) und
   (3) die Entscheidungssysteme (Management-Entscheidungs- und Informations-Systeme) (MEIS).

Es werden nur jene Unternehmen in der Lage sein, eine Absatzsystem-Analyse oder eine Erlösfunktion zu erstellen, die sich zumindest in der Experimentierphase zur Errichtung eines Dispositionssystems befinden. D.h.,

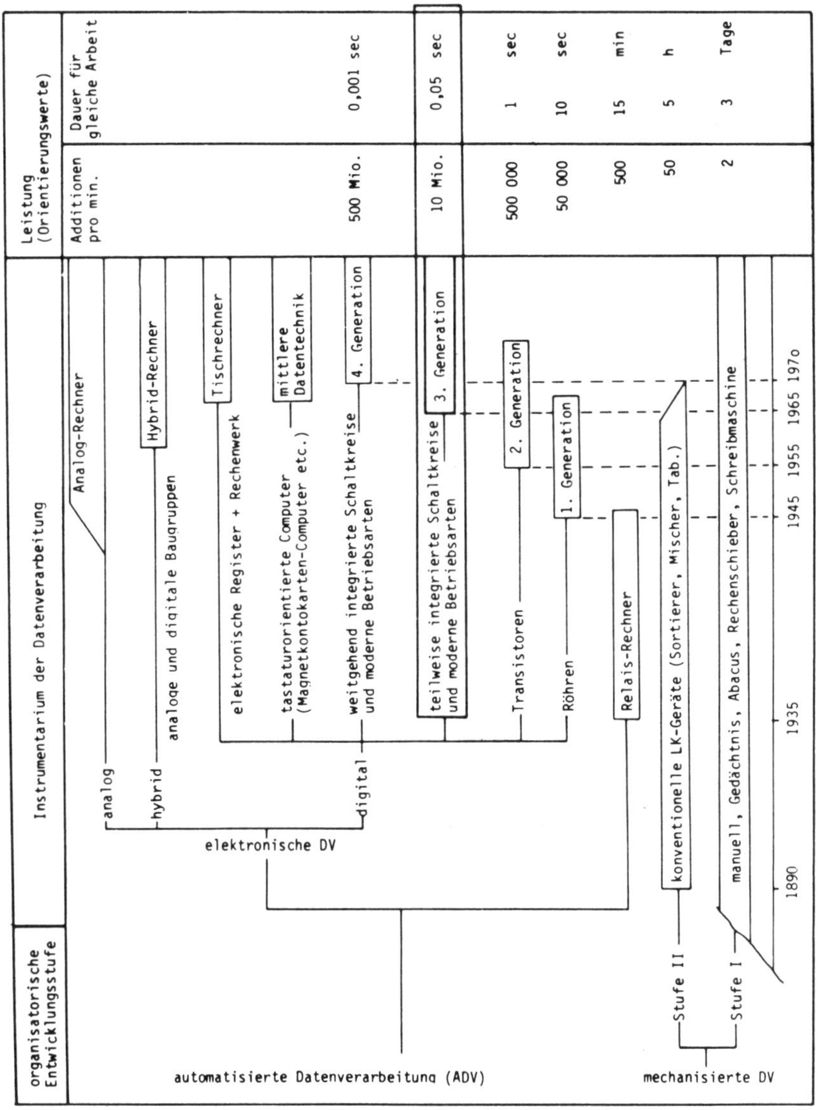

Abb. 4: Entwicklung der Datenverarbeitung und Kennzeichen der heutigen ADV-Anlagen

der Steuerungsaspekt müßte zusätzlich zu den Abrechnungsaufgaben schon innerbetrieblich berücksichtigt sein, nämlich durch die Wahrnehmung von Dispositionsaufgaben, z.B. in der Terminierungsplanung des Beschaffungswesens, der Lagerhaltung, der Maschinenbelegung oder des Transportwesens. Dadurch bestünde schon die erforderliche Vertrautheit und Erfahrung in der Erfassung und Abstimmung von Datenmassen und komplexen Programmen zur Lösung geschlossener Problemkreise.

0.2 Auseinandersetzung mit dem Thema der Arbeit

Bei der Analyse vergangenen Absatzgeschehens und der Entscheidung für zukünftige Markt- und Absatzstrategien kann methodisch recht unterschiedlich vorgegangen werden. Folgende Verhaltensformen sind denkbar:

(1) die dogmatisch hierarchisch statische
(2) die komparativ statische und
(3) die dynamische bzw.rational kritische Verhaltensform.

Für eine der Vorgehensweisen hat sich u.E. eine Unternehmungsführung bewußt zu entschließen.

Gemeinsam mit diesen Methoden sei unsere Problemstellung, die Entwicklung von Grundlagen für ein Entscheidungssystem der Absatzpolitik sowie die damit verbundene Bildung von Absatzsystemen und deren Erlösfunktion untersucht. Denn es muß Klarheit darüber herrschen, für welche der Verhaltensformen ein Entscheidungssystem zu erarbeiten ist.

Eine hierarchisch statische Vorgehensweise ist bei der Entwicklung und Durchführung von Absatzstrategien durch starre normative Vorgaben des Ziel- und allgemeinen Aktionssystems gekennzeichnet (vgl. Abb. 1). Sie werden ebenso dogmatisch festgelegt, wie im Anschluß daran die gesamte Markt- und Absatzstrategie mit den aus ihr resultierenden Einzelstrategien und Absatzsystembildungen. Desgleichen wird ein scharf umrissener Anweisungskatalog für die Bereitstellung und den Einsatz der Absatzmittel vorgeschrieben.

Das gesamte Unternehmungsgeschehen wird bei der dogmatisch hierarchisch statischen Verhaltensform durch getrennte Ziel- und Mittelentscheidungen bestimmt, und zwar in einer hierarchischen Ablaufordnung (vgl. Abb. 1), über der selbstherrlich die Unternehmungsführung steht. Eine derart eingestellte Unternehmensführung verfügt über ein relativ geschlossenes betriebliches System, das von einer autoritär-dogmatischen Struktur zeugt und in dem eine relative Isolierung zwischen den Elementen und Teilsystemen vorherrscht. Statt eines funktionsfähigen, impulsgebenden programmatischen Zielsystems setzt das Management sein emotionales Glaubenssystem und praktiziert die Methode der positiven Rechtfertigung. Eine solche Unternehmungsführung wirkt systemkonform und sammelt mehr bestätigende Informationen als auf widersprechende Informationen zu achten. Sie entwikkelt so ein System der Markt- und Absatzstrategie, das sich auf Überliefertes gründet und neue Konzeptionen bei ihrer Engstirnigkeit und Starrheit kaum aufkommen läßt.

Eine Unternehmensleitung hierarchisch statischen Entscheidungsverhaltens verwendet ihre ADV-Anlage vornehmlich zur betrieblichen Abrechnung, also als Massen-ADV. Der systematische, ständige Gebrauch der ADV-Anlage zur Entscheidungsfindung, zur Kunden- und Absatzsystemanalyse sowie zur Prognose von Absatzstrategien ist ihr fremd. Es wäre geradezu widersinnig, wenn für eine derartig eingestellte Unternehmungsführung ein computer-gestütztes Entscheidungssystem der Absatzpolitik entwickelt würde.

Ist dagegen eine Unternehmensleitung davon überzeugt, daß eine Vergangenheitsanalyse der Absatzsysteme notwendig ist, bevor neue Absatzstrategien zu formulieren sind, so kann sie sich von der Idee des komparativ statischen Entscheidungsverhaltens leiten lassen (vgl. Abb. 5, S. 22/23).

Zwar ist aus dem Schema von Abb. 5 zu entnehmen, daß in der ersten Planungsperiode überwiegend die hierarchisch statische Struktur beibehalten wird, doch werden auch Varianten absatzpolitischer Möglichkeiten untersucht.
Nach Ablauf dieser ersten Zeitspanne sind drei Kontrollen durchzuführen, bevor es zu neuen Zielvorstellungen für die zweite Planungsperiode kommt.

Zunächst ist festzustellen, ob das festgelegte Planungsvorhaben der ersten Periode auch ausgeführt wurde. Dem schließt sich eine vergleichende Kontrolle von Ist- und Sollzustand aufgrund des Planungsvollzuges an. Und schließlich ist zu überprüfen, ob die gesetzten Ziele, gemessen an der Realität der vergangenen Periode, richtig waren. Aus den Kontrollergebnissen lernt eine komparativ statisch eingestellte Unternehmensführung für die nächste Planungsperiode und korrigiert entsprechend ihre Zielvorstellungen zur zukünftigen Absatzpolitik und bezüglich der einzelnen Absatzsysteme.

Wesentlich bei dem komparativ statischen Entscheidungsverhalten ist der Einsatz der betrieblichen ADV-Anlage. Sie wird konsequent dazu benutzt, die Absatzsystemzustände zu Beginn und am Ende einer Planungsperiode aufzuzeichnen und erfaßt die Umwelt- und Aktionsvariablen, welche das Absatzgeschehen bestimmten.

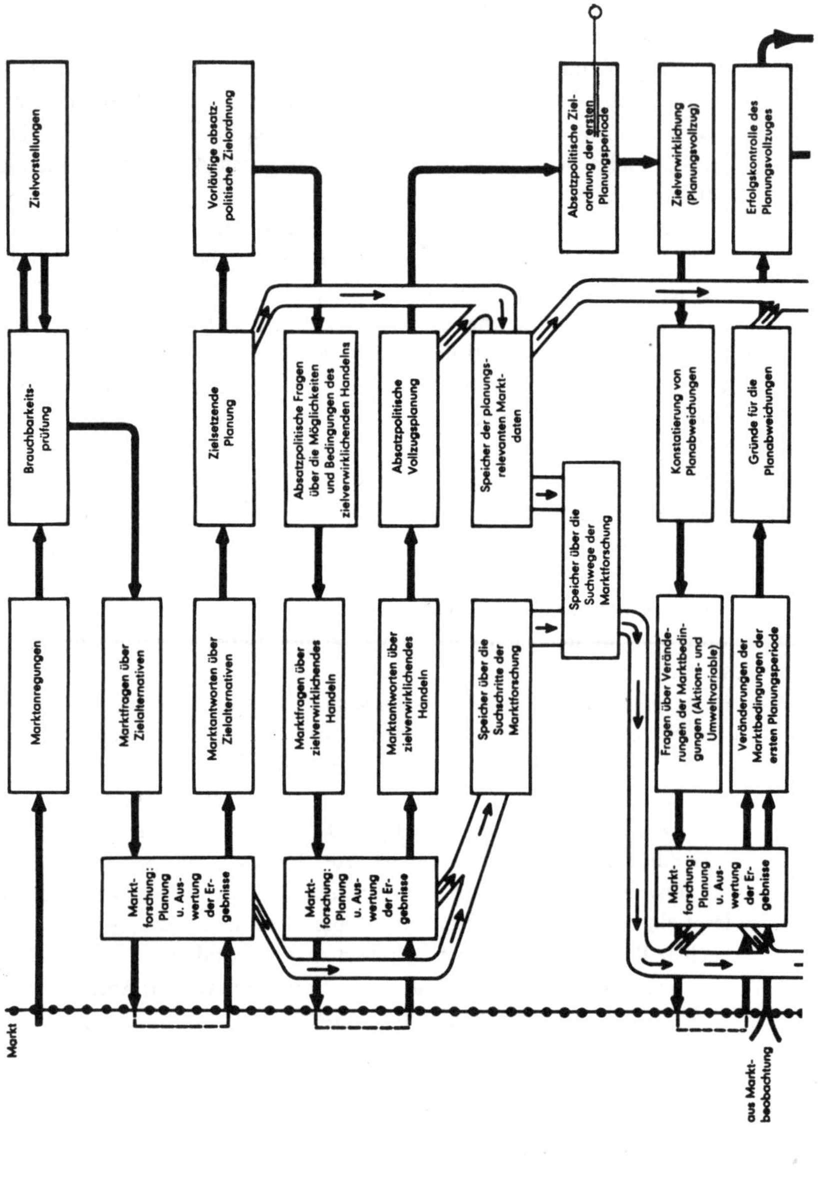
Zielvorstellungen
Brauchbarkeitsprüfung
Marktanregungen
Marktfragen über Zielalternativen
Markt-forschung: Planung u. Auswertung der Ergebnisse
Marktantworten über Zielalternativen
Zielsetzende Planung
Vorläufige absatzpolitische Zielordnung
Absatzpolitische Fragen über die Möglichkeiten und Bedingungen des zielverwirklichenden Handelns
Marktfragen über zielverwirklichendes Handeln
Markt-forschung: Planung u. Auswertung der Ergebnisse
Marktantworten über zielverwirklichendes Handeln
Absatzpolitische Vollzugsplanung
Speicher der planungsrelevanten Marktdaten
Speicher über die Suchschritte der Marktforschung
Speicher über die Suchwege der Marktforschung
Absatzpolitische Zielordnung der ersten Planungsperiode
Zielverwirklichung (Planungsvollzug)
Erfolgskontrolle des Planungsvollzuges
Konstatierung von Planabweichungen
Gründe für die Planabweichungen
Fragen über Veränderungen der Marktbedingungen (Aktions- und Umweltvariable)
Veränderungen der Marktbedingungen der ersten Planungsperiode
Markt-forschung: Planung u. Auswertung der Ergebnisse
Markt
aus Marktbeobachtung

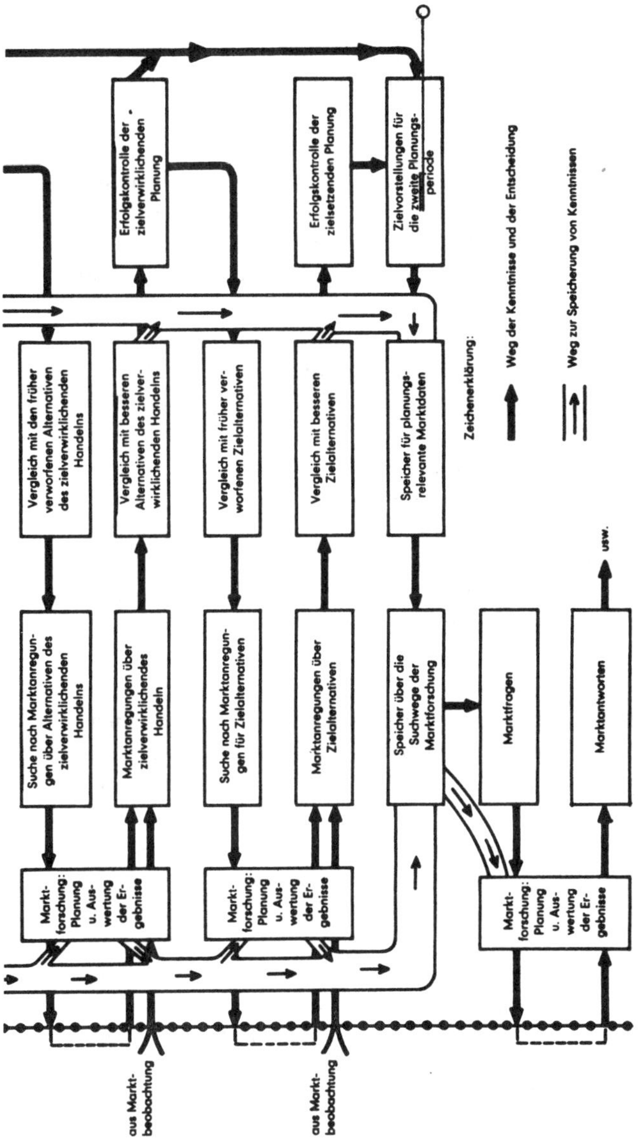

Abb. 5: Komparativ statisches Vorgehen bei der Entwicklung absatzpolitischer Zielordnungen innerhalb eines Lernprozesses
Quelle: Ernst Gerth, Betriebswirtschaftliche . . . , a.a.O., S. 186.

Weiter werden die gewonnenen Daten und Suchschritte während der Marktforschung elektronisch gespeichert. Zusammen mit den aufbewahrten Erkenntnissen aus den Erfolgskontrollen der früheren Perioden verfügt eine Unternehmensleitung damit über eine Sammlung von Lösungsmethoden und Abbildungen der Absatzsystemsituationen.

Derartige systematische Sammlungen bewirken nicht nur eine Kenntnismehrung und Lernprozesse. Sie stellen eine absatzpolitische Entscheidungsgrundlage dar, mit denen die Unsicherheit im Entscheidungsverhalten zu verringern ist. Die Handhabung eines solchen Entscheidungsinstrumentariums verlangt eine Unternehmungsführung, die im Umgang mit ADV-Anlagen vertraut ist, die die Marktforschung mit der Absatzpolitik verbindet und die dafür unbeirrt die organisatorischen Einrichtungen schafft.

Die Führung einer Betriebswirtschaft kann statt der komparativ statischen Methode die dynamische oder rational kritische Vorgehensweise bei ihren Problemlösungen anwenden.
Eine Befürwortung der dynamischen Verhaltensform sollte einem Management aus den folgenden Überlegungen relativ leicht fallen.

Jede unternehmerisch geplante oder ausgeübte Handlung besitzt i.d.R. Auswirkungen auf mehrere Systeme der Unternehmung. Ein Unternehmen ist nämlich als kybernetisches System aufzufassen, das sich durch eine Vielzahl horizontal und vertikal untereinander verbundener Regel- und Steuerungskreise abbilden läßt (vgl. Abb. 6 auf S. 26). Es bestehen nicht nur Wechselwirkungen zwischen den Teilsystemen oder den Elementen innerhalb des Ziel- oder des Aktionssystems oder zwischen den Absatzsystemen einer Unternehmung. Die Bildung eines Absatzsystems oder ein Absatzvollzug hat auch fortlaufende Rückwirkungen z.B. auf die Produktion und auf das Zielsystem.

Entscheidungen und Dispositionen (Zielsetzungen) innerhalb eines Systems sind durch die Ergebnisse eines oder mehrerer anderer Systeme als permanent revidierbar aufzufassen. In einer Zeit von kurzfristigen Veränderungen bewirkt eine komparativ statische Verhaltensweise einen „time-lag", der erforderliche betriebliche Anpassungsmaßnahmen zu spät ermöglicht. Das Entscheidungsverhalten des Managements wird nicht dynamisch sein können. Eine Unternehmungsführung hat sich deshalb u.E. auf ein Instrumentarium zu stützen, das ihr eine unmittelbare Erklärung der Systemzustände verschaffen kann, das ihr Marktchancen und Neukonzeptionen (Alternativen) von Absatzstrategien sichtbar werden läßt (vgl. dazu auch Abb. 7 auf S. 28).
Zu einem derartigen Instrumentarium gehören:

1. Das *Prinzip der kritischen Prüfung.* Die Methode der kritischen Prüfung fordert eine ständige rationale Diskussion. Sie befähigt eine Unternehmungsführung ihre informativen (beschreibenden und erklärenden) sowie ihre normativen (normgebenden und wertenden) Aussagen herauszuarbeiten und unterwirft diese einer systematischen Kritik und Revision. [9)]
2. Eine *Unternehmungsorganisation,* die auf Steuerungs- und Regelkreisen basiert, entsprechend die Teilsysteme des Unternehmens eingliedert und gleichzeitig einen Bezugsrahmen für die einzelnen Absatzsysteme schafft (vgl. Abb. 6).
3. Ein *Entscheidungssystem (MEIS),* das sich innerhalb eines kybernetisch ausgerichteten Informationssystems auf eine leistungsstarke ADV-Anlage mit Daten-, Modell-, Methoden- und Hypothesenbänken stützt (vgl. Abb. 8 auf S. 30/31). Weiter gehören dazu
4. *Phasenmodelle der Entscheidungsprozesse* für jeden Teilbereich des Betriebes, in denen die Punkte (1), (2) und (3) berücksichtigt werden; für den Teilbereich Absatz ist das Modell eines Absatzentscheidungsprozesses gemäß der Abb. 10 (s. S. 37) zu verwenden.

Die Abb. 8 auf S. 30/31 gibt einen Gesamtüberblick über das u.E. erforderliche Instrumentarium für eine rational kritische absatzpolitische Unternehmensführung.

Die Durchführungsvoraussetzungen sind für die rational kritische Führungs- und Entscheidungsmethode äußerst hoch. Sie erfordern ein Organisationsniveau innerhalb des Entscheidungssystems und der darin befindlichen ADV-Anlage, das die Grenze des heute Möglichen erreicht. Eine Unternehmensleitung hat deshalb sorgfältig zu prüfen, ob der Aufbau der notwendigen Unternehmungsstruktur und deren spätere Handhabung nicht eine Überforderung darstellt, sowohl personell als auch finanziell. Aus diesem Grund kann eine Unternehmungsführung sich gezwungen sehen, die komparativ statische Vorgehensweise zu akzeptieren. Das Management nimmt damit eine zeitweise bestehende Handlungs-Inflexibilität sowie die daraus entstehenden wirtschaftlichen Nachteile in Kauf. Es sollte darum angestrebt werden, die rational kritische Führungs- und Entscheidungsmethode soweit wie möglich zu praktizieren.

---

9) Zu dem Prinzip der kritischen Prüfung vgl. u.a. Albert, H.: Konstruktion und Kritik, Hamburg 1972, S. 21f.

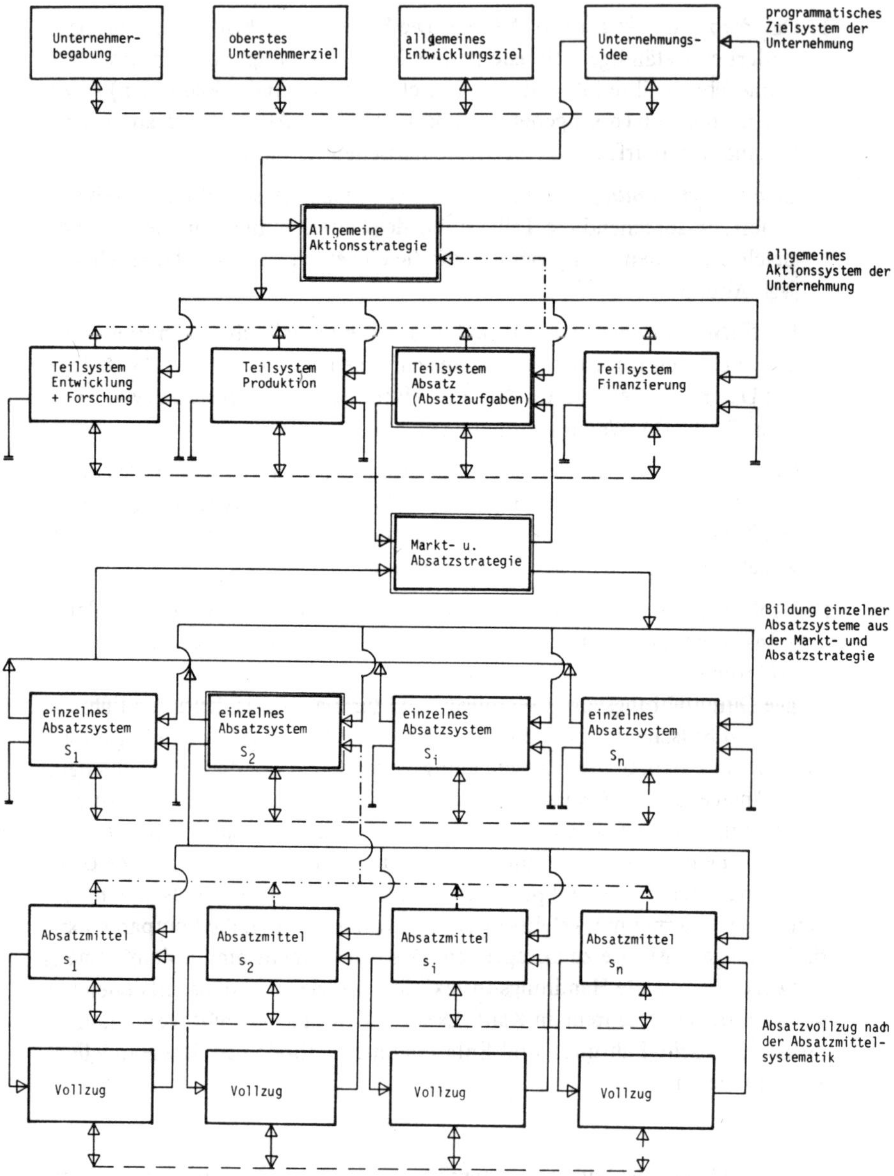

Abb. 6: Die Unternehmung als kybernetisches System

In dieser Arbeit werden für die Handhabung der rational kritischen Methode die maßgebenden Grundlagen geschaffen, so daß danach in einem Unternehmen eine flexible Absatzpolitik mit einem computer-gestützten dynamischen Entscheidungssystem zu erarbeiten ist.

Unsere Angaben zur Bildung von Absatzsystemen und Erlösfunktionen, die als wesentliche Bestandteile des dynamischen Entscheidungssystems aufzufassen sind, gelten aber auch durchaus für Unternehmen, deren Organisationen auf komparativ statisches Entscheidungsverhalten ausgerichtet sind.

0.3 Weg der Darstellung

Der Aufbau eines computer-gestützten dynamischen Entscheidungssystems (MEIS) der Absatzpolitik ist abhängig von den methodischen Vorgehensweisen und von den Anforderungen, die eine Unternehmungsführung bei ihren absatzpolitischen Problemlösungsprozessen praktiziert oder verlangt. Unsere Arbeit teilt sich analog in zwei große Bereiche auf, nämlich in die methodologischen und in die „software-artigen" Grundlagen, die u.E. für ein rational kritisch geführtes MEIS erforderlich sind.

Es werden zuerst die methodischen Elemente geschildert, die sowohl für die Struktur und den Verlauf eines kybernetischen Absatzentscheidungsprozesses als auch für die Gestalt eines flexiblem Entscheidungssystems bestimmend sind.

Im Anschluß an die methodischen Prinzipien geben wir die Phasen und die Realisierungsgrundlagen für einen computer-gestützten Absatzentscheidungsprozeß an. Den Schwerpunkt unserer Darstellung bildet dabei die Entscheidungsphase der Analyse und Erklärung. Eine isolierte Betrachtung der Analysenphase wird bewußt vermieden. Sie ist u.E. nicht sinnvoll, weil sie in die Einbettung des gesamten Entscheidungsprozesses zu sehen ist.

Wir beschränken uns bei der Behandlung der Phase der Analyse und Erklärung auf grundsätzliche Aussagen, um den Zusammenhang mit den übrigen Phasen nicht zu sprengen. Es werden nicht nur theoretische, sondern auch instrumentale Grundlagen vorgestellt, die zur Durchführung einer Analyse von Absatzsystemen nötig sind. Dazu gehört sowohl eine erste Formulierung der Erlösfunktion zur Abbildung eines Absatzsystemzustandes als auch die Darstellung des computer-gestützten dynamischen Entscheidungssystems. Wir diskutieren, welche methodischen Formen der Analyse von einer Unternehmungsführung zu praktizieren sind und begründen in Zusammenhang damit die Notwendigkeit der Bildung von Erlösfunktionen (vgl. zur Darstellung des Aufbaues dieser Arbeit das Strukturdiagramm auf S. 32).

Unterscheidungs-kriterien / Führungs- u. Entscheidungs-methode	Entscheidungsverhalten der Unternehmungs-führung	im Entscheidungsver-halten verwandte Idee	Entscheidungsver-halten gestützt auf	Kennzeichen der Ele-mente u.Systeme des Unternehmungssy-stems
dogmatisch hierarchisch statisch	autoritär-dogmatisch systemerhaltend	prinzipielles Recht-fertigungsdenken	Glaubenssysteme und Massen-ADV	starr hierarchisch
komparativ statisch	periodisch dogmatisch beharrend zeitweise kritisch über-prüfend (in sukzessiven Entscheidungsprozes-sen)	historische Sukzession und Laissez-faire-Verhalten	ADV-Anlage mit Lösungsmethoden - Modell- u.Kontroll-ergebnis-Sammlun-gen	periodisch flexibel u.anpassungsfähig (mit time-lag!)
dynamisch rational kritisch	rational kritisch in kybernetischen Entscheidungsprozessen	kritischer Rationalis-mus (Methode der kritischen Prüfung)	Entscheidungssystem mit ADV-Anlage u. Methoden-Modell-, Hypothesen-, Daten- u.Management-datenbank	fortlaufend - variabel verknüpft durch Steuerungs- u. Regelkreise

Abb. 7: Entscheidungsmethoden und ihre Unterscheidungskriterien

Nach der Erörterung der Absatzentscheidungsphasen untersuchen wir „software-artige“ Grundlagen für die Phase der Analyse und Erklärung sowie für das MEIS. Unsere Angaben bauen auf den zuvor gemachten grundsätzlichen Aussagen zur Analyse des Absatzgeschehens auf. – Wir sprechen von „software-artigen“ Grundlagen, weil die entwickelten Modelle oder Verfahren nur der Programmierung und des computer-gestützten Einsatzes bedürfen, damit sie zur gewünschten Analyse und Erklärung von Absatzsystemzuständen führen. – Mit den Daten eines Großhandelsunternehmens demonstrieren wir, daß sich unsere mathematischen Modelle zur Erklärung absatzwirtschaftlichen Geschehens eignen und daß sich unsere Vorstellungen zur Strukturbildung eines dynamischen Entscheidungssystems verwirklichen lassen.

Die Erlösfunktion bildet den Basisbaustein für das Entscheidungssystem der Absatzpolitik sowie für die weitere Analyse- und Erklärungs-Software. Wir formulieren deshalb von den software-artigen Grundlagen als erstes die in der Praxis zu gebrauchende Erlösfunktion zur Abbildung eines einzelnen Absatzsystems. Daran schließt sich die Angabe von Strukturmatrizen an. In ihnen sind die Erlös- und Absatzkosten-Daten der Kunden zu speichern, um Analysen durchführen und Erlösfunktionen abbilden zu können. Des weiteren wird die Deckungsbeitragsrechnung software-mäßig einbezogen, denn Deckungsbeiträge sind sowohl für Absatzanalysen als auch als Unterscheidungsmerkmale für Kunden und für Absatzsysteme zu verwenden. Sie sind nur zu erhalten, wenn die Strukturmatrizen schon vorliegen.

Eine Unternehmensleitung gelangt mit den bisher genannten Grundlagen zu deskriptiven Kunden- und Absatzsystem-Analysen. Diese reichen als Ermittlungs- und Transformationsverfahren nicht aus, um die Bestimmung von Erlösfunktionen zu ermöglichen. Die Verfahren stellen als Mittel zur Datenverdichtung eine Voraussetzung dar, damit Erlösfunktionen abgebildet werden können. Sie erlauben aber keine eindeutige Aufteilung der Kunden eines Unternehmens zu homogenen Kundengruppen. Die Kenntnis solcher Gruppen ist jedoch unbedingt erforderlich, um die Erlösfunktion oder die Erklärung eines Absatzsystemzustandes zu erzielen. Dafür eignet sich die Clusteranalyse in Verbindung mit der Faktorenanalyse. Mit beiden Methoden sind die gleichartigen Kunden eines jeden Absatzsystems herauszufinden.

Die spezifischen Verfahren der Cluster- und Faktorenanalyse determinieren die Anforderungen an die Datengewinnung. Sie bilden aber auch gleichfalls die Rechtfertigung für die zu ergreifenden umfangreichen Verfahren der Datenermittlung, denn nur mit ihnen ist das Absatzgeschehen zu erklären.

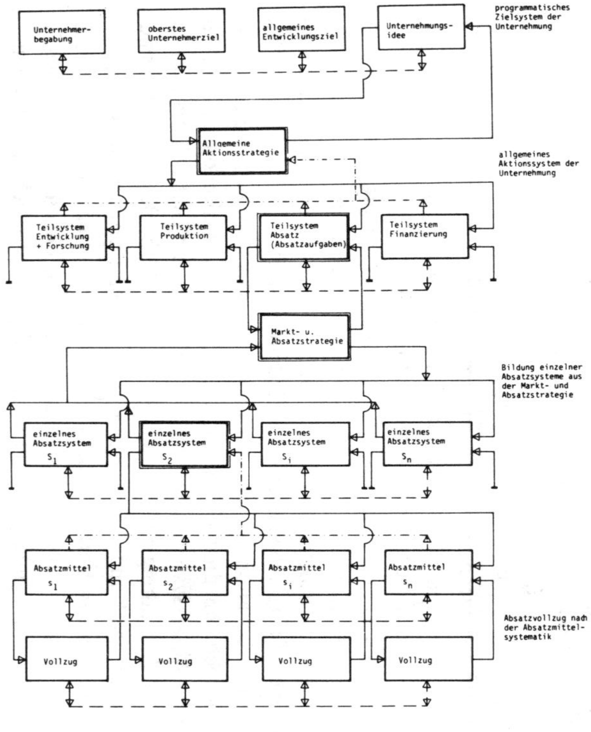

Bezugsrahmen für die einzelnen Absatzsysteme eines Unternehmens (vgl. Abb. 6)

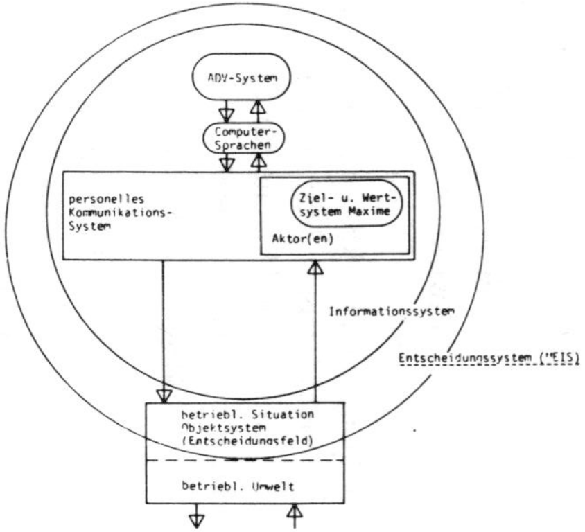

Entscheidungssystem einer Unternehmung (vgl. Abb. 11)

Der Absatzentscheidungsprozeß (vgl. Abb. 10)

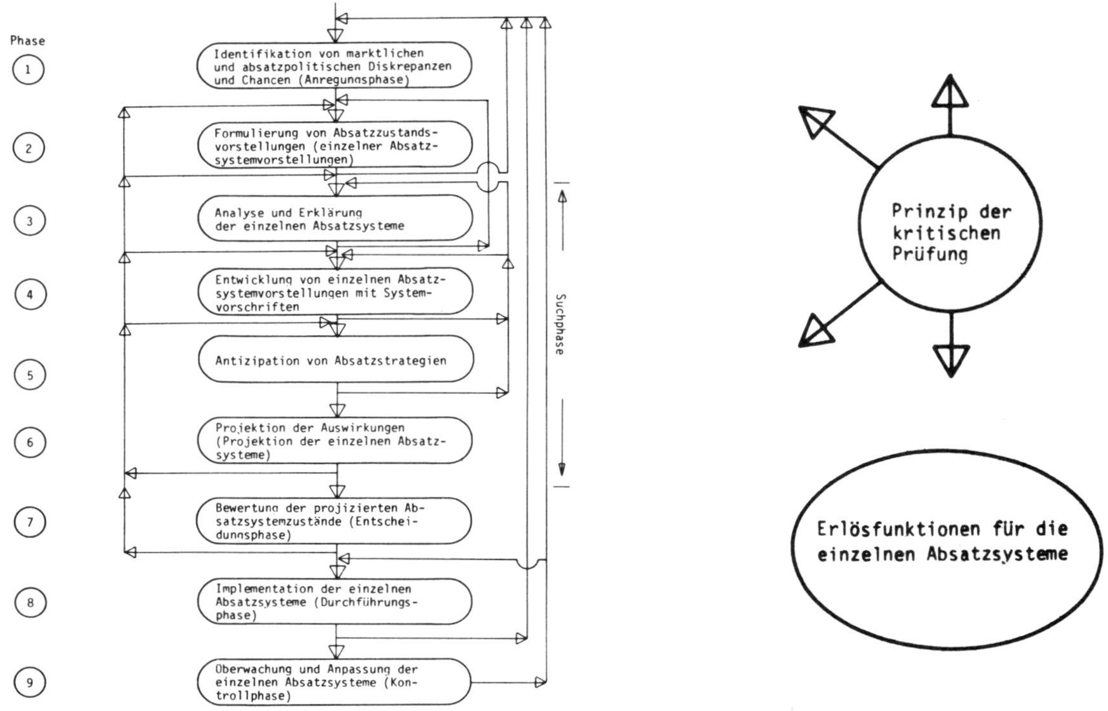

Abb. 8: Instrumentarium für eine rational kritische absatzpolitische Unternehmungsführung und die Stellung der einzelnen Absatzsysteme einer Unternehmung

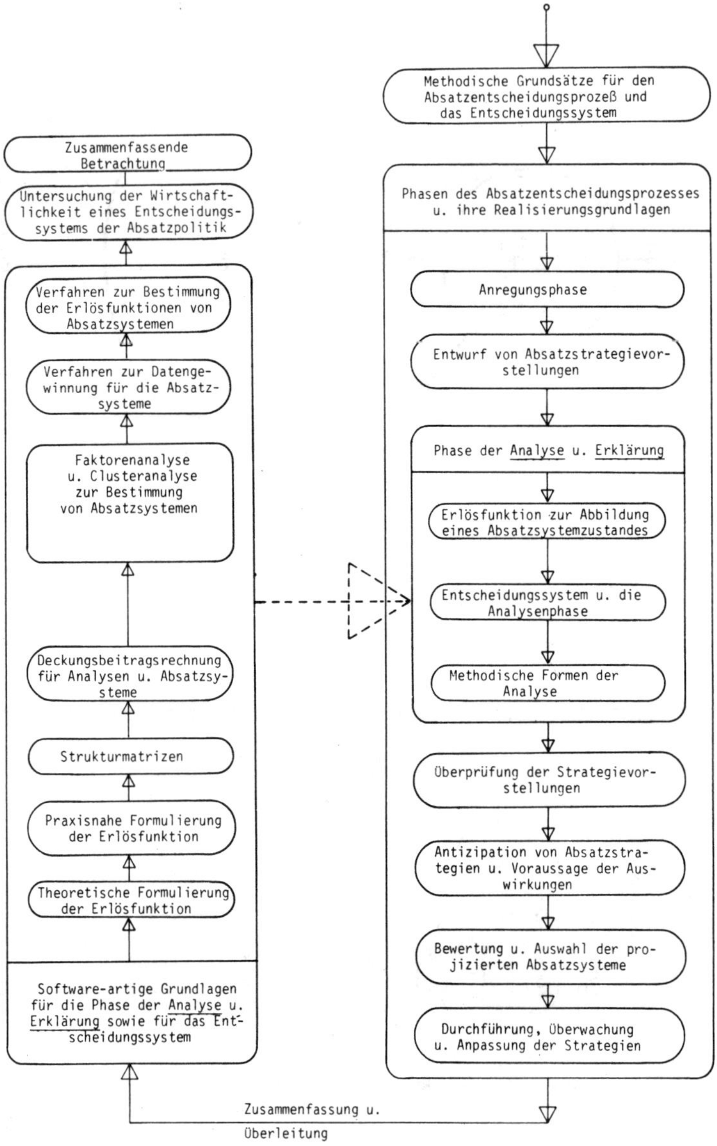

Abb. 9: Strukturdiagramm zur Darstellung des Aufbaues dieser Arbeit

Die Methoden zur Erzeugung der benötigten Daten (Datenbänke) werden von uns sowohl diskutiert als auch praktisch in einem Unternehmen angewandt. Die dabei gewonnenen Ergebnisse und Analyseauswertungen stellen wir graphisch dar.

Danach zeigen wir, mit welchen mathematischen Verfahren die Erlösfunktionen quantitativ zu berechnen sind. Bedingung für ihre erfolgreiche Bestimmung sind dabei die vorher beschriebenen Grundlagen. Diese müssen als Programme und Datenbänke des Entscheidungssystems elektronisch abrufbereit zur Verfügung stehen, wenn ein Erklärungsversuch des absatzpolitischen Geschehens mit Erlösfunktionen gelingen soll.

Zum Schluß wird in einer Wirtschaftlichkeitsbetrachtung dargelegt, mit welchen Aufbaukosten und Erlösverbesserungen bei einem nach unseren Vorstellungen aktivierten Entscheidungssystem der Absatzpolitik zu rechnen ist.

1. Methodologische Grundlagen für den absatzpolitischen Entscheidungsprozeß

1.1 Überblick über die methodischen Elemente

Eine Unternehmungsführung hat eine Analyse der Kunden und die Bildung von Absatzsystemen vorzunehmen, um zukünftige Absatzstrategien entwickeln und beurteilen zu können. Dies sollte in einem Absatzentscheidungsprozeß geschehen. Ein solcher Prozeß ist nämlich als ein besonders brauchbares Muster für rationales Problemlösungsverhalten anzusehen. Er führt zur Situationsanalyse des Teilsystems „Absatz“ und zur Konstruktion alternativer Strategien, in welcher der Akzent auf der systematischen Suche neuer Lösungen und der kritischen Konfrontierung liegt. [1)]

Die Organisation eines Problemlösungsprozesses wirkt sich erheblich auf die Qualität der Markt- und Absatzstrategien aus. Nicht nur die inhaltlichen problemrelevanten Variablen sind maßgebend für die Güte der gewählten Konzeption, sondern ebenfalls die formale Ordnung und die betrieblichen Durchführungseinrichtungen, mit denen die Variablen gewonnen werden. [2)] Der in der Praxis zu verwirklichende Arbeitsablauf, der zur Formulierung von Absatzsystemen und zum Erkennen möglicher absatzpolitischer Verhaltensweisen nötig ist, hat aus Effizienzgründen mit Unterstützung einer ADV-Anlage zu geschehen. In einem derartigen computer-gestützten Entscheidungsprozeß, der als Mensch-Maschine-Kommunikation zu verstehen ist, sind die

---

1) Zu dem Begriff des Entscheidungsprozesses vgl. Witte, E.: Stichwort „Entscheidungsprozesse“, in: Handwörterbuch der Organisation, Hrsg. E.Grochla, Stuttgart 1969, Sp. 497; Hax, H.: Die Koordination von Entscheidungen, Köln 1965, S. 13; Heinen, E.: Einführung in die Betriebswirtschaftslehre, Wiesbaden 1970, S. 19 und derselbe: Industriebetriebslehre, Entscheidungen im Industriebetrieb, Wiesbaden 1972, S. 25f. und 48f. sowie Albert, H.: Traktat über kritische Vernunft, 2. Aufl. Tübingen 1969, S. 179 und derselbe: Plädoyer für kritischen Rationalismus, 2. Aufl. München 1971, S. 11f.
Zur Identität des Entscheidungs- und Problemlösungsprozesses vgl. Kirsch, W.: Entscheidungsprozesse, Bd. I, Wiesbaden 1970, S. 70f.

2) Den empirischen Nachweis dazu erbrachte Witte, vgl. Witte, E.: Die Organisation komplexer Entscheidungsverläufe – ein Forschungsbericht –, in: ZfbF, 20. Jg. 1968, Heft 9, S. 581 - 599; vgl. dazu auch Naschold, F.: Gesellschaftsreform und politische Planung, in: Politische Planungssysteme, Hrsg. F.Naschold und W.Väth, Opladen 1973, S. 66.

Vorteile des Menschen und des Computers wahrzunehmen, indem jeder Partner diejenigen Aufgaben übernimmt, für die er relativ besser geeignet ist.

Wir werden schildern wie eine derartige Aufgabenstellung in einem Absatzentscheidungsprozeß methodisch und organisatorisch zu geschehen hat und beschränken uns nicht nur auf die Angabe der Phasenfolge der Operationen. Wir setzen uns mit jenen entscheidungs-, system- und wissenschaftstheoretischen Prinzipien auseinander, die u.E. für ein dynamisches Entscheidungsverhalten kennzeichnend sind und ohne die weder eine Analyse der Kunden noch eine Vorausschau von Absatzsystemzuständen gründlich durchzuführen ist.

Bei der Bildung einer antizipierten Absatzpolitik in einem computer-gestützten Entscheidungsprozeß sind die folgenden methodischen und organisatorischen Instrumente oder Grundsätze zur formellen und materiellen Realisierung anzuwenden:

1.1.1 Die Methode der kritischen Prüfung

Sie ermöglicht einer Unternehmensführung, die informativen und normativen Aussagen in den Absatzentscheidungsphasen herauszuarbeiten und zu diskutieren. Das Management gelangt unter Einbeziehung und Verknüpfung der Marktforschung und der Absatzpolitik dadurch zu einem realdialektischen Problemlösungsprozeß, der als ein Lernprozeß zu verstehen ist. Der Absatzentscheidungsprozeß wird somit zu einem System von Rückkopplungsbeziehungen. Er läßt sich durch horizontal und vertikal miteinander verbundene Regel- und Steuerungskreise darstellen (vgl. Abb. 10 auf S. 37). [3)]

---

3) Zur Methodendiskussion und zur Methode der kritischen Prüfung bzw. des rationalen Kritizismus oder des kritischen Rationalismus vgl. Popper, K.: Das Elend des Historizismus, 3. Aufl. Tübingen 1971, S. 46 und S. 69f.; Albert, H.: Traktat . . . , a.a.O., S. 29 und S. 73f.; derselbe: Konstruktion . . . , a.a.O., S. 166 und Lenk, H.: Erklärung, Prognose, Planung, Freiburg 1972, S. 96 und S. 104. Zum Ablauf des Entscheidungsprozesses vgl. Horvath, P.: Betriebliche Entscheidungen als Teile eines Lernprozesses, Meisenheim 1971, S. 83f.; Szyperski, N.: Vorgehensweise bei der Gestaltung computer-gestützter Entscheidungssysteme, in: Computer-gestützte Entscheidungen in Unternehmungen, Hrsg. E.Grochla, Wiesbaden 1971, S. 57f.; Bardet, Ph.: Die Organisation der Planung, Stuttgart 1965, S. 16; Heidemann, C.: Über informative und normative Sätze in der Planung, in: Stadtbauwelt, Berlin 1971, Heft 32, S. 293 und die dort angegebene Literatur sowie Pümpin, C.: Langfristige Marketingplanung, 2. Aufl., Bern 1970, S. 17f. und S. 108f. und Griem, H.: Der Prozeß der Unternehmungsentscheidung bei unvollkommener Information, Berlin 1968, S. 16f.

1.1.2 Grundsatz der Abkehr vom Dogma eines starren Wert- und Zielsystems und von der Trennung der Absatzentscheidungsprozesse in „Ziel- und Mittelentscheidungsprozesse"

Die Anwendung der Methode der kritischen Prüfung bringt zwangsläufig zielabändernde Rückkopplungen und Werteinstellungsänderungen mit sich, denn neue Erkenntnisse und Erfahrungen führen dazu, daß frühere Zielsetzungen umzustrukturieren sind. Aus dieser Tatsache ergibt sich folgerichtig, daß die betriebswirtschaftliche Forderung der Trennung nach Ziel- und Mittelentscheidungsprozessen überholt ist. Sie erzeugt nur geschlossene, künstlich konservierte Zielsysteme. Ein Entscheidungsprozeß ist gleichzeitig von Zielsuchprozessen begleitet. Dieser Auffassung sind auch *Witte, Wacker, Albert* und *Ozbekan.* [4)]

1.1.3 Grundsatz des systemanalytischen Vorgehens

Nach dem Verfahren der Systemanalyse sind die spezifischen Beziehungen zwischen den möglichen Absatzmitteln und Kunden der Absatzsysteme für antizipierte Absatzstrategien zu erfassen und unter variierenden Bedingungen zu simulieren. Dabei sind die Auswirkungen auf das betriebliche Gesamtsystem unbedingt zu berücksichtigen. Das ist nur zu erreichen, wenn im Absatzentscheidungsprozeß jedes Absatzsystem von vornherein als integrierender Bestandteil des Unternehmungssystems betrachtet wird (vgl. dazu Abb. 6 auf S. 26).

1.1.4 Grundsatz des deduktiven Denkens

Deduktive Systeme, d.h. Hypothesen und Theorien, die durch logische Folgerungen gewonnen werden, sind in einem Absatzentscheidungsprozeß als Erklärungsmodelle der Absatzsysteme zu verwenden. Sie bilden die Grundlage, um zu einem rational kritischen Entscheidungsverhalten zu gelangen. Allein ein deduktives System, z.B. eine Erlösfunktion, kann der rationalen Kritik unterworfen werden, indem nämlich versucht wird, die aufgestellte

4) Witte, E.: Stichwort „Entscheidungsprozesse", a.a.O., Sp. 502; Wacker, W.H.: Betriebswirtschaftliche Informationstheorie, Opladen 1971, S. 86; Albert, H.: Plädoyer . . . , a.a.O., S. 27f.; Ozbekan, H.: Toward a General Theory of Planning, in: Perspectives of Planning, Hrsg. E.Jantsch, Paris 1969, S. 124f.

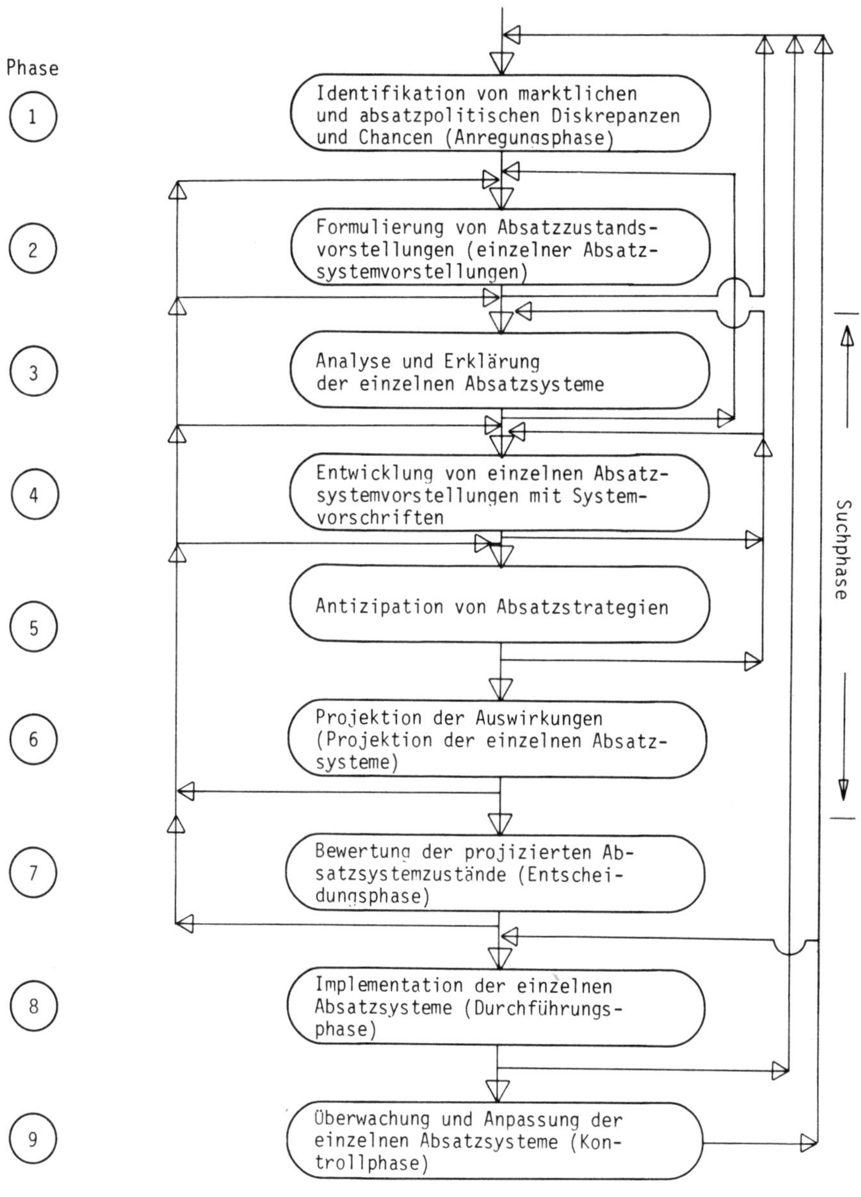

Abb. 10: Schematische Phasenfolge des Absatzentscheidungsprozesses

Hypothese aufgrund von Tatsachen und mit der formalen Logik zu widerlegen.

Im Gegensatz zum deduktiven Denken hält teilweise die heutige betriebswirtschaftliche Entscheidungstheorie das Prinzip der eingeschränkten Rationalität für angemessener (vgl. *Kirsch* u.a.). Entschieden gegen dieses Prinzip wenden sich u.E. überzeugend *Tenbruck, Albert* und *Popper.* [5)]

1.1.5 Abkehr vom Grundsatz der Strukturidentität von Erklärung und Prognose

Die Betriebswirtschaftslehre (*Heinen* u.a.) ist der Auffassung, die Aufgabe der Erklärungsmodelle sei es, „Erklärungen *und* Prognosen von Auswirkungen alternativ möglicher Entscheidungen" zu liefern. Die darin enthaltene These der Strukturidentität von Erklärung und Prognose ist nach den Ergebnissen der Wissenschaftstheorie nicht mehr aufrechtzuerhalten. Die betriebswirtschaftliche Methodologie bedarf daher in dieser Hinsicht einer Überprüfung. [6)]

Für den Absatzentscheidungsprozeß bedeutet dies, daß die auf Vergangenheitsdaten beruhende Erlösfunktion eines Absatzsystems nicht ohne weiteres als brauchbares Prognosemodell zu verwenden ist. Die Erklärung eines einzelnen Absatzsystems stellt potentiell also noch keine Voraussage dar. Sie kann nur Ausgangspunkt für eine Prognose sein.

---

5) Kirsch, W.: Entscheidungsprozesse, Bd.I u.II, a.a.O.; vgl. dazu die dort angegebene Literatur.
Tenbruck, F.H.: Zur Kritik der planenden Vernunft, München 1972, S. 33f.; Albert, H.: Traktat . . . , a.a.O., S. 58f. und S. 145; Popper, K.R.: Die Logik der Sozialwissenschaften, in: Der Positivismusstreit in der deutschen Soziologie, Hrsg. Th.W. Adorno u.a., Neuwied 1972, S. 115f.; derselbe: Naturgesetze und theoretische Systeme, in: Theorie und Realität, Hrsg. H.Albert, 2. Aufl. Tübingen 1972, S. 54f. sowie Stegmüller, W.: Hauptströmungen der Gegenwartsphilosophie, Stuttgart 1969, 4. Aufl. S. 401; Klaus, G.: moderne logik, Berlin 1967, 4. Aufl., S. 312f. und Gerth, E.: Betriebswirtschaftliche . . . , a.a.O., S. 156f. und S. 176f.

6) Zur betriebswirtschaftlichen Methodologie vgl. u.a. Heinen, E.: Industriebetriebslehre, a.a.O., S. 26f. und derselbe: Einführung in die Betriebswirtschaftslehre, Wiesbaden 1970, S. 36, S. 159 und Vorwort. Zur Widerlegung der These der Strukturidentität vgl. Stegmüller, W.: Probleme und Resultate der Wissenschaftstheorie und Analytischen Philosophie, Bd. 1, Wissenschaftliche Erklärung und Begründung, Berlin 1969, S. 179f.; Lenk, H.: Erklärung . . . , a.a.O., S. 34f. und Toulmin, St.: Voraussicht und Verstehen, ein Versuch über die Ziele der Wissenschaft, Frankfurt a.M. 1968, S. 28f.

1.1.6 Grundsatz der Entwicklung des Absatzentscheidungsprozesses in einem Entscheidungssystem (MEIS)

Ein Absatzentscheidungsprozeß ist von dem Prozeß der internen und externen Informationsbeschaffung, der Informationsaufbereitung und der Informationsverarbeitung begleitet. Die Prozesse stehen in enger Wechselbeziehung. Sie erfolgt vermittelnd durch Kommunikationsprozesse unter den

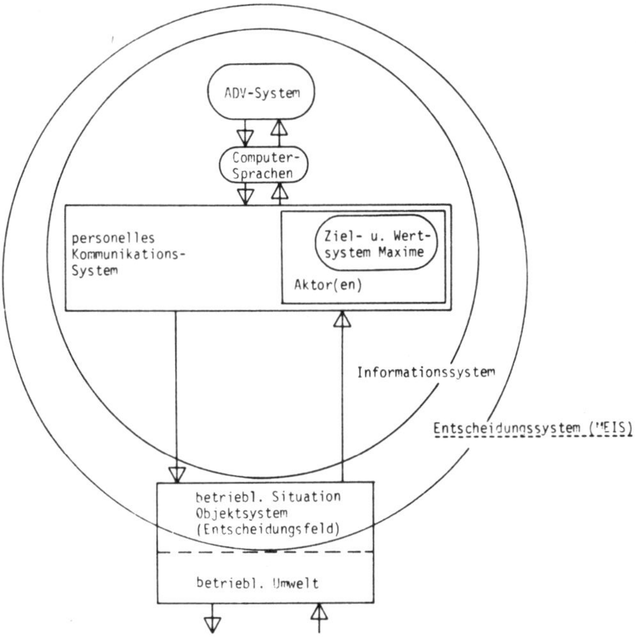

Abb. 11: Überblick über das Entscheidungssystem einer Unternehmung

Menschen oder mit Hilfe einer ADV-Anlage. Dieser gesamte Bereich der Kommunikation, der Information und der Entscheidung ist u.E. durch *ein* System, das Entscheidungssystem (das Management – Entscheidungs- und Informations-System oder das MEIS) abzudecken (vgl. Abb. 11 auf S. 39). Allein mit einem solchen System ist eine Verknüpfung der Informations- Kommunikations- und Entscheidungsprozesse zu erzielen und ein dynamisches Entscheidungsverhalten praktizierbar. Deshalb ist u.E. der Grundsatz der Entwicklung des Absatzentscheidungsprozesses in einem Entscheidungssystem eine bindende Maxime. [7)]

Es wird bei der folgenden Schilderung der Phasen des Absatzentscheidungsprozesses angegeben, wie der Aufbau der Elemente des Entscheidungssystems zu erfolgen hat und wie die zuvor skizzierten Grundsätze anzuwenden sind.

7) Vgl. i.d.S. Albach, H.: Entscheidungsprozeß und Informationsfluß in der Unternehmensorganisation, in: Organisation, Hrsg. E.Schnaufer und Agathe, K.: Berlin 1961, S. 355; Wacker, W.: Betriebswirtschaftliche . . . , a.a.O., S. 73 und S. 133f.; Szyperski, N.: Vorgehensweise . . . , a.a.O., S. 39f.; Koreimann, D.S.: Methoden und Organisation von Management - Informations-Systemen, Berlin 1971, S. 15f.; Dworatschek, S.: Management . . . , a.a.O., S. 21 und S. 70 sowie Witte, E.: Entscheidungsprozesse, a.a.O., Sp. 500f.

1.2 Die Phasen des computer-gestützten Absatzentscheidungsprozesses zur Bestimmung der Absatzpolitik und ihre Realisierungsgrundlagen

1.2.1 Phase (1) – Identifikation von marktlichen und absatzpolitischen Diskrepanzen und Chancen (Anregungsphase)

Es bedarf in einem Unternehmen eines besonderen Anstoßes, um einen Absatzentscheidungsprozeß auszulösen. Die nötige Anregungsinformation kann dazu aus dem personellen Kommunikationssystem oder dem ADV-Anlagensystem kommen.

Die initiierenden Informationen der Anregungsphase lassen marktwirtschaftliche Überzeugungen revisionsbedürftig erscheinen, zeigen Störungen im Einsatz der Absatzinstrumente auf, lassen Spannungen zu den Kunden erkennen oder deuten auf absatzpolitische Chancen hin. Für diese aktionsfordernden Tatbestände sind keine oder keine eindeutig operationalen Anweisungsregeln im Wert- oder Zielsystem oder keine elektronisch gespeicherten Entscheidungsprogramme im Entscheidungssystem vorhanden. Dadurch besitzen die Anregungsinformationen Aufforderungscharakter zur Konfrontation mit den Strukturen und Strategien des Teilsystems „Absatz".

Die Beschreibungen der Tatbestände, die als offenkundig gewordene Diskrepanzen etc. in die Anregungsinformationen eingehen, sind selektiv und beruhen auf Werturteilen. Dem Entschluß zur Klärung und Aufhellung der Absatzsituation sollte daher eine Überprüfung der Informationen vorausgehen. Es ist zu klären, weshalb ein Zustand als defizitär oder günstig anzusehen ist. Auf diese Weise werden die normativen Prämissen, die z.B. hinter den Diskrepanzbestimmungen stehen, offengelegt und Gegenstand einer Diskussion. Danach ist zu fragen, welche absatzpolitischen Auswirkungen die offenkundig gewordenen Tatbestände haben könnten, welche unternehmerischen Aktionen nötig werden und mit welchen Veränderungen in den Absatzsystemen zu rechnen ist. Mit solchen spekulativen Annahmen verläßt eine Unternehmungsführung bereits die Anregungsphase und eröffnet die zweite Phase des Absatzentscheidungsprozesses. [8)]

---

8) Auf die Besonderheiten des kollektiven Absatzentscheidungsprozesses wird in dieser Arbeit nicht eingegangen. Vgl. dazu u.a. Gäfgen, G.: Theorie der wirtschaftlichen Entscheidung, 2. Aufl. Tübingen 1968, S. 148f. und S. 413f.

1.2.2 Phase (2) – Formulierung von Absatzzustandsvorstellungen (einzelner Absatzsystemvorstellungen)

In der Betriebswirtschaftslehre ist die Auffassung weit verbreitet, Entscheidungsaufgaben oder Ziele seien möglichst von Anfang an eindeutig und weitgehendst zu determinieren. Das zeugt u.E. von einer abzulehnenden dogmatischen Denkungsart und ist sowohl aus kybernetischen Gründen als auch aus der Sicht der Methode der kritischen Prüfung zu verurteilen.

Eine vorangestellte exakt zielgerichtete Aufgabenbeschreibung oder „Zielsetzung" hieße ja, die Elemente und Elementbeziehungen der anzustrebenden Tatbestände oder der Absatzsystemzustände zu kennen. Das würde bedeuten, die Ergebnisse des Entscheidungsprozesses vorwegzunehmen. Die Absatzsystemzustände würden in ganz überflüssiger Weise noch einmal mit erheblichen Aufwand formuliert. Eine Unternehmungsführung setzte in diesem Fall statt eines realdialektisch geführten Absatzentscheidungsprozesses eine Glaubensdoktrin. Sie würde ihr eingebildetes Herrschaftswissen und Verstehen behaupten, aber eine Ursachendiagnose und eine theoretische Durchdringung sowie eine Aufklärung der Absatzsituation unterdrücken.

Eine Unternehmensleitung hat in dieser Absatzentscheidungsphase unter Berücksichtigung ihres programmatischen Zielsystems und der allgemeinen Aktionsstrategie, der „konstitutiven Unternehmungszielkonzeption", tastend zu versuchen, situative Zielvorstellungen ihrer Absatzpolitik zu erarbeiten.[9] Dadurch grenzt sie die zu analysierenden bzw. die zu verändernden Absatzsysteme ab.

Konstitutive Zielkonzeptionen wie z.B. die Forderung nach Gewinnmaximierung sind von der Unternehmungsführung als Zielsetzungen vor dem Absatzentscheidungsprozeß formulierbar. Doch wird das Management seine Leitnormen durch Lernprozesse aufgrund von zieländernden Rückkopplungen und Werteinstellungsänderungen wandeln. Eine rational kritische Unternehmensleitung versteht nämlich ihre Normen, Werte und Ziele als abhängige Variable.[10]

Eine unternehmerische Auffassung, die in den Sätzen des programmatischen Zielsystems und in den Forderungen des allgemeinen Aktionssystems

9) Vgl. zu dieser Trennung Griem, H.: Der Prozeß . . . , a.a.O., S. 66f. und Wacker, W.H.: Betriebswirtschaftliche . . . , a.a.O., S. 87 und die dort angegebene Literatur.

10) Ebenso Koller, H.: Zur Kritik . . . , a.a.O., S. 87f.; Albert, H.: Traktat . . . , a.a.O., S. 76; Lenk, H.: Erklärung . . . , a.a.O., S. 87f. und Ozbekan, H.: Toward . . . , a.a.O., S. 153.

(vgl. Abb. 6 auf S. 26) nicht Dogmen, sondern prinzipiell kritisierbare Annahmen sieht, ist an der „Idee der kritischen Prüfung" orientiert.

Akzeptiert das Management das Prinzip der kritischen Prüfung, dann erzielt es einen normen- und wertungsflexiblen, zieldynamischen Absatzentscheidungsprozeß. Die Unternehmungsführung kommt damit zu einem konstitutiven und situativen Zielpluralismus, der zusätzlich alternative Absatzproblemlösungen ermöglicht. [11)]

Eine kritisch denkende Unternehmensleitung kehrt sich also ab vom Dogma der logisch hierarchischen Struktur des Ziel- und Wertsystems und trennt sich gleichfalls von der Vorstellung, es hätten Ziel- und Mittelentscheidungsprozesse getrennt zu erfolgen. [12)] Der in der Realität ablaufende komplexe problemlösende Entscheidungsprozeß der Absatzpolitik steht unter Zielunklarheit. Er wird von Zielsuchprozessen begleitet. Denn die situativen Zielkonzeptionen, die zukünftigen Zustände oder Strategien einzelner Absatzsysteme, sind keineswegs in „Zielsetzungsentscheidungen" vorweg festlegbar. Sie sind vielmehr Hauptbestandteil innerhalb des dynamischen Absatzentscheidungsprozesses und werden erst in der computer-gestützten Suchphase (vgl. Abb. 10 auf S. 37) zur Absatzsystementwicklung iterativ zu formulieren sein. Dieser Auffassung sind auch *Bendixen, Gerth, Häusler, Ozbekan* und *Szyperski.* [13)]

Es ist der Fehler der klassischen Entscheidungstheorie gewesen, in ihrem geschlossenen Entscheidungsmodell davon auszugehen, daß gegenwärtige Absatzsystemzustände in einem Vektor R_j und die alternativen Absatzstrategien in einem Vektor A_i vorlägen. [14)] Das trifft ebensowenig zu, wie die An-

---

11) Vgl. dazu Albert, H.: Traktat . . . , a.a.O., S. 21f. und S. 78f. und Lenk, H.: Erklärung . . . , a.a.O., S. 88f. sowie die dort angegebene Literatur.

12) Vgl. dazu Myrdal, G.: Das Zweck-Mittel-Denken in der Nationalökonomie, in: Z.f.Nationalökonomie, 4. Jg. 1933, S. 310 und S. 315.

13) Bendixen, P., und H.W.Kemmler: Planung, Organisation und Methodik innovativer Entscheidungsprozesse, Berlin 1972, S. 24; Ozbekan, H.: Toward . . . , a.a.O., S. 123f.; Gerth, E.: Betriebswirtschaftliche . . . , a.a.O., S. 187; Szyperski, N.: Vorgehensweise . . . , a.a.O., S. 59; Häusler, J.: Der Führungsprozeß in der industriellen Unternehmung, in: Unternehmensführung auf neuen Wegen, Hrsg. R.W.Stöhr, Wiesbaden 1971, S. 45f. und derselbe: Planung als Zukunftsgestaltung, Wiesbaden 1969, S. 187.

14) Zu diesem Modell und dessen Kritik vgl. u.a. Bühlmann, H., H.Loeffel und E. Nievergelt: Einführung in die Theorie und Praxis der Entscheidung bei Unsicherheit, 2. Aufl. Berlin 1969, S. 1 und 104; Stegmüller, W.: Hauptströmungen der Gegenwartsphilosophie, 4. Aufl. Stuttgart 1969, S. 477; Heidemann, C.: Über

nahme berechtigt ist, der Vektor A_i ließe sich dem Vektor R_j derart zuordnen, daß für jede Kombination einer Absatzstrategie und eines Absatzsystemzustandes ein Ergebnis E_{ij} bzw. ein neuer Absatzsystemzustand zu erzielen ist.

Eine Unternehmensführung kann nicht davon ausgehen, die wesentliche Arbeit im Absatzentscheidungsprozeß läge in der Bewertung alternativer Absatzsystemzustände. Denn die Vektoren A_i und R_j sind in einer Unternehmung nicht bekannt. Das klassische Entscheidungsmodell nach dem Prinzip der Bewertung von Alternativen ist unbrauchbar. Es bedarf der Erklärung der bestehenden Absatzsysteme und der mühsamen Erarbeitung alternativer Strategien in einem rational kritisch geführten Absatzentscheidungsprozeß, um ein absatzwirtschaftliches Ergebnis E_{ij} voraussagen zu können.

Unmittelbar nach der Anregungsphase ist es in dieser zweiten Prozeßphase nur möglich, Zustandsvorstellungen oder Zielvorstellungen bzw. anzustrebende Absatzsystemvorstellungen zu entwickeln. Projektionen von Absatzsystemzuständen oder Prognosen, verbunden mit deren Auswirkungen für das Unternehmen, können erst nach einer Analyse und Erklärung der jeweils vergangenen und gegenwärtigen Systemzustände erfolgen.

Es darf jedoch nicht übersehen werden, daß eventuell verwendungsfähige, elektronisch gespeicherte Abbildungen alternativer Absatzsystemzustände im ADV-System enthalten sind. Es gilt deshalb, die gespeicherten informativen Absatzsystemzustände zu aktivieren und daraufhin zu überprüfen, ob sie bezüglich der Anregungsinformationen auf in Frage kommende Anweisungsprogramme schließen lassen. Der Absatzentscheidungsprozeß ist nicht abzubrechen, wenn die abgebildeten Absatzsysteme sachbezogen als zutreffend erkannt werden. Der Entscheidungsablauf ist kritisch weiterzuführen. Eine im Computer vorgefundene Absatzstrategie oder ein aktivierter, erstrebenswert erscheinender Absatzsystemzustand sollte erst akzeptiert werden, wenn nach gründlicher Situationsanalyse und neu formulierten Absatzsystemvorstellungen keine bessere Alternative gefunden wird.

Schon in dieser Phase (2) ist es denkbar, daß zusätzliche Anregungsinformationen gewonnen werden. Die Informationen können eine Überprüfung der getroffenen Aussagen ratsam erscheinen lassen und zu einer Revision der bisherigen Vorstellungen führen (vgl. dazu die Rückkopplungsschleife in Abb. 10 auf S. 37).

---

informative . . . , a.a.O., S. 294; Gäfgen, G.: Theorie . . . , a.a.O., S. 105f. und S. 114; Kirsch, W.: Entscheidungsprozesse I., a.a.O., S. 26f. und Horvath, P.: Betriebliche Entscheidungen als Teile . . . , a.a.O., S. 54f.

1.2.3 Phase (3) – Analyse und Erklärung des Entscheidungsfeldes – der einzelnen Absatzsysteme –

1.2.3.1 Grundsätzliche Aussagen zu dieser Entscheidungsphase

Das Management hat einen augenblicklichen absatzwirtschaftlichen Systemzustand und seine Entwicklung aus der Vergangenheit zu analysieren, um genauere Vorstellungen über die Art und den Umfang der notwendigen Veränderungen der Absatzpolitik für die Zukunft entwickeln zu können.

Dazu ist eine Zustandsbeschreibung erforderlich, die sich erst verwirklichen läßt, wenn das System definiert bzw. abgegrenzt ist. „Jede Systemabgrenzung beinhaltet aber Relevanzentscheidungen, die stets normative Aussagen sind". [15] Die Abgrenzung des jeweiligen Absatzsystems gegenüber den Betriebssystemen und der Umwelt ist deshalb von maßgeblicher Bedeutung, weil in den übrigen Absatzentscheidungsprozeßphasen nur über die in dem System enthaltenen Einflußgrößen und Relationen etwas ausgesagt werden kann.

Eine Abbildung (Reproduktion) eines Absatzsystems ist in einem Absatzmodell wiederzugeben. Für das Modell sind die Bedingungen mit aufzunehmen, unter denen deren Aussagen bestehen sollen. Nur dadurch wird eine Überprüfung der Widerspruchsfreiheit, Unabhängigkeit und Vollständigkeit der Sätze möglich, mit denen die Konstruktion des Absatzmodells vollzogen wurde. [16] Seine Hypothesengültigkeit, Erklärungskraft und Bewährung ist mit der kritischen Methode zu testen. Dies geschieht, indem das gesamte Erklärungssystem und die informativen Sätze einer rationalen Kritik unterworfen werden. Die Unternehmensleitung darf sich dabei nicht den ständigen Dialog mit der Wirklichkeit ersparen und darf keineswegs Erfahrungstatsachen negieren. [17] In einem betrieblichen Absatzentscheidungsprozeß, in dem die zukünftige Absatzpolitik zu bestimmen ist, bildet u.E. die Erlösfunktion als Absatzmodell die Grundlage für eine Analyse und Erklärung des vergangenen und gegenwärtigen Absatzgeschehens in einer Unternehmung. In einer Erlösfunktion wird das Zustandekommen des Erlöses (Menge x Preise

---

15) Heidemann, C.: Über informative . . . , a.a.O., S. 293; Vgl. auch Bendixen, P., und H.Kemmler: Planung, a.a.O., S. 34f. und Szyperski, N.: Vorgehensweise . . . , a.a.O., S. 59.

16) Ebenso Klaus, G.: Moderne Logik, a.a.O., S. 330.

17) Zum Gedankengang der kritizistischen Methodenlehre vgl. Popper, K.R.: Die Logik . . . , a.a.O., S. 103f. sowie Albert, H.: Traktat . . . , a.a.O., S. 178f. und derselbe: Konstruktion . . . , a.a.O., S. 37 und S. 18.

des Absatzes) in Abhängigkeit vom Mengeneinsatz der Absatzmittel und von den Preisen dieser Absatzmittel (Absatzkosten) gezeigt. Sowohl der Erlös als auch die Absatzkosten werden dabei entsprechend ihrem Zustandekommen nach Absatzsystemen gegliedert. Mit einer Erlösfunktion sind daher der Verlauf des absatzpolitischen Mitteleinsatzes und der Kundenreaktionen zu verfolgen. Eine Beurteilung der Konzeption der vom Management gestellten Absatzaufgabe und der Erfolg der betrieblichen Markt- und Absatzstrategie läßt sich mit einer Erlösfunktion ausdrücken.

Die erforderliche empirische Arbeit zur konkreten quantitativen Ermittlung der Erlösfunktion ist von der Unternehmensleitung selbst vorzunehmen. Die operative Form der Funktion kann nicht allgemein vorweggenommen werden. In jedem Unternehmen ist nämlich ein einzigartiges, sich ständig veränderndes Entscheidungsfeld zu erfassen. Die angegebene Hypothese, die Erlösfunktion $E = f(K_A)$, stellt eine Ausgangsbasis dar, um das Entscheidungsfeld beschreiben und erklären zu können. Sie bildet ein Satzsystem, das erst unter Einbeziehung der betrieblichen Erlös- und Kostendaten der Erklärung der realen absatzpolitischen Erscheinungen dient. [18] Die konkrete Form der Erlösfunktion ist nur zu gewinnen, wenn das nötige Wissen, die relevanten Daten als Informationen zur Verfügung stehen. Der Zustand eines Absatzsystems wird allein durch Informationen offenkundig.
Sowohl eine komparativ statische wie eine rational kritische Unternehmensleitung steht während des Absatzentscheidungsprozesses vor dem Problem der Informationsbeschaffung und der Informationsverarbeitung. Sie würde unklug und unwirtschaftlich handeln, wenn sie den Informationsprozeß und den damit verbundenen Entscheidungsprozeß zur Bestimmung der Erlösfunktion jeweils von neuem organisierte. Ein modernes dynamisches Management, dem es darauf ankommt, schnell, unkompliziert und kostengünstig entscheiden zu können, muß die Voraussetzungen dazu institutionalisieren. Eine Unternehmungsführung hat dazu ein Entscheidungssystem, ein Management-Entscheidungs- und Informations-System (MEIS) aufzubauen.

Das MEIS soll für eine Durchführung eines Entscheidungsprozesses die erforderlichen Informationen und Methoden bereitstellen. Ein solches System zeichnet sich durch die Möglichkeiten einer ökonomischen Entscheidungs- und Willensbildung aus. In ihm ist die Informationsarbeit den heutigen verfügbaren Techniken angepaßt. Das dynamische Entscheidungssystem basiert

---

18) Zum Begriff des „Satzsystems" vgl. Boschenski, I.M.: Die zeitgenössischen Denkmethoden, 5. Aufl. München 1971, S. 11.

dabei auf rational kritischen Organisationsmethoden (vgl. dazu Abschnitt 1.1) und auf Entscheidungsmodellen (z.B. dem Modell des Absatzentscheidungsprozesses). Hinzu kommt eine ADV-Anlage mit Datenbänken und einem Abbildungssystem (vgl. Abb. 12 auf S. 48) sowie spezielle Implementierungstechniken und Kompatibilitätsanforderungen. Das MEIS ist immer verbunden mit der jeweiligen Situation, dem Entscheidungsfeld, das zu untersuchen ist. [19]

Die Elemente oder die Subsysteme des Entscheidungssystems müssen bekannt sein, damit der Phasenablauf der Analyse und Erklärung des Absatzgeschehens angegeben werden kann. Das wichtigste inhaltliche Element des Entscheidungssystems ist die Erlösfunktion. Sie ist bestimmend für den gesamten Aufbau des MEIS und für die übrigen Phasen des Absatzentscheidungsprozesses. Die Erlösfunktion sei deshalb im folgenden Abschnitt geschildert.

1.2.3.2 Theoretische Formulierung der Erlösfunktion der Absatzsysteme (Theoretische Grundlagen)

Die Vielzahl der absatzpolitischen Mittel und Maßnahmen, die einer Unternehmensleitung zur Verfügung stehen, sind in den vier absatzpolitischen Instrumenten, der Produktgestaltung, dem Vertrieb (Vertriebsorganisation und Vertriebsmethoden) der Werbung und der Preispolitik, zusammenfaßbar. [20]

Diese Absatzinstrumente sind nach *Gerth* [21] nach speziellen Gesichtspunkten in einzelnen Absatzsystemen zum Einsatz zu bringen. D.h., „ein Marktausschnitt nach Produkten und Kunden (und dementsprechend auch Konkurrenten) ist mit einer speziellen Zuordnung von Absatzmaßnahmen zu bearbeiten. Die Bearbeitungsmöglichkeiten richten sich nach den Wirkungsmöglichkeiten der Absatzinstrumente und nach den Bedingungen, welche die Kunden unter gegebenen Konkurrenzeinwirkungen hierfür stellen. Die mittelfristige Absatzpolitik der Unternehmung umfaßt also zwei Gruppen von Variablen (bei konstantem Produktsortiment): Die Absatzinstrumente und die Auswahl jener Kunden, an welche ihr Einsatz gerichtet wird. Zwischen beiden besteht Gleichrangigkeit und Interdependenz:

19) Vgl. dazu auch Wahl, M.P.: Grundlagen eines Management-Informations-Systems, in: IBM-Nachrichten, Hrsg. IBM Deutschland, Stuttgart 1969, Heft 194, S. 585 und Koreimann, D.S.: Management . . . , a.a.O., Vorwort.

20) Vgl. Gerth, E.: Betriebswirtschaftliche . . . , a.a.O., S. 112 und Gutenberg, E.: Der Absatz, a.a.O., S. 48f. und S. 123.

21) Gerth, E.: Betriebswirtschaftliche . . . , a.a.O., S. 111f.

– Nur soweit die Absatzinstrumente an den für den Kauf eines Produktes (oder einer Gruppe von Produkten) günstigsten Kundenkreis gerichtet werden, kann die Absatzpolitik optimal sein.

– Nur soweit die Absatzinstrumente gegenüber dem ausgewählten Kundenkreis optimal kombiniert werden, wird die günstigste Absatzpolitik erreicht.“ [21)]

Eine Unternehmungsführung hat die Absatzsituationen in Absatzsystemen abzubilden und zu analysieren. Nur so erhält sie realitätsnahe Grundlagen für zukünftige Absatzstrategien. Diese werden einzig fundiert zu umreißen sein, wenn in den Erlösfunktionen der Absatzsysteme die Zusammensetzungen der Kunden und deren Mittelbindungen über mehrere Absatzperioden bekannt sind. Damit eine Unternehmensleitung dergleichen erreichen kann, sei der Aufbau der Erlösfunktion näher beschrieben.

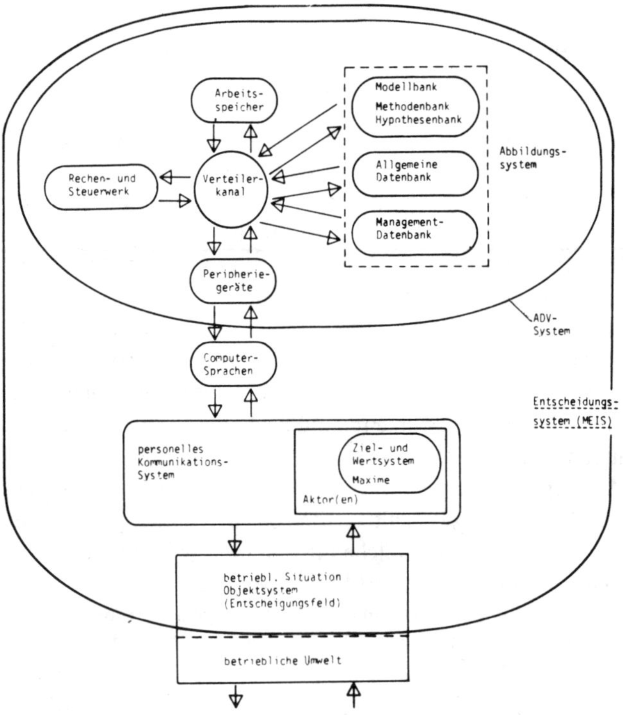

Abb. 12: Das Entscheidungssystem (MEIS) und seine Subsysteme

Für den besonderen Fall der vollständigen Homogenität der Kunden eines Unternehmens haben wir im Abschnitt 0.1 den kausalen Wirkungszusammenhang für das Zustandekommen des Absatzes hypothetisch in der Erlösfunktion

$$(1)\ E = \sum_{e=1}^{q} x_e \cdot p_e = f(s_1 \cdot p_1, s_2 \cdot p_2, \ldots, s_n \cdot p_n)$$

abgebildet. [22]

Die Funktion sagt aus, daß der Umsatzerlös E aus den verkauften Warenmengen x_e zu den Preisen p_e der Produkte e (e = 1, . . . , q) abhängig ist von den eingesetzten Absatzmittelmengen s_i und den Preisen p_i der Absatzmittel i (i = 1, . . . , n).

Die Mittel der Preispolitik werden in der Erlösfunktion nicht als unabhängige Variable erfaßt. Diese Unvollständigkeit der Erlösfunktion hat keine Auswirkungen bei der Analyse jener Unternehmen, die aufgrund ihrer Marktstellung nur präferenzpolitische und keine preispolitische Maßnahmen ergreifen konnten oder die zur Überwindung von Verkaufswiderständen einzig Mittel der Präferenzpolitik anwandten. Der letztere Fall, allein mit den Instrumenten der Produktgestaltung, der Werbung und des Vertriebes zu versuchen, Präferenzen bei den Kunden für die angebotenen Güter zu erzeugen, ist z.B. angebracht, wenn die Unternehmungsführung die Reaktionen ihrer Kunden und Konkurrenten auf ihre preispolitischen Maßnahmen nicht oder nur sehr grob abschätzen kann. Diese Situation der Unvollkommenheit der Information wird häufig vorhanden sein. [23]

Hat eine Unternehmensleitung jedoch preispolitische und andere Absatzmittel eingesetzt, dann ist die Erlösfunktion zwar rechnerisch bestimmbar, doch ihre Aussagefähigkeit ist ungewiß. Erst wenn das Management über mehrere Perioden hinweg Funktionsabbildungen und Aufzeichnungen über die Preisgestaltung hat machen lassen und mit ihnen absatzpolitische Vergleiche oder Schlüsse über die jeweiligen Auswirkungen zu ziehen sind, kann der erklärende Wert der Erlösfunktionen abgeschätzt werden.

---

22) Zur Entwicklung dieser Formel und der Auseinandersetzung mit ähnlichen Ansätzen vgl. Thiele, H.-H.: Das System . . . , a.a.O.

23) Zur Aufteilung der Absatzpolitik in die zwei Bereiche Präferenzpolitik und Preispolitik vgl. Wöhe, G.: Einführung . . . , a.a.O., S. 267f., S.130 und 324f. sowie sein Hinweis auf Banse, K.: Vertriebs- (Absatz-) politik, HdB, Bd. 4, 3. Aufl., Stuttgart 1962, Sp. 5988f.

Die Möglichkeit, daß die Umsätze einer vergangenen Absatzphase nur auf die Mittel der Preispolitik zurückzuführen sind, gibt es nicht. Betrachten wir die Absatzkosten, die im Unternehmen auftreten und die auf der rechten Seite der Erlösfunktion (1) stehen, so wird das ganz deutlich (vgl. Formel (1) auf S. 49). Zu den Kosten der Absatzmittel gehören die Personal- und Sachkosten für die Vertriebs- und Versandabteilung einschließlich der Rechnungsabteilung, Debitorenbuchhaltung, Mahnabteilung und das Kreditbüro. Die Kosten für Vertreter und Reisende, für Verkaufsbüros, für Werbung, Marktforschung, Transport, Verpackung, Lagerung, Mehrwertsteuer und die anteiligen Verwaltungskosten (Geschäftsführung, Planung, Rechnungswesen) sind ebenfalls als Absatzkosten aufzufassen. [24] Ein gewisser Anteil der aufgezählten Kosten fällt bei jedem Güterverkauf an. Darum ist die Erlösfunktion immer zu bestimmen.

Aus zwei Gründen sollte u.E. die Bildung von Erlösfunktionen konsequent von einer Unternehmungsführung angestrebt werden:

1. Es existiert keine aussagefähigere Hypothese für den Absatzbereich. [25]
2. Die Erkenntniserweiterungen bei den Bestrebungen zur Abbildung der Erlösfunktionen oder der Absatzsysteme sind erheblich, sowohl im Hinblick auf die absatzpolitische als auch auf die absatzkostenmäßige Betriebsführung.

Die bisherige Darstellung der Erlösfunktion ist *ein unfertiger Rohentwurf.* Sie gilt einzig bei homogener Kundenstruktur und wenn allein eine Absatzstrategie im Verlauf eines Zeitabschnittes verfolgt wurde. Es darf in dem Unternehmen also nur ein Absatzsystem $j = 1$ bestanden haben.

Die spezielle Erlösfunktion für das Absatzsystem $j = 1$ kann wie folgt formuliert werden:

$$(2)\quad E_1 = \sum_{e=1}^{q} x_{e1} \cdot p_{e1} = f(s_{11} \cdot p_{11}, s_{21} \cdot p_{21}, \ldots, s_{n1} \cdot p_{n1}).$$

Besteht in einer Betriebswirtschaft eine inhomogene Kundenstruktur, so sind in dem Unternehmen nach der Anzahl j der angewandten Absatzstrategien j Absatzsysteme ($j = 1, \ldots, w$).

---

24) Ebenso Wöhe, G.: Einführung . . . , a.a.O., S. 272 und Gerth, E.: Betriebswirtschaftliche . . . , a.a.O., S. 201.

25) Vgl. dazu Grochla, E.: Modelle als Instrumente der Unternehmensführung, in: ZfbF, S. 389 und die Ansätze von Alewell; Alewell, K.: Die Koppelung . . . , a.a.O., S. 317f. und die dortigen Literaturangaben.

Eine Unternehmensleitung hat dann für die Absatzsysteme j die jeweiligen Erlösfunktionen $E_1, E_2, \ldots, E_w$ zu berechnen. Die Aggregation der Funktionen zu der Erlösfunktion der Unternehmung $E = \sum_{j=1}^{w}$ ist in den nachstehenden Formeln abgebildet:

$$\text{(3a)}\quad E = \sum_{j=1}^{w} \sum_{e=1}^{q} x_{ej} \cdot p_{ej} = \sum_{j=1}^{w} f(Kd_j, Ks_j) + g(Ki)$$

$$\text{(3b)}\quad E = \sum_{j=1}^{w} \sum_{e=1}^{q} u_{ej} =$$

$$\sum_{j=1}^{w} f(s_{1j} \cdot p_{1j}, s_{2j} \cdot p_{2j}, \ldots, s_{nj} \cdot p_{nj},$$

$$t_1 \cdot b_{1j} \cdot q_1, t_2 \cdot b_{2j} \cdot q_2, \ldots, t_r \cdot b_{rj} \cdot q_r) + g(Ki)$$

Damit die Gültigkeit der Erlösfunktion E gewährleistet ist, sind zwei Randbedingungen zu beachten.

1. Es sind einzig jene Erlöse und Absatzkosten eines jeden Absatzsystems in einer Erlösfunktion abzubilden, die auf der gleichen Absatzstrategie bzw. auf gleichartigen Dispositionen beruhen. [26)]
2. Die einzelnen Funktionen müssen über die gleiche Absatzphase superponiert werden. Es ist also erforderlich, daß alle berücksichtigten Absatzmitteleinsätze in derselben Zeitspanne stattgefunden haben.

Auf der linken Seite der Erlösfunktion E der Unternehmung stehen als abhängige Variablen die Erlöse u_{ej} für die verkauften Produkte e (e = 1, ..., q) der Absatzsysteme j (j = 1, ..., w). Rechts sind die wesentlichen Ursachen dieser Erlöse, die Absatzmittel bzw. die Absatzkosten der Absatzsysteme j nach der Zurechenbarkeit der Kosten gegliedert.

---

26) Zu dem darin enthaltenen Identitätsprinzip vgl. Riebel, P.: Ertragsbildung und Ertragsverbundenheit im Spiegel der Zurechenbarkeit von Erlösen, in: Beiträge zur betriebswirtschaftlichen Ertragslehre, Hrsg. P.Riebel, Opladen 1971, S. 86 und derselbe: Richtigkeit, Genauigkeit und Wirtschaftlichkeit als Grenzen der Kostenrechnung, in: Einzelkosten- und Deckungsbeitragsrechnung, Hrsg. P.Riebel, Opladen 1972, S. 32f. Vgl. hierzu auch Heinen, E., E.Fahn und C.Wegenast: Informationswirtschaft, in: Industriebetriebslehre, a.a.O., S. 741f.

Die Kosten teilen sich in die den Absatzsystemen j zurechenbaren direkten Kosten Kd_j und semidirekten Absatzkosten Ks_j auf. Hinzu kommen die indirekten (nicht aufteilbaren) Absatzkosten Ki.[27)]

Weitere jedoch in der Erlösfunktion nicht enthaltene Ursachen für den Erlös können sein:

(a) Variable der Umwelt (Konjunktur, Streiks etc.; vgl. dazu auch Abb. 19 auf S. 73)

(b) vergangene Aktivitäten des Unternehmens, die für die Kunden Veranlassung waren, wieder zu kaufen (z.B. Serviceleistungen, Werbeaktionen etc.) und

(c) preispolitische Maßnahmen (s. S. 49).

Die Einbeziehung dieser möglichen Erlösursachen ist vorläufig nicht möglich.

Die Beziehungszusammenhänge zwischen den Erlösen und den Kosten dürfen keineswegs so verstanden werden, daß einzig die Betragshöhen der Absatzmittelkosten bestimmend für den Absatz eines Unternehmens sind. Vielmehr sind die Kombinationen der Absatzmittelmengen oder die strukturellen Zusammensetzungen aller drei Kostenarten maßgebend für die Erlöse.

Die drei Kostengruppen setzen sich jeweils aus folgenden Komponenten zusammen:

(a) $s_{1j} \cdot p_{1j}, s_{2j} \cdot p_{2j}, \ldots, s_{nj} \cdot p_{nj}$

oder

$k_{1j}, k_{2j}, \ldots, k_{nj}$ $\hat{=}$ *direkte* Absatzkosten Kd_j der Absatzmittel i (i = 1, . . . , n) des Absatzsystems j (j = 1, . . . , w)

(b) $t_1 \cdot b_{1j} \cdot q_1, t_2 \cdot b_{2j} \cdot q_2, \ldots, t_r b_{rj} \cdot q_r$

$\hat{=}$ *semidirekte* Absatzkosten Ks_j der Absatzmittel $\underline{l}$ ($\underline{l}$ = 1, . . . , r) des Absatzsystems j *)

und

(c) Ki $\hat{=}$ *indirekte* (nicht aufteilbare) Absatzkosten

27) Zu den Begriffen der direkten, semidirekten und indirekten Kosten vgl. Fischer, K.-P.: Industrielle Vertriebskostenrechnung, Stuttgart 1963, S. 95f. und die dort angegebene Literatur sowie vor allem Thiele, H.-H.: Das System . . . , a.a.O.

*) Bei den unterstrichenen Buchstaben $\underline{l}$ handelt es sich um den Buchstaben „l" (wie Ludwig) im Gegensatz zur Ziffer „1" (eins).

Ein Ausdruck $k_{21} = s_{21} \cdot p_{21}$ bedeutet, daß die direkten Absatzkosten für den vergangenen Einsatz des Absatzmittels i = 2 für das Absatzsystem j = 1 zu berechnen sind nach den verbrauchten Absatzmittelmengen s_{21} und deren Preis p_{21}.

Es wird im unternehmerischen Geschehen vorkommen, daß dasselbe Absatzmittel $\underline{l}$ ($\underline{l}$ = 1, . . . , r) (z.B. ein LKW) für eine bestimmte Anzahl von j Absatzsystemen gleichzeitig eingesetzt wird. In diesem Fall ist keine direkte Kostenzurechnung möglich, sondern nur eine semidirekte. Die semidirekten Kosten für ein Absatzsystem sind entsprechend der beanspruchten Anteile b_{lj} der Absatzmittelmenge $t_{\underline{l}}$ der Absatzsysteme j zu bestimmen. So besteht das mathematische Produkt $t_2 \cdot b_{2j} \cdot q_2$ aus den Faktoren

t_2 $\triangleq$ betrieblich gleichzeitig eingesetzte Menge des Absatzmittels $\underline{l}$ = 2 für eine bestimmte Anzahl von Absatzsystemen

b_{2j} $\triangleq$ Anteilsfaktor, der den Bruchteil von der Absatzmittelmenge t_2 angibt, der für das Absatzsystem j verbraucht wurde

und

q_2 $\triangleq$ Preis für die Mengeneinheit des Absatzmittels $\underline{l}$ = 2.

Die indirekten Absatzkosten Ki stellen diejenigen Kosten im Unternehmen dar, für welche eine zahlenmäßige meßbare Aufteilung nach einzelnen Absatzsystemen nicht möglich ist. Ihre Verrechnung könnte höchstens nach mehr oder weniger willkürlich festgelegten Schlüsselgrößen erfolgen. Typische Beispiele für die indirekten Kosten sind die Gehälter von leitenden Angestellten oder die Kosten reiner Repräsentationswerbung.

Es ist anzunehmen, daß zwischen den Erlösen und den indirekten Absatzkosten andere funktionale Beziehungen bestehen als zu den direkten und semidirekten Kosten. In der Formel (3) auf Seite 51 ist diese Hypothese entsprechend zum Ausdruck gebracht worden.

Die Erlösfunktion E_j eines Absatzsystems, z.B. für das Absatzsystem j = 2, ist nach der Funktion

$$(4a) \quad E_2 = \sum_{e=1}^{q} u_{e2} = f(Kd_2, Ks_2)$$

oder

$$\text{(4b)}\quad E_2 = \sum_{e=1}^{q} x_{e2} \cdot p_{e2} = f(s_{12} \cdot p_{12}, s_{22} \cdot p_{22}, \ldots, s_{n2} \cdot p_{n2},$$

$$t_1 \cdot b_{12} \cdot q_1, t_2 \cdot b_{22} \cdot q_2, \ldots, t_r \cdot b_{r2} \cdot q_r)$$

zu bestimmen. Indirekte Absatzkosten mögen formal bei einer Funktion E_j unberücksichtigt bleiben.

Die Erlösfunktionen aller Absatzsysteme bilden einen Funktionsraum F. Wie dieser Raum F der Erlösfunktion abzubilden ist, wird im Abschnitt 3. angegeben.

Die wesentliche absatztheoretische Grundlage liegt mit den Erlösfunktionen vor. Mit ihnen hat die Analyse der vergangenen Absatzstrategien zu erfolgen, bevor neue absatzpolitische Konzeptionen im Absatzentscheidungsprozeß entworfen werden.

Für diese Analyse bedarf die Unternehmungsführung der Instrumente des computer-gestützten Entscheidungssystems, mit denen die Daten für die Erlösfunktionen zu gewinnen und zu verarbeiten sind. Die Elemente des MEIS werden im nächsten Abschnitt skizziert, soweit es für die Beschreibung des methodischen Vorgehens bei der Analyse und Erklärung einer Absatzsituation im Entscheidungsprozeß nötig ist.

1.2.3.3 Zusammenhang der Elemente des Entscheidungssystems (MEIS) mit dem Absatzentscheidungsprozeß (Instrumentale Grundlagen)

Die Art der Elemente des Entscheidungssystems und ihr Zusammenhang mit dem Absatzentscheidungsprozeß wird maßgeblich davon beeinflußt, in welcher Weise der Aufbau des MEIS vollzogen worden ist. Es sind drei Fälle von Entwicklungsrichtungen denkbar:

(1) Das Entscheidungssystem (MEIS) wird von der operativen und administrativen Ebene zu der dispositiven und strategischen Ebene aufgebaut (bottom to top approach). Diese Entwicklungstendenz ist in der Bundesrepublik Deutschland festzustellen.

(2) Das Management-Entscheidungs- und Informations-System (MEIS) wird von der Top-Managementebene zur operativen Ebene entwickelt (top to down approach). Diese Richtung ist in den USA hauptsächlich anzutreffen.

(3) Das Entscheidungssystem wird sowohl von oben als auch von unten koordiniert erarbeitet.

Die Bestimmung der Erlösfunktion aus dem vergangenen Absatzgeschehen und die antizipatorische Erarbeitung und Bewertung zukünftiger Absatzsystemzustände verlangt u.E. einen MEIS-Aufbau der letztgenannten Entwicklungsrichtung. 28)

In den Unternehmen der Bundesrepublik Deutschland sind vor allem Massen-ADV-Systeme (Abrechnungssysteme) installiert. Ein gewisser Unterbau für Entscheidungssysteme besteht also schon häufig. Es wäre aber verhängnisvoll, wenn allein eine schrittweise umfassende Erweiterung dieser Systeme im Hinblick auf Dispositionssysteme geschehen würde (bottom to top approach). Eine derartige Aufbereitung zum MEIS würde zu organisatorischen Konflikten und zusätzlichen hohen Kosten führen.

Der Zugriff nach den Elementen der historisch gewachsenen Subsysteme wird nämlich nicht nach beliebigen Ordnungskriterien möglich sein, weil die Subsysteme für spezielle Anwendungen und Auswertungen aufgestellt worden sind. Eine Verträglichkeit, Flexibilität und einheitliche Formatierung der Daten wird dadurch nicht vorliegen, so daß die Systeme umzustrukturieren sind. Der betrieblich ablauforientierte Aufbau der vorhandenen Elemente bedürfte der Umorganisation, damit ein funktionsbezogener, elektronischer Zugriff möglich ist. Selbst wenn solche datentechnischen Schwierigkeiten nicht bestehen, ist nicht zu übersehen, daß die Entwicklung zum computer-gestützten Entscheidungssystem Zeit kostet. Die Unternehmensführung müßte während der Aufbauzeit weiterhin mehr dogmatisch als rational kritisch entscheiden, weil sie gar nicht in der Lage wäre, die Möglichkeiten einer systembezogenen und konsequenten Zusammenarbeit mit ihrer ADV-Anlage zu nutzen.

Das Management kommt nicht ohne die verdichteten Ergebnisse der Dispositions- und Abrechnungssysteme aus, wenn es eine dynamische Markt- und Absatzstrategie entwerfen will. Doch solche Ergebnisdaten sind sachgerecht nur zu erlangen, wenn die Unternehmensleitung danach verlangende

---

28) Zu den Entwicklungsrichtungen des Entscheidungssystems vgl. Grochla, E.: Analyse gegenwärtiger und zukünftiger Entwicklungstendenzen bei der Planung, Entwicklung und Implementierung computer-gestützter Entscheidungssysteme, in: Computer-gestützte Entscheidungen . . . , Hrsg. E.Grochla, a.a.O., S. 226f.; Herbold, R.: Internationaler Entwicklungsstand und Tendenzen auf dem Gebiet computer-gestützter Entscheidungssysteme, in: Computer-gestützte . . . , Hrsg. E.Grochla, a.a.O., S. 209f.; Hartmann, B.: Stichwort „Integrierte Datenverarbeitung", in: Handwörterbuch der Organisation, a.a.O., Sp. 779f. und Lutz, Th., und P.Miottke: Management Information Systems, in: IBM-Nachrichten, Hrsg. IBM Deutschland, Stuttgart 1969, Heft 193, S. 540f.

Anweisungen und Forderungen stellt. Das Management muß gewillt sein, Absatzentscheidungen unter weitgehendster Einbeziehung eines Computers und mit Hilfe einer darauf ausgerichteten betrieblichen Struktur zu fällen. Die Unternehmungsführung hat also zu veranlassen, daß die Entwicklung zum Entscheidungssystem sowohl von unten als auch von oben vorgenommen wird. Dies kann ohne weiteres allein für den „Teilbereich Absatz" geschehen. Es darf nur nicht der Zusammenhang mit den übrigen Teilsystemen außer acht geraten. Das Anfangssegment des MEIS, das den „Teilbereich Absatz" aufnehmen soll, ist nach funktionalen flexiblen Gesichtspunkten zu schaffen und nicht, wie die Bedürfnisse es gerade zum Gestaltungszeitpunkt erfordern. Allein unter diesen Voraussetzungen gelingt es u.E. dem Management, die Absatzpolitik zu dynamisieren und verhältnismäßig kurzfristig ein einsatzfähiges Entscheidungssystem zu erhalten. Bei unseren weiteren Überlegungen wird davon ausgegangen, daß eine Unternehmensleitung sich nach unseren Vorstellungen richtet.

Eine Unternehmungsführung kann zur realistischen Abbildung der Absatzsysteme einzig kommen, wenn das Entscheidungssystem soweit installiert ist, daß es für einen rational kritischen Absatzentscheidungsprozeß zu gebrauchen ist. Das MEIS hat dazu den instrumentalen und methodischen Ansprüchen der Erlösfunktionsbildung zu genügen. Es wird deshalb bei der Schilderung der Elemente des Entscheidungssystems deren erforderliches Entwicklungsniveau gerade im Hinblick auf die Erlösfunktionsabbildung angegeben.

Die Struktur des Entscheidungs- und Informations-Systems ist derart zu organisieren, daß die Daten nach den verschiedensten betriebswirtschaftlichen Gesichtspunkten zugriffsleicht elektronisch abzurufen sind. Die Informationsbedürfnisse der Entscheidungsträger sind nur so zufriedenzustellen. Der dafür erforderliche Austausch der spezifischen Kunden- und Absatzkosteninformationen stellt das Kommunikationsgeschehen dar. Die durch gegenseitige Kommunikationsprozesse potentieller oder aktueller Art miteinander verbundenen Personen bilden in ihrer Gesamtheit ein Subsystem. Es ist dies das personelle Kommunikationssystem. In ihm sind das programmatische Ziel- und Wertsystem sowie die Entscheidungsmaximen der Unternehmungsführung eingebettet (vgl. dazu Abb. 12 auf S. 48). [29]

---

29) Zur Darstellung und den Problemen des Kommunikationssystems vgl. u.a. March, J.G., H.A.Simon und H.Guetzkow: Organizations, 9. Aufl. New York 1967, S. 161; Lutz, Th.: Taschenlexikon der Kybernetik, Stichworte: Informa-

Die Struktur der Kommunikationswege und die Beschaffenheit der Informationen läßt i.a. eine Formalisierung zu. D.h. bestimmte Informationsabläufe können aufgabenmäßig einer elektronischen Rechenanlage übertragen werden. Die mit dem Computer erarbeiteten und gespeicherten Markt- und Absatzdaten werden zur Abbildung der Absatzsysteme von den Entscheidungsträgern von dem ADV-System abgerufen werden. Dadurch entstehen computerorientierte Kommunikationsprozesse oder Mensch-Maschine-Beziehungen. Sie sind durch Geräte zu realisieren, die an der Peripherie der ADV-Anlage angeschlossen sind. Dazu gehören Informationseingabegeräte (z.B. Lochkartenstanzer, Belegleser) und Ausgabegeräte (z.B. Schnelldrucker, Bildschirme). Sie bilden zusammen mit dem Computer ein geschlossenes Subsystem im Informationssystem (vgl. Abb. 11 und 12 auf S. 39 und S. 48). [30)]

Wird eine Aufspaltung des betrieblichen Informationsflusses nach Steuerungs-, Mengen- und Ordnungsinformationen vorgenommen, dann wird deutlich, daß im MEIS weitere Subsysteme abgrenzbar sind (vgl. Abb. 13 auf S. 58).

Generell haben Informationen imperative oder indikative Funktionen. Sie können als aktive oder passive (gespeicherte) Größen entweder Anweisungen (Programme) oder Daten darstellen. Daten sind Bearbeitungsprozessen oder Rechenoperationen unterworfen. Anweisungen initiieren, steuern und kontrollieren derartige Datenbearbeitungsvorgänge.

Anweisungen sind Steuerinformationen (vgl. Abb. 13), die als Befehlswörter angeben, was zu tun ist, z.B. welche Kundenumsätze zu addieren sind und wo die Daten (Werte) dazu im Computer zu finden sind. Die mit den Anweisungen entstehenden logischen Folgen schreiben den Weg zur Lösung von Teilaufgaben vor oder bilden geschlossene Aufgabenstellungen, die innerhalb der elektronischen Verarbeitung als Unterprogramme oder Programme verwandt werden. Programme haben beispielsweise für die Ermittlung der Absatzkosten zu bestehen. Die mit den Programmen erzielten formalisierten quantitativen Abbildungen des Absatzgeschehens stellen genau jene Modelle dar, die eine Unternehmungsführung im Absatzentscheidungsprozeß benötigt.

---

tionssystem und Kommunikation, München 1972, S. 149 und 158; Bartram, P.: Die innerbetriebliche Kommunikation, Berlin 1969, S. 44 und Wacker, W.: Betriebswirtschaftliche . . . , a.a.O., S. 38 und S. 44f.

30) Einen guten Überblick über die Geräte der ADV-Anlage gibt Schneider, C.: Datenverarbeitung, Stuttgart 1973, S. 103f.

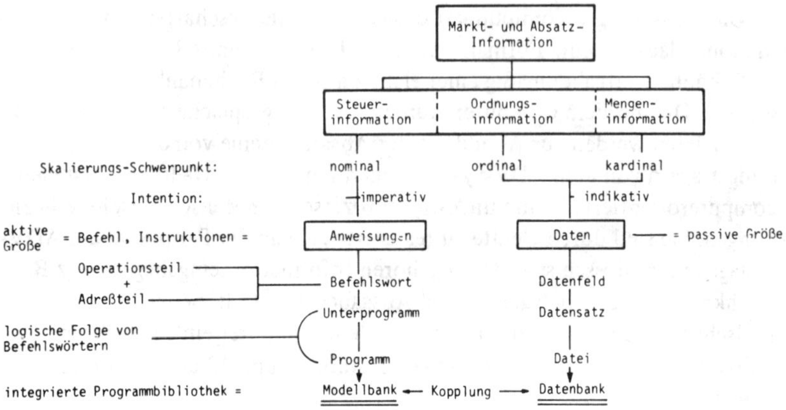

Abb. 13: Aufbau einer Modell- und Datenbank abgeleitet aus der Begriffsgliederung der Markt- und Absatzinformation
Quelle: Sebastian Dworatschek, Management . . . , a.a.O., S. 55.

Die aufeinander abgestimmte Sammlung solcher Modelle wird „Programmbibliothek“ oder „Modellbank“ genannt. Sie stellt im Gegensatz zum Arbeitsspeicher des Computers einen zusätzlichen Speicher dar. Die Modellbank ist ein Insystem des ADV-Systems und Teil des Abbildungssystems (s. Abb. 12, S. 48). In ihr sind vor allem auch die Abbildungen vergangener, gegenwärtiger und prognostizierter Absatzsituationen (Absatzsysteme) mit aufzunehmen. [31] Erst eine derartige systematische Sammlung der Modelle der Absatzsysteme läßt eine Unternehmensleitung aus ihren absatzpolitischen Entscheidungen Lehren und Nutzen ziehen.

Die Konstruktion von Modellen gelingt nur, wenn bestimmte Wissensbestände, nämlich informative Sätze und Hypothesen über Gesetzmäßigkeiten betrieblicher Situationen vorhanden sind. Analytische und heuristische Methoden haben zum Modellbau und zur Lösung von Einzelproblemen zusätzlich zur Verfügung zu stehen. Damit das Management bei den Konzeptionen der Markt- und Absatzstrategien nicht gezwungen ist, immer von neuem schon einmal erarbeitete Kenntnisse nochmals zu gewinnen, sollte es deshalb auf Methoden- und Hypothesenbänke zurückgreifen können. Diese Sammlungsbestände sind wie die Modellbank im Abbildungssystem zu speichern (s. Abb. 12). [32]

31) Wegen des synonymen Gebrauchs der Begriffe „System“ und „Situation“ vgl. Beer, St.: Decision and Control, 2. Aufl. London 1967, S. 243 und S. 275.

32) Vgl. Boudon, R.: Mathematische Modelle und Methoden, Hauptströmungen der

Die Subsysteme (Hypothesen-, Methoden- und Modellbank) des Entscheidungssystems ermöglichen einer Unternehmensleitung eine gezielte Überprüfung der in ihnen enthaltenen Elemente nach gegenseitiger Verknüpfungs- und Aussagefähigkeit. Die vorgefundenen Sätze können maßgeblich zum Aufbau neuer Absatzstrategien und somit zur schnellen, realistischen und wirtschaftlichen Durchführung eines Absatzentscheidungsprozesses beitragen.

Die Erlösfunktion hat als fester Baustein im Abbildungssystem vorhanden zu sein. Der Absatzentscheidungsprozeß ist ebenfalls als ein Modell in die Modellbank einzubeziehen. Dies kann allerdings nur soweit geschehen, wie die zu erfüllenden Aufgaben in den Phasen formalisierbar, d.h. programmierbar sind. Für bestimmte sich wiederholende gleiche absatzwirtschaftliche Aufgabenstellungen ist deren Lösungsablauf vollständig in der Modellbank zu speichern.

Die Elementbeziehungen im Entscheidungssystem sind häufig nicht umgangssprachlich zu knüpfen, weil es sich oft um Mensch-Maschinen-Kommunikationsprozesse handelt; deshalb sind anwendungsorientierte Computersprachen erforderlich. Sie bilden für sich ein eigenes Subsystem im MEIS (s. Abb. 12).

Bisher wurde nach dem Gliederungsschema der Markt- und Absatzinformation (vgl. Abb. 13 auf S. 58) allein der Begriff der Anweisungen als Steuerungsbegriff erörtert. Er führte als logische Folge von Befehlswörtern zum Programm und zur Modellbank. Es wird nun die Hierarchie der Daten betrachtet, die in ihrer Rangfolge – „Daten, Datenfeld, Datensatz, Datei" – mit der Datenbank endet, um die übrigen Teilsysteme des MEIS schildern zu können.

Das Management benötigt in seinen Kommunikationsprozessen während der Phasen des absatzpolitischen Problemlösungsablaufes bestimmte Mengen- und Ordnungsinformationen zur quantitativen Situationsschilderung. Die Unternehmensleitung verlangt z.B. die Angabe der Stückzahlen der gekauften Artikel bestimmter Großkunden. Diese Werte sind unter Verwendung entsprechender Ordnungsinformationen, nämlich Kundennummern und Artikelnummern, über die ADV-Anlage zu beschaffen. Das ist möglich, weil die Mengen- und Ordnungsinformationen auf den eingesetzten Datenträgern (z.B. Lochkarten, Magnetbändern, Magnetplatten) als Abrechnungsdaten auf wohl definierten Datenfeldern i.a. gespeichert sind.

---

sozialwissenschaftlichen Forschung, Hrsg. Unesco, Frankfurt/M. 1973, S. 26f. und S. 55f. und Szyperski, N.: Vorgehensweise . . . , a.a.O., S. 44f.

Ein Datenfeld nimmt als kleinste Einheit das jeweils betriebliche Datum i.d.R. in formatierter Form auf. Das bedeutet, zum Wert oder den Ziffern des Datums kommt ein Format im Sinne des vordefinierten Schemas hinzu, nach dessen festem Aufbau das Datum in die Datenbestände eingegliedert wird. Das Datenfeld ist zur Aktivierung an Hand seiner Ordnungskriterien elektronisch aus den Datenbeständen aufzurufen. Sachlich und logisch zusammengehörige Datenfelder bilden einen Datensatz. Datensätze gleichen Aufbaues stellen, nach ihrem Hauptordnungskriterium geordnet, eine Datei dar, z.B. eine Kundendatei. Die Zusammenfassung der verschiedenen Dateien eines relativ abgeschlossenen Organisationsbereiches, also z.B. des Absatzbereiches, wird als allgemeine Datenbank bezeichnet. Sie nimmt als weiteres Subsystem einen wichtigen Platz im Entscheidungssystem ein. [33)]

Eines der wesentlichen Kennzeichen der allgemeinen Datenbank ist, daß sich zumindest der überwiegende Teil ihrer Dateien in einem ständigen Bereitschaftszustand befindet. Dieser erlaubt zu jedem Datenfeld einen Direktzugriff, ohne daß Sortierprozesse vorzunehmen sind. Ein weiteres Merkmal der Datenbank ist die Verwendungsmöglichkeit zu unterschiedlichen sachlichen Auswertungen aufgrund der verschiedenen Ordnungskriterien der Datenfelder. Die Datenbank ist wie die Modellbank über einen Verteilerkanal mit dem Rechen- und Steuerwerk der ADV-Anlage verbunden (vgl. Abb. 12). Im Gegensatz zum Arbeitsspeicher, dessen Funktion als Puffer darin besteht, kurzzeitig Daten aufzunehmen, ist die allgemeine Datenbank dessen langzeitliches Äquivalent. Sie bildet ein weiteres Insystem im ADV-System. In der allgemeinen Datenbank ist urdatenmäßig das Wissen über die raum-zeitlichen Fakten des gesamten empirischen Entscheidungsfeldes des Absatzbereiches aufzubewahren und zu verwalten.

Die allgemeine Datenbank hat aber noch eine andere bedeutende Funktion. Zwar ist sie in erster Linie zur horizontalen Integration der Datenverarbeitung auf der operationalen Ebene zu verwenden, doch bildet sie auch die Ausgangsbasis für die vertikale Integration des Datenflusses zur Unternehmungsführung. Die allgemeine Datenbank stellt eine wesentliche Grundlage

33) Vgl. dazu Lutz, Th., und H.Klimesch: Management Information System (MIS), in: IBM-Nachrichten, 19. Jg. 1969, S. 457; dieselben: Die Datenbank im Informationssystem, München 1971, S. 24f. und S. 74f.; Koreimann, D.S.: Management . . . , a.a.O., S. 58f.; Cuttle, G., und P.B.Robinson: Aufbau von Betriebssystemen, München 1972, S. 99f.; Mrachacz, H.-P., und R.Bauer, Daten optimal erfassen, München 1970, S. 123 und Hanisch, G.: Die Einführung des IMS bei Bayer, in: IBM-Nachrichten, 22. Jg. 1972, Heft 212, S. 330f.

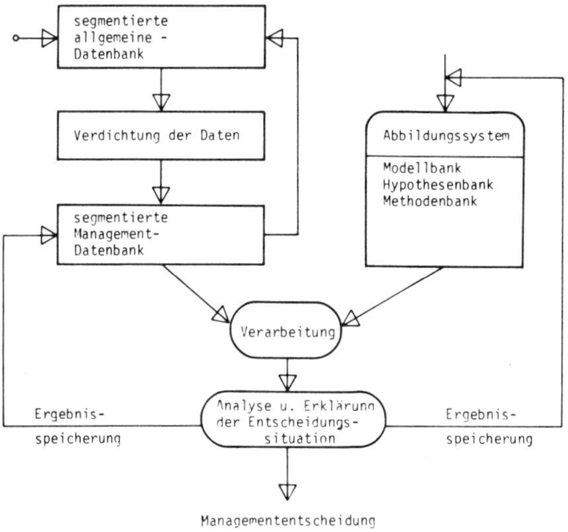

Abb. 14: Allgemeiner Ablauf von Problemlösungen im Entscheidungssystem

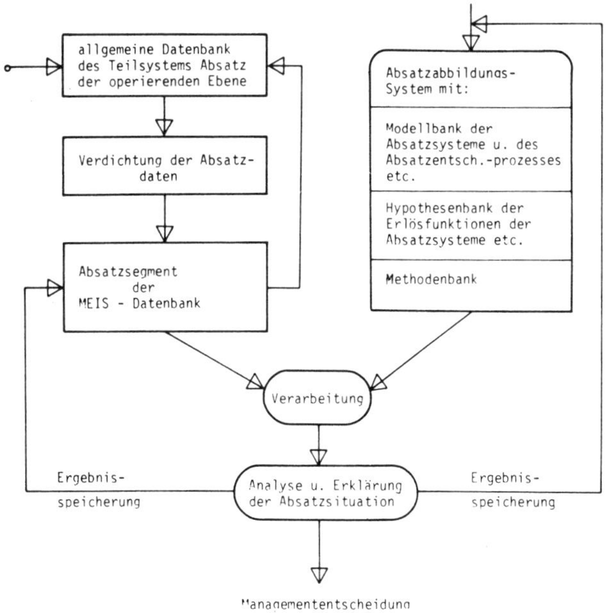

Abb. 15: Analyse u.Erklärung der absatzpolitischen Situation in einem im Aufbau befindlichem MEIS

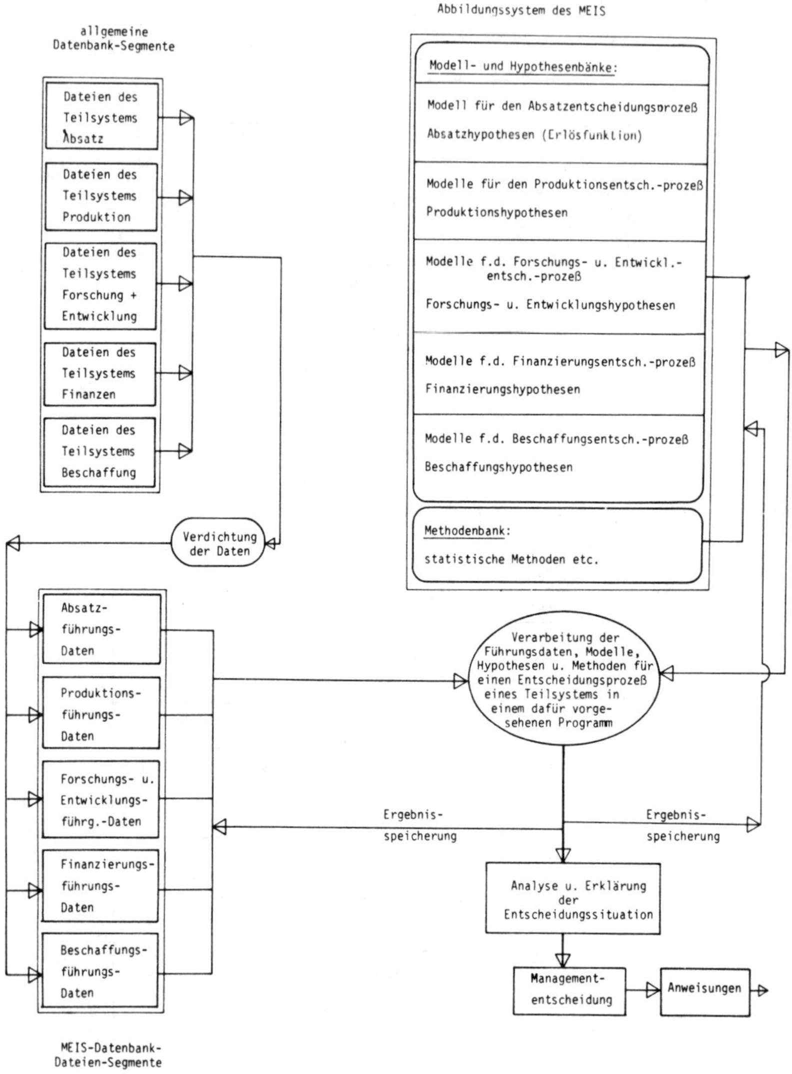

Abb. 16: Allgemeiner Aufbau der Datenbänke im MEIS für Managemententscheidungen

für computer-orientierte Managemententscheidungen dar, weil sie über eine Verdichtung ihrer Daten die Bausteine einer Managementdatenbank (MEIS-Datenbank) liefert (vgl. Abb. 14 und 15 auf S. 61). Die Bausteine enthalten die durch Rechenoperationen aufbereiteten Daten, welche die Unternehmensleitung als Führungsgrößen zur Bestimmung ihrer Absatzpolitik benötigt. Die allgemeine Datenbank und die MEIS-Datenbank sind gemäß der Anzahl der Teilsysteme der Unternehmung in einzelne Segmente gegliedert (vgl. Abb. 16 auf S. 62). Gegenüber einer Globaldatenbank hat dies den Vorteil, daß die Datenbänke jederzeit zu erweitern sind, ohne daß grundsätzliche Systemveränderungen im ganzen Entscheidungssystemaufbau vorgenommen werden müssen. [34]

Es wird vorausgesetzt, daß die in der Vergangenheit benutzten Methoden, Hypothesen und Modelle chronologisch nach den jeweiligen Absatzaufgaben bzw. Absatzzielvorstellungen im Abbildungssystem geordnet sind. Gleichfalls wird angenommen, daß die tatsächlich erzielten Ergebnisse im Absatzsegment der MEIS-Datenbank vorliegen (vgl. Abb. 17 auf S. 64). Das Management kann dann durch vergleichende Analysen der bestehenden Kundenstrukturen und der vollzogenen Absatzmitteleinsätze sowie der früheren Zielvorstellungen Lösungswege für schwierige Absatzsituationen finden.

Damit eine Unternehmungsführung in der Lage ist, vergleichende Analysen durchzuführen, müssen die genauen Inhalte der Absatzdaten- und Abbildungsbänke und die Verfahren zu ihrer Gewinnung näher erläutert werden. Das geschieht erst im Abschnitt 2 dieser Arbeit. Dennoch ist die Angabe der Elemente des Entscheidungssystems zu diesem Zeitpunkt nötig gewesen. Die Elemente wären sonst nicht in den Phasen des Absatzentscheidungsprozesses erklärend einzubeziehen.

Die Art des Einsatzes der Subsysteme des MEIS soll jetzt bei der Erörterung des eigentlichen Problems dieser dritten Entscheidungsphase berücksichtigt werden. Es ist nämlich zu diskutieren, in welcher Weise eine Unternehmensführung eine Analyse und Erklärung ihrer betrieblichen Absatzsituationen vorzunehmen hat. Dazu sind die Begriffe der Analyse und Erklärung nach wissenschaftstheoretischen Gesichtspunkten zu untersuchen.

---

34) Zum Segmentierungsgedanken vgl. Gabler, H.: Aufbau und Einführung eines integrierten Marketing-Informations-Systems, in: Computer-gestützte . . . , Hrsg. E.Grochla, a.a.O., S. 200f. Zur Diskussion, welche Organisationsformen es für eine Managementdatenbank gibt, vgl. Koreimann, D.S.: Management . . . , a.a.O., S. 90f.

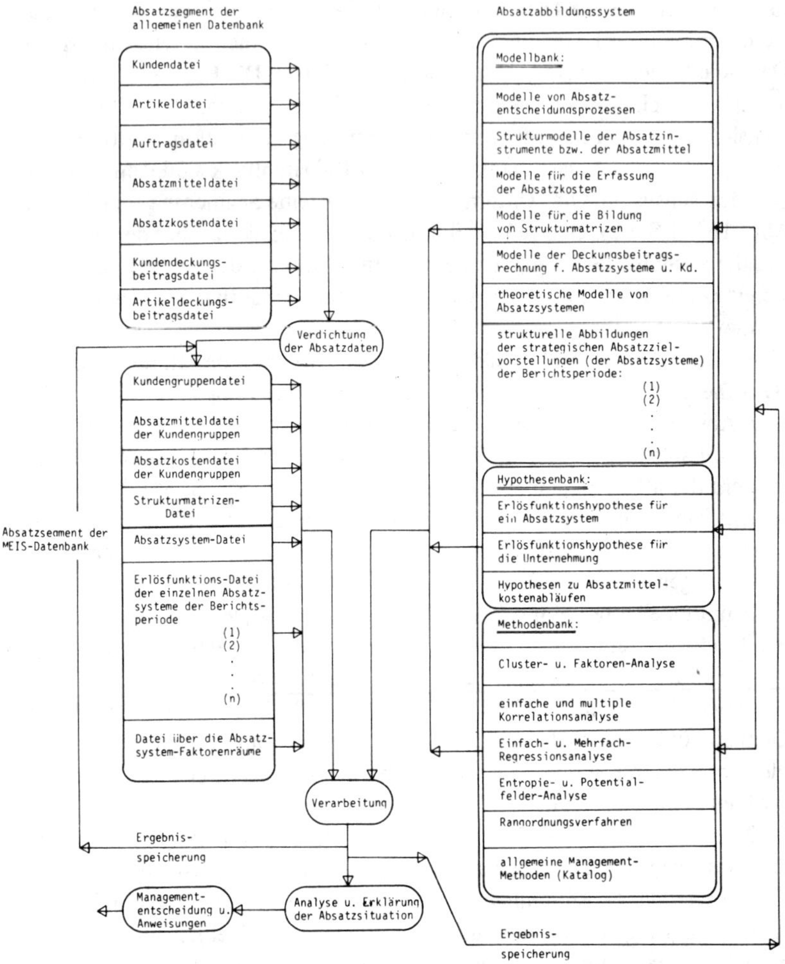

Abb. 17: Aufbau der Absatzdaten- und Absatzabbildungsbänke zur Analyse und Erklärung der einzelnen Absatzsysteme für absatzpolitische Managemententscheidungen im MEIS

1.2.3.4 Formen der Analyse und der Erklärung im Absatzentscheidungsprozeß

Es stehen einer Unternehmensleitung drei Gruppen von Absatzanalysen zur Verfügung:

1. die deskriptiven Absatzanalysen
2. die kausalen Absatzanalysen oder die deduktiven Erklärungen und
3. die funktionalen Absatzanalysen oder die Systemanalysen. [35)]

Zwischen den Analysearten besteht kein Gegensatz, der eine Wahl, ein „Entweder-Oder" verlangt. Vielmehr stellen sie aufeinanderfolgende Stufen zur vollständigen Erfassung und Erklärung des Absatzgeschehens dar.

1.2.3.4.1 Kennzeichen der deskriptiven Absatzanalyse. Eine deskriptive Absatzanalyse führt zu Aussagensystemen, in denen das Absatzgeschehen beschrieben wird. Die Aussagensysteme enthalten keine nomologischen Hypothesen, d.h. sie bilden keine allgemeinen Beziehungen zwischen dem produktionswirtschaftlichen Leistungsangebot, den Kundenreaktionen und dem Absatzmitteleinsatz der Unternehmung ab.

Die deskriptive Absatzanalyse beruht sowohl auf verbalen Beschreibungen als auch auf quantitativen Erfassungsmodellen. In ihnen wird über die rein dokumentarische Abbildung des Absatzgeschehens hinaus eine Transformation der Absatzdaten durch Rechenoperationen mit der ADV-Anlage vorgenommen. Dies geschieht auf der Grundlage von Definitionsgleichungen (z.B. Erlös = Menge x Preis der abgesetzten Artikel) oder operationalen Vorschriften. Die Satzstrukturen solcher Begriffssysteme lassen eine syntaktische Umformung zur Errechnung bestimmter Größen zu, doch können sie keineswegs etwas erklären. [36)]

Die zahlenmäßige Erfassung und erste grobe Darstellung der Kunden- und Absatzmittelstruktur hat mit einem Absatzerfassungsmodell zu erfolgen. Ausgangspunkt hierfür ist das betrieblich computer-gesteuerte Abrechnungssystem (Massen-ADV-System). Es gilt, die darin verwandten Daten der Betriebs- und Finanzbuchhaltung nach speziellen Kriterien zu ordnen, um zu

---

35) Vgl. zu dieser Aufteilung Stegmüller, W.: Wissenschaftliche . . . , a.a.O., S. 555 und Albert, H.: Probleme der Wissenschaftslehre in der Sozialforschung, in: Handwörterbuch der empirischen Sozialforschung, Bd.1, 2. Aufl., Hrsg. R.König, Stuttgart 1967, S. 56.

36) Vgl. dazu u.a. Grochla, E.: Modelle, a.a.O., S. 386f. und Essler, W.K.: Wissenschaftstheorie I., Freiburg 1970, S. 42.

ersten aussagekräftigen absatzwirtschaftlichen Unterlagen zu gelangen. So sind beispielsweise von den Kunden des Unternehmens die Umsätze, die durchschnittlichen Größen ihrer Auftragswerte, die von ihnen beanspruchten Absatzmittelarten, ihr Zahlungsverhalten, ihre Branchenzugehörigkeit, ihre geographischen Koordinaten etc. in einer besonders gegliederten Datei, der Kundendatei, zu speichern. Die systematische Ordnung und Sammlung der absatzwirtschaftlichen Informationen ergibt insgesamt das Absatzsegment der allgemeinen Datenbank (vgl. Abb. 16 und 17).

Es ist mit Erfassungsmodellen zwar möglich, die wichtigen Elemente des Teilsystems Absatz aufzuzeigen, doch eine Darstellung des funktionalen Beziehungszusammenhanges, die zu einer Erklärung der Absatzsysteme führt, fehlt. Deshalb ist die deskriptive Analyse ein unzureichendes Instrument in den Absatzentscheidungsprozessen. Doch kann das Management keinesfalls auf sie verzichten. Eine deskriptive Analyse ist unerläßlich, denn die Komponenten der markt- und absatzwirtschaftlichen Beobachtungen führen zu Aussagen, an die eine theoretische Interpretation (Absatzerklärung oder Absatzvorhersage) anknüpfen kann. Die genaueren Gestaltungsmaßnahmen für die Ermittlungsmodelle lassen sich erst aufgrund der Forderungen der folgenden Analysearten präzisieren.

1.2.3.4.2 Kausale Absatzanalyse oder deduktive Erklärung der einzelnen Absatzsystemzustände und die Systemanalyse. Die Spannung zwischen dem Wissen und Nichtwissen einer Unternehmungsführung bei ihren Überlegungen zur zukünftigen Absatzpolitik führt sie zu Situationsanalysen und Problemlösungsversuchen. Bevor das Management sie jedoch in Angriff nimmt, sollte es sich darüber bewußt sein, welches Verfahren die größte Aussicht bietet, um zu einer Erklärung und zu einer realistischen Absatzstrategie zu gelangen. Nach *Popper* ist methodisch so vorzugehen, daß Erklärungen oder Lösungsversuche zu entwickeln und rational zu kritisieren sind. [37)]

Die Situationsanalyse hat als Erklärungsversuch nach *Popper* aus einem deduktiven System, einer deduktiven Erklärung mit allgemein gültigen Hypothesen zu bestehen. Vergangenheitsbezogene Beobachtungen helfen eine Absatzhypothese zu konstituieren, aber sie geben keinen positiven Hinweis darüber, was die neue Hypothese sein sollte. Beobachtungen führen nur zu einer Beantwortung der Fragen, wen das Unternehmen mit seinen Absatzstrategien erreicht hat und welche Absatzmaßnahmen realisiert wurden. Eine

37) Popper, K.R.: Die Logik . . . , a.a.O., S. 106 und S. 122.

Unternehmensleitung wird zu einer Absatzanalyse nur gelangen, wenn sie versucht, die absatzwirtschaftlichen Vorgänge deduktiv zu erklären. Dies wird dem Management u.E. allerdings i.d.R. nur für einen bestimmten Raum, nämlich für das Absatzgebiet und allein für einen bestimmten Zeitbereich möglich sein. [38] Mit *Lenk* sind wir der Auffassung, daß nicht deduktive Erklärungen mit deterministischen Hypothesen sondern nur statistische Ereignis-Erklärungen mit statistischen oder probabilistischen Gesetzesannahmen für den Absatzbereich zu erzielen sind. [39]

Wie im Abschnitt 2. und 3. dieser Arbeit noch gezeigt wird, stellen die von uns verwandten Gesetzeshypothesen, die Erlösfunktionen der Absatzsysteme (vgl. die Gleichungen auf S. 50f.), ebenfalls statistische Hypothesen dar. Die beobachteten Absatzsystemzustände können mit Hilfe der statistischen Gesetzeshypothesen deshalb nicht mit logisch-deduktiver Sicherheit erklärt werden, sondern nur mit einer bestimmten Wahrscheinlichkeit.

Für die Erklärungen der Absatzsysteme eines Unternehmens ist in der dritten Phase eines Absatzentscheidungsprozesses das nachstehende Erklärungsschema zu verwenden. [40]

---

38) Vgl. dazu Watkins, J.W.N., und K.R.Popper: Die Einheit seines Denkens, in: Grundprobleme der großen Philosophen, Philosophie der Gegenwart I., Hrsg. J.Speck, Göttingen 1972, S. 207 und S. 154f. sowie Albert, H.: Probleme . . . , a.a.O., S. 50f. und derselbe: Eine Theorie des Marktverhaltens großer Unternehmen, in: Marktsoziologie und Entscheidungslogik, ökonomische Probleme in soziologischer Perspektive, Neuwied am Rhein 1967, S. 415f. und S. 484f.

39) Lenk, H.: Erklärung . . . , a.a.O., S. 21. Bezüglich der Schwierigkeiten bei der Verwendung von statistischen Gesetzmäßigkeiten zur Erklärung sei auf W.Stegmüller verwiesen. Vgl. Stegmüller, W.: Wissenschaftliche Erklärung . . . , a.a.O., S. 636f.

40) Vgl. dazu Popper, K.R.: Das Elend des Historizismus, 3. Aufl., Tübingen 1971, S. 96f.; derselbe: Die Logik der Forschung, 4. Aufl., Tübingen 1971, S. 32; Lenk, H.: Erklärungen . . . , a.a.O., S. 16f. und S. 45; Stegmüller, W.: Wissenschaftliche . . . , a.a.O., S. 78f.; derselbe: Jenseits von Popper und Carnap: Die logischen Grundlagen des statistischen Schließens, Berlin 1973; Watkins, J.W.N., und K.R.Popper: Die Einheit . . . , a.a.O., S. 159f. und Hempel, C.G.: Aspects of Scientific Explanations and Other Essays in the Philosophy of Science, New York – London 1965, S. 385.

Prämissen	$A_1, A_2, \ldots, A_k$	Anfangs- und Randbedingungen A_i $\hat{=}$ Daten der Absatzsystemzustände aus dem Absatzsegment der allgemeinen Datenbank; sie beschreiben die besonderen (singulären) Tatbestände	1.Schritt
	$G_1, G_2, \ldots, G_r$	statistische Gesetzeshypothesen G_i $\hat{=}$ Erlösfunktionen von statistisch-wahrscheinlichkeitstheoretischer Form	2.Schritt
Konklusion	p (E)	Ableitung E der Absatzsystemzustände und der Wahrscheinlichkeit (p), mit der die einzelnen Absatzsystemzustände als erklärt betrachtet werden können.	3.Schritt

Abb. 18: Erklärungs-Schema für einzelne Absatzsystemzustände

Eine Unternehmensleitung hat in der Phase der Analyse und Erklärung durch die Identifikation der absatzpolitischen Abweichungsinformationen und durch die Feststellung der davon betroffenen Absatzsysteme erste Kenntnis über die zu erklärenden Absatzsystemzustände. Die Unternehmungsführung befindet sich in der Situation, daß die Systemzustände zwar in der Realität vorliegen, sie ihr aber nicht genau bekannt sind und ihr die Erklärung für das Zustandekommen fehlt. Was das Management deshalb zu Beginn suchen oder konstruieren muß, sind die Anfangs- und Randbedingungen A_i(vgl. Abb. 18).

Durch die Bedingungen A_i wird die jeweilige Situation des Absatzgeschehens beschrieben. Um diese zu gewinnen, hat die Unternehmungsführung sich auf eine deskriptive Analyse bzw. auf Erfassungsmodelle zu stützen. Die relevanten Elemente der zu erklärenden Absatzsysteme, also die Kunden, die verkauften Güter und die eingesetzten Absatzmittel sind dafür zu erfassen. Es gilt, die Daten dieser Elemente in den Datenbänken des Entscheidungssystems zu aktivieren und nach den Registrations- und Transformationsschemata der einzelnen Dateien abzurufen. Das Management hat anschließend die Zahlenwerte der Absatzsystemelemente in die jeweilige Erlösfunktionshypothese (G_i) eines Absatzsystems einzusetzen. Es gewinnt dadurch die jeweilige Erlösfunktion eines Absatzsystems und die Wahrscheinlichkeit, mit der der untersuchte Absatzsystemzustand als erklärt anzusehen ist. Eine Unternehmungsführung ist damit in der Lage, die Ursachen für die Erfolge oder Nichterfolge ihrer Absatzpolitik zu erkennen.

Aus zwei Gründen ist anzunehmen, daß mehrere Erlösfunktionen für die Erklärung eines Absatzsystemzustandes erarbeitet werden müssen bzw. sollten.

1. Eine Unternehmungsführung wird i.a. bestrebt sein, den Aufwand bei der deskriptiven Analyse möglichst gering zu halten. Bei der quantitativen Realisierung der Erlösfunktion stellt sie dann fest, daß der bewußt klein gehaltene, verdichtete Absatzdatenumfang in der MEIS-Datenbank nicht für eine realistische Abbildung des Absatzsystems ausreicht. Der ermittelte Wahrscheinlichkeitswert wird zu klein sein. Das Management wird darum zusätzlich Daten der allgemeinen Datenbank (vgl. Abb. 17) verdichten lassen müssen, um diese erweiternd zu den schon vorhandenen Daten hinzuzugewinnen. Mit ihnen ist eine verbesserte Erlösfunktion zu berechnen. Erweist sich die Funktion und die Wahrscheinlichkeit weiterhin als unzureichend, so sind neue Datenerhebungen und Funktionsüberprüfungen nötig. Es werden also Funktionsvergleiche erforderlich, um die realitätsnahen Erlösfunktionen von den realitätsfremden trennen zu können.
2. Eine selbstkritische Unternehmensleitung wird sich damit allein nicht begnügen. Sie wird mit den Vergangenheitsdaten versuchen, die Kunden in abweichenden Gruppen zusammenzufassen, um für sie fiktive Erlösfunktionen zu errechnen. Diese können dem Management zeigen, ob nicht andersartige Kombinationen der Absatzsystemelemente höhere Erlöse eingebracht hätten. Durch die dabei gewonnenen Erkenntnisse wird die Unternehmensleitung eventuell veranlaßt, bestimmte zukünftige absatzpolitische Strategien nicht zu ergreifen.

Der bisher beschriebene Arbeitsablauf zur „kausalen" Absatzanalyse oder zur „deduktiven" Erklärung beschränkt sich auf die getrennte Erklärung einzelner Absatzsystem*zustände.* Bei einem umfassenden Erklärungsversuch eines Absatzsystems oder einer geschlossenen Erklärung des „Teilsystems Absatz" entstehen zusätzliche Schwierigkeiten. Auf sie wurde noch nicht hingewiesen. Eine ganzheitliche Betrachtungsweise, mit der die Strukturen und die Funktionen sämtlicher möglicher Verhaltenszustände zu erklären ist, erfordert nämlich eine funktionale Erklärung der Absatzsysteme. Die Unternehmensleitung hat dafür eine Systemanalyse oder eine Funktionalanalyse durchzuführen. D.h. eine Analyse der kybernetischen Selbstregulationsvorgänge hat in und zwischen den Absatzsystemen zu erfolgen. Hierzu ist die Gesamtstruktur der Absatzsysteme, also die Menge der die Elemente der Systeme miteinander verbindenden Relationen, in einer Strukturmatrix abzubilden. Eine solche Angabe würde sowohl vergangene als auch zukünftige Absatzsystemzustände zu berücksichtigen haben. Dadurch entstehen erhebliche Schwierigkeiten. [41)]

Unseres Erachtens bestehen nur geringe Aussichten, direkt eine funktionale Absatzanalyse zur Erklärung des Teilsystems „Absatz" durchführen zu können, ohne die Erlösfunktionen für die einzelnen Zustände der Absatzsysteme vorher erarbeitet zu haben. Wir beschränken uns deshalb in dieser Arbeit auf die Angabe der Realisierungsmittel für Systemzustandserklärungen gemäß des Schemas von Abb. 18 auf S. 68.

Bei dem Versuch der Erklärung eines Absatzsystemzustandes treten möglicherweise neuartige Anregungsinformationen, Schwierigkeiten oder Diskrepanzen auf. Sie erfordern eine Überprüfung des Erarbeiteten mittels Rückkopplungen zu den einzelnen Entscheidungsphasen oder einen Neubeginn des Entscheidungsprozesses (vgl. Abb. 10 auf S. 37). Danach ist zur vierten Phase überzugehen.

1.2.4 Phase (4) – Entwicklung von einzelnen Absatzsystemvorstellungen mit Systemvorschriften

Eine Analyse des Entscheidungsfeldes macht der Unternehmensleitung deutlich, welche Teilbereiche tatsächlich veränderungsbedürftig sind. Nur dadurch kann sie präzisere Vorstellungen (Imperative) über anzustrebende Absatzsystemzustände formulieren. Das Management wird dazu die Absatzsystemkonzeptionen der zweiten Entscheidungsphase unter Einbezug der Analyseergebnisse als Arbeitsunterlage benutzen und diese überarbeiten. Dabei hat die Unternehmungsführung festzulegen, in welchem Maße bestimmte Realisierungstoleranzen und Schwellenwerte als Systemvorschriften bei einer

---

41) Zu einer genaueren Auseinandersetzung mit der Funktionalanalyse und der Selbstregulation vgl. Stegmüller, W.: Wissenschaftliche . . . , a.a.O., S. 555 - 623 und Klaus, G.: Wörterbuch der Kybernetik, Bd.1 und 2, Frankfurt a.M. 1971, S. 215f., S. 625f. und 692f.

zukünftigen Absatzsystembildung einzuhalten und in welchen Zeitspannen die geforderten Systemzustände zu erreichen sind. Außerdem ist der jeweils veränderte zukünftige Gesamtzustand des Absatzes einschließlich seiner betrieblichen Auswirkungen auf alle übrigen Unternehmensbereiche abzuschätzen. 42)

Zweifellos hat diese Phase starken hypothetischen und normativen Charakter. Die sinnvoll erachteten Konstruktionen der Systemzustände sind als „informative" (imperativistische) Sätze in den nächsten Phasen kritisch auf ihre Verwirklichungsmöglichkeiten und ihre Brauchbarkeit zu überprüfen.

1.2.5 Phase (5 und 6) – Antizipation von Absatzstrategien und Voraussagen ihrer Markt- und Absatzauswirkungen

1.2.5.1 Grundsätzliche Aussagen zu den beiden Phasen

Es ist das zentrale Anliegen einer Unternehmensleitung in jedem Absatzentscheidungsprozeß, Voraussagen über mutmaßliche Auswirkungen antizipierter Absatzstrategien zu treffen. Der Prozeß wird in der Absicht vollzogen, „wenn - dann" - Beziehungen bereits vor dem konkreten absatzpolitischen Handeln offenzulegen.

Die Grundlage für Voraussagen ist das in der Phase der Analyse und Erklärung des Entscheidungsfeldes abgegrenzte und abgebildete Absatzmodell – oder die Erlösfunktionen des Teilsystems „Absatz". Hinzu kommen die in der Phase (4) entwickelten und korrigierten Absatzsystemvorstellungen, die das Management gerne realisiert haben würde. Sie sind bei den Prognosebestrebungen kritisch anzusteuern.

Für die Entwürfe zukünftiger Absatzsystemzustände ist mit Unterstützung des MEIS der Weg zu finden, wie von den bestehenden Absatzsystemzuständen zu den Systemvorstellungen der Absatzpolitik zu gelangen ist. Die Möglichkeiten der Voraussage sind bei einem solchen Vorgehen insofern abgesteckt, als nur Veränderungen der in den Erklärungsfunktionen erfaßten Größen vorhersagbar sind. „Diese Limitierung wirkt jedoch gleichzeitig auf das Feld antizipierbarer Handlungen: Der Suchvorgang wird auf die Handlungen beschränkt, die zu den . . . abgebildeten Größen in Beziehung zu set-

42) Vgl. dazu Heinen, E.: Einführung . . . , a.a.O., S. 98f. und Mus, G.: Zur Problematik von Entscheidungsprozessen, unveröff. Instituts-Protokoll aus dem Seminar „Entscheidungstechnik" des Instituts für Stadtbauwesen, TU Braunschweig WS. 1971/72, S. 2f.

zen sind. Einflußgrößen und Relationen, die ... nicht wiedergegeben werden, sind für die späteren Phasen ... verloren." [43] Dadurch können unter Umständen ganze Verhaltensfelder oder Absatzstrategien für den zu ergreifenden Suchvorgang ausgeblendet sein.

Es wird vom „Suchvorgang" gesprochen, um deutlich zu machen, daß aufgrund der Vorstellungsentwürfe der Absatzsystemzustände Antizipationen von Handlungs- bzw. Verhaltensmöglichkeiten von der Unternehmensleitung noch zu entwickeln sind. Das Management muß hypothetische Aktionsalternativen konzipieren, die ihm für die Umbildungen der herrschenden Absatzsystemzustände sinnvoll erscheinen. Hier ist eine schwierige Vorarbeit im Hinblick auf die Voraussagen der Handlungsauswirkungen zu leisten. Die Unternehmensführung wird vorab klären oder abschätzen müssen, welche Aktionsmöglichkeiten in welchem Maße und in welcher Zeit im Unternehmen realisiert werden können, die dazu geeignet sind, einen gegenwärtigen Systemzustand in einen gewünschten Absatzzustand zu überführen. Erst nach der Auswahl von realistischen Strategien kann der eigentliche Prognoseprozeß zur Ableitung der Auswirkungen aufgenommen werden. Das Management hat also einen Katalog von hypothetischen Absatzstrategien aufzustellen, von denen es meint, daß die projizierten Absatzmaßnahmen zu den wünschenswert erscheinenden Absatzsystemzuständen führen.

Die Unternehmensleitung findet Anhaltspunkte für Handlungshypothesen, wenn sie diskutiert, welche Variablen der Absatzsysteme von ihr beeinflußbar sind (sog. Aktionsvariablen). Es ist auch denkbar, daß plötzliche Veränderungen der Umweltvariablen in der Volkswirtschaft eine Neuorientierung bedingen [44] (vgl. dazu Abb. 19 auf S. 73). Aber auch bekannte, bisher unbedeutende Variablen, die in den Absatzsystemen nicht berücksichtigt wurden, stellen eventuell Einflußgrößen dar, die aufzunehmen sind. Nur eine kritische Diskussion des Absatzgeschehens (vgl. Phase (3)) wird dem Management helfen, sinnvolle Absatzstrategien zu bilden.

---

43) Heidemann, C.: Über informative ..., a.a.O., S. 294.

44) Eine Zusammenstellung der externen und internen Faktoren, die bei Absatzvoraussagen für die Unternehmung von Bedeutung sein können, gibt Morse, St.: Marketing Management für den Praktiker, Frankfurt a.M. 1973, S. 87f. und Thummel, D.: Entwicklung einer Konzeption zur Bestimmung des langfristig-strategischen Marketing-Mix, Stuttgart 1972, S. 91f.

Erscheinungsbereich / Erscheinungsform im Zeitablauf	Volkswirtschaft (VW)	Wirtschaftszweige Sektoren	Marktausschnitt
trendartig	Wachstum Konstanz Schrumpfprozeß	Entwicklung der Bedeutung des Sektors in der VW, Wandlung der Bedarfsträger für die Gütergruppen (Umschichtung)	Verschiebung der Marktanteile, Wandlung von Produktimages
zyklisch	Konjunktur	Konjunkturabhängigkeit des Wirtschaftszweiges, zeitl. Vorauseilen oder Nachhinken	Marktanteilsverschiebung innerhalb der Konjunkturphasen
rhythmisch	Saisonbedingte Schwankungen (Arbeitsmarkt)	Saisonabhängigkeit des Absatzes der Gütergruppen	Produkte, Absatzsysteme, Absatztaktiken der Konkurrenten in den Saisonphasen
a-periodisch wiederkehrend	Modernisierung Politische Krisen Streikwellen	Modeabhängigkeit Krisenabhängigkeit (Hamsterwellen) Produktionsausfall	Modebedingte Marktanteilsverschiebung, Reagibilitätsverteilung zwischen den Konkurrenten
schlagartig	Auf- und Abwertung von Währungen, Handelsverträge, Zoll- u. Steuerveränderung, Handelsdiskriminierung	Technische Neuerungen	Konkurrenzmaßnahmen

Abb. 19: Möglichkeiten zukünftiger Umweltentwicklungen, aus denen Einflußgrößen für Absatzprojektionen hervorgehen können.

Quelle: E. Gerth: Betriebswirtschaftliche ... a.a.O., S. 164.

Für die entwickelten Absatzstrategien, die als Eingriffe in die betrieblichen Zustände der Absatzsysteme wirken [45], sind die Verfahren zur Bestimmung der resultierenden Konsequenzen bzw. der zu erwartenden Systemzustände zu erörtern.

1.2.5.2 Zu den Verfahren und Begriffen der „Absatzprognose" und „Absatzprojektion"

Die Unternehmensleitung befindet sich in der Situation, daß sie eine zukünftige Absatzsystemvorstellung in der vierten Entscheidungsphase entwickelt hat (siehe S. 70f.). Sie muß aber dafür hypothetisch die Ausgangsbedingungen A_i (die entsprechenden Absatzsegmentdaten der Datenbänke) abschätzen. Unter Einbezug einer Gesetzeshypothese, z.B. der formalen Erlösfunktion $E = f(K_A)$, hat sie dann zu testen, ob der erwünschte Absatzsystemzustand mit hohem Wahrscheinlichkeitsgrad aufgrund der verfolgten Absatzstrategie zu erreichen ist (vgl. Abb. 18 auf S. 68).

Die Art der Gesetzeshypothese (die nomologische, quasi – nomologische Hypothese, die empirische Generalisierung etc.) ist ein Merkmal für Voraussagearten. *Stegmüller* klassifiziert insgesamt dreißig Voraussagearten. [46] Sie werden mit zwei Ausnahmen an dieser Stelle nicht weiter besprochen.

Die Voraussagearten auf die wir hier eingehen, sind u.E. typisch für absatzpolitische Prognosen.
Es ist dies einmal die Voraussage, bei der mit modifizierenden zielgerichteten Eingriffen des Managements auf die Anfangsbedingungen zu rechnen ist. Es werden also nachträglich die Absatzstrategien korrigiert. Zum anderen ist die systemdynamische oder zieladaptive Prognose zu nennen, in der die voraussichtliche Systemdynamik (Eigendynamik) und ihre flexible Systementwicklung (Zielentwicklung) mit berücksichtigt wird. Konstruktionen dieser Art sind aber noch nicht so hinreichend untersucht, als daß wir uns damit beschäftigen wollen. [47]

---

45) Vgl. Edin, R.: Dynamische Analyse betrieblicher Systeme, Berlin 1971, S. 25f.

46) Stegmüller, W.: Wissenschaftliche . . . , a.a.O., S. 179f. und S. 204; derselbe: R. Carnap, Induktive Wahrscheinlichkeit, in: Grundprobleme . . . , Hrsg. J. Speck, a.a.O., S. 90f. und vgl. Dlugos, G.: Analytische Wissenschaftstheorie als Regulativ betriebswirtschaftlicher Forschung, in: Wissenschaftstheorie und Betriebswirtschaftslehre, Hrsg. G.Dlugos, G.Eberlein, H.Steinmann, Düsseldorf 1972.

47) Vgl. dazu Lenk, H.: Erklärung . . . , a.a.O., S. 61.

Der Vollständigkeit halber sind zusätzlich die Techniken der heuristischen Verfahren zu nennen. Sie sollen ebenfalls nicht erörtert werden, weil sie als prognostische Suchstrategien überhaupt keine Lösungsgarantien bieten.[48)]

Statt des Begriffes „Prognose" ist der Ausdruck „Projektion" in jenen Fällen üblich, bei denen die Voraussage nicht auf echte Gesetzeshypothesen zurückzuführen ist, sondern statt dessen auf statistischen Trends oder rekursiven Fortschreibungen beruht. Auch bedingte (hypothetische) Prognosen, bei denen das Eintreten des vorausgesagten Absatzsystemzustandes von dem noch offenen Eintreten (wenigstens eines Teiles) der Anfangsbedingungen abhängt, werden als Projektionen bezeichnet.[49)]

Gerade im unternehmerischen Absatzgeschehen ist mit bedingten Prognosen häufig zu rechnen. Die Unternehmungsführung wird oft vor der Situation stehen, daß bestimmte, auf Absatzsystemanalysen fußende Anordnungen nicht sofort auszuführen sind. Ein anderer personeller Reisendeneinsatz, Veränderungen im Transportwesen, neue Produktgestaltungen u.ä. sind oft betrieblich nur schwer zeitgerecht zu realisieren, obwohl sie feste Bestandteile der konzipierten Absatzstrategien sind. Von der korrekten Ausführung hängt es ab, ob die zum Zeitpunkt der Projektion angenommenen Absatzsystemdaten für die Anfangsbedingungen A_i zutreffen oder zu korrigieren sind.

1.2.5.3 Zwei ausgewählte Möglichkeiten um zu Absatzprojektionen zu gelangen

1.2.5.3.1 Projektionen mit Hilfe von Erlösfunktionen. Die Entwürfe zukünftiger Absatzsystemzustände bilden als Zielvorstellungen in der Entscheidungsphase (2 und 4) die Leitnormen für die zu ermittelnden Absatzprojektionen (vgl. Abb. 10 auf S. 37). Die Leitnormen haben bei der Suche nach Absatzstrategien die kritische Diskussion der Ergebnisse der berechneten Er-

---

48) Vgl. zu diesen Methoden Weinberg, F., und C.A.Zehnder: Heuristische Planungsmethoden, Berlin 1969, S. 7f.; Mertens, P.: Simulation, Stuttgart 1969; Kirsch, W.: Entscheidungsprozesse II, a.a.O., S. 32f.; Klein, H.: Heuristische Entscheidungsmodelle, Wiesbaden 1971, S. 35f.; Grochla, E.: Modelle . . . , a.a.O., S. 390; Wacker, W.: Betriebswirtschaftliche . . . , a.a.O., S. 260 und Kreusslein, G.: Modelle zur Bestimmung der Gewinnerwartung im Rahmen der Neuprodukt-Planung, Berlin 1971, S. 83f. sowie die jeweils angeführten Literaturangaben.

49) Vgl. Lenk, H.: Erklärung . . . , a.a.O., S. 59 und S. 94; Griem, H.: Der Prozeß . . . , a.a.O., S. 99f.

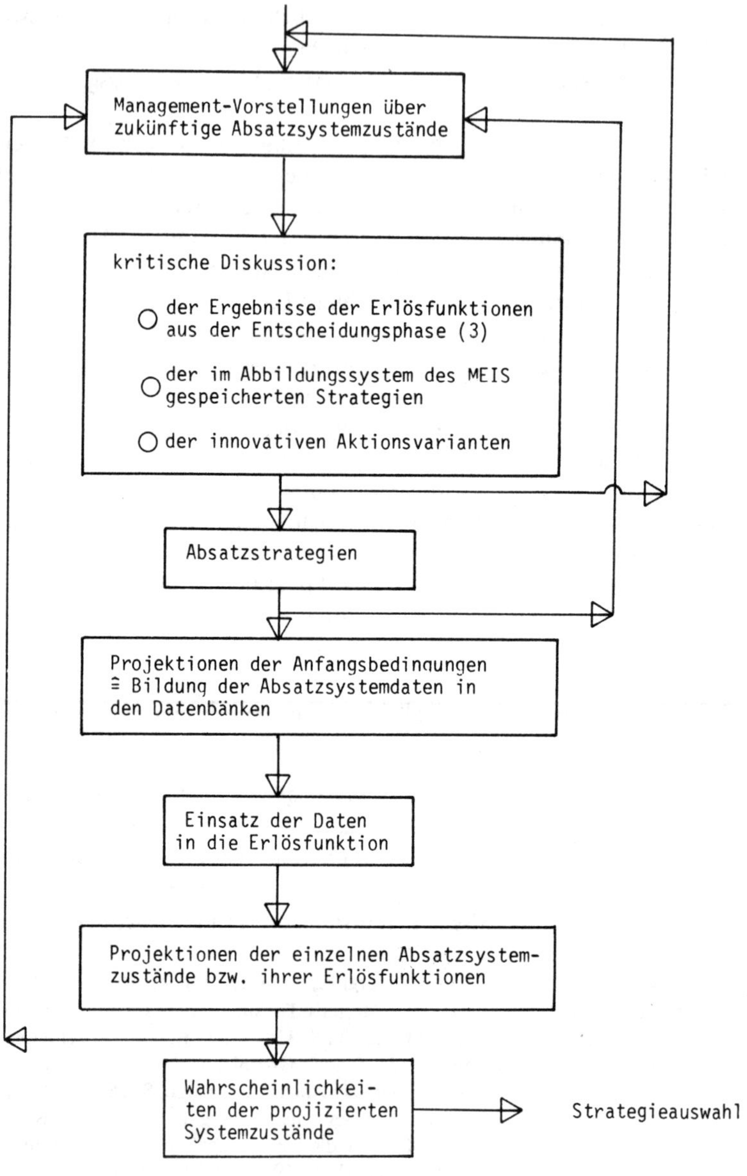

Abb. 20: Absatzprojektionen mit Hilfe von Erlösfunktionen

lösfunktionen der vergangenen Absatzsystemzustände, zu begleiten (vgl. Abb. 20 auf S. 76). Konsequenterweise wird die Unternehmensleitung bei der Strategieermittlung auch diejenigen im Abbildungssystem des MEIS gespeicherten Absatzsystemsituationen abrufen, die den angestrebten Systemzuständen am nächsten kommen. Vergleiche ähnlicher Paare einzelner Absatzsystemzustände erlauben der Unternehmungsführung die Gewinnung zusätzlicher Absatzstrategien. Weiter sind die innovativen Strategievarianten im Hinblick auf die Vorstellungsentwürfe kritisch zu erörtern.

Aus dieser Diskussion werden Absatzstrategiealternativen hervorgehen. Für diese sind die Erlösfunktionen, d.h. die zu erwartenden Absatzsystemzustände als Handlungskonsequenzen quantitativ zu bestimmen. Dazu sind diejenigen Daten in den Absatzsegmenten der Datenbänke zu verwenden, die jene Absatzsystemsituationen abbilden, die den erwünschten Absatzsystemvorstellungen am nächsten kommen. Die Daten sind aufgrund der Systemabweichungen und der spezifischen Absatzmaßnahmen zu korrigieren. Erst dann können sie als Anfangsbedingungen A_i in die hypothetische Erlösfunktion eingesetzt und die Projektionen mit der ADV-Anlage errechnet werden. Die so erzeugten Abbildungen sind danach mit den ursprünglichen Management-Vorstellungen zu vergleichen, um ihren Annäherungsgrad festzustellen. Mit den projizierten Erlösfunktionen sind gleichzeitig die Erwartungswerte zu ermitteln, aus denen hervorgeht, mit welcher Wahrscheinlichkeit jeweils die Absatzsystemzustände bei den antizipatorisch ergriffenen Absatzstrategien eintreffen. Die Erwartungswerte gelten allerdings nur unter der Annahme, daß die Absatzmaßnahmen der Unternehmensleitung auch tatsächlich realisiert werden und die getroffenen Anfangsbedingungen richtig sind.

1.2.5.3.2 Projektionen auf der Grundlage des Konsumprozesses. [50] Der Absatz eines Unternehmens kommt durch die Kaufentscheidungen der Kunden zustande. Die Summe der einzelnen Kaufakte bewirkt die gesamte Güterabnahme. An den Phasen des Konsumprozesses läßt sich zeigen, welche Absatzaufgaben sich einer Unternehmung jeweils stellen und welche Absatzinstrumente einzusetzen sind, um die Konsumenten als Käufer zu gewinnen (vgl. Abb. 21, S. 79). [51]

---

50) Wir folgen hier der Arbeit von Albert, B.: Die absatzpolitisch bedingte mittel- bis langfristige Absatzprognose – ein offenes Modell der Informationsbeschaffung und -verarbeitung, Würzburg 1975.

51) Zur Bedeutung des Konsumprozesses und seiner Phasen vgl. Gerth, E.: Betriebswirtschaftliche . . . , a.a.O., S. 116f.; derselbe: Die Bedeutung des Konsumpro-

Zugleich ist der Konsumprozeß als eine hypothetische Abfolge von Konsumentscheidungen zu sehen, in denen die potentiellen Käufer je nach Erfüllung ihrer Entscheidungsbedingungen aus dem Prozeß ausscheiden oder aber die nächste Phase in Richtung auf den Kauf erreichen (vgl. dazu Abb. 22 S. 80). Jeder Einschnitt oder Übergang von einem Prozeßstadium zum anderen markiert einen Entscheidungsknoten (vgl. Abb. 23 S. 81). Aufgrund der Verzweigungen und der Wahlhandlungen in den Knoten entsteht ein Entscheidungsbaum, der die Zusammenhänge des Absatzes im Konsumprozeß darstellt. Das Verhalten der Kunden an den Verzweigungen kann durch Entscheidungsfunktionen bestimmt werden. Sie sind mit den Methoden der Konsumforschung zu gewinnen: Die Wirkungszusammenhänge für die Funktionen sind durch einen Methodenverbund (Tiefenpsychologie und projektive Verfahren, Befragungen und Beobachtungen sowie Faktorenanalysen) aufzustellen. *B.Albert* zeigt, wie mit den so erhaltenen Entscheidungsfunktionen die Verhaltensweisen der Kunden zu den Gütern des Unternehmens zu ermitteln sind. Daraus läßt sich eine „Prognosefunktion" für den Warenabsatz der Betriebswirtschaft rechnerisch bestimmen.

Die beiden geschilderten Möglichkeiten der Absatzprojektionen sind in unabhängiger Weise erarbeitbar. Eine kritische Unternehmungsführung sollte deshalb versuchen, zu beiden Projektionen zu gelangen. Sie wäre dann in der Lage, die antizipierten Abbildungen der Absatzsystemzustände vergleichen zu können. Verfügt eine Unternehmensleitung über das dazu erforderliche Instrumentarium, so ist sie sehr wahrscheinlich befähigt, eine einzigartig günstige, dynamische Markt- und Absatzpolitik zu entwickeln.

1.2.6 Phase (7) – Bewertung der projizierten Absatzsystemzustände und Auswahl einer Absatzstrategie

In dieser Entscheidungsphase geht es darum, eine Antwort auf die Frage zu finden, nach welcher antizipierten Strategie der Absatzpolitik zu handeln ist und auf welche der projizierten Absatzsystemzustände hinzuarbeiten ist. Entgegen der oft in der Betriebswirtschaftslehre vertretenen entscheidungstheoretischen Auffassung schließen wir uns *Carnap* an, daß Annahme- und Verwerfungsregeln nicht weiterhelfen. Vielmehr ist diejenige Absatzstrategie

zesses für die Absatzpolitik, in: ZfB, Nr. 10, 1966, S. 632f. und derselbe: Die Bestimmung der Zielpersonen für die Absatzpolitik der Unternehmung bei der Neueinführung von Konsumgütern, in: ZfB, Nr. 5, 1968, S. 330f.

Phase im Konsumprozeß	Hindernis um zur folgenden Phase zu gelangen	Absatzwirtschaftliche Aufgabe	Zur Erfüllung geeignete Aktionsparameter (Beisp.)	Zu berücksichtigende Umweltvariable (Beispiele)
1	2	3	4	5
motiviertes Begehren	Motive setzen sich nicht in Bedürfnisse um	Hinstimmung	Werbung	
Bedürfnis	Gutsart läßt Bedürfnisse unbefriedigt	Verbesserung der Eignung des Gutes	Produktgestaltung	Mode
Bedarf an Gutsart	a) Gut weckt latente Bedürfnisse b) Gut kann nicht geweckte Bedürfnisse befriedigen	a) Bedürfnisse anregen b) Verbesserung der Eignung	Werbung Preispolitik Produktgestaltung	Konkurrenz
Bedarf	Nachfragemühe zu groß Umstellungsschwierigkeiten im Haushaltsplan	- ändern des Vertriebs - ändern der Einkaufsmethode - Kaufsumme oder Gut in kleine Einheiten unterteilen	Vertrieb	Konjunktur Einkommen
Nachfrage	Mangel an Anbieterdiensten	Verbesserung der Abstimmung zur Verkäufer- und Käuferleistung	Vertrieb	Einzelhandelsstruktur
Bedarfsdeckung	Vorratshaltung unterbleibt	Verbesserung der Eignung zur Aufbewahrung	Produktgestaltung	Wohnungsbau hinsichtlich den Einrichtungen zur Vorratshaltung
Vorratshaltung	Mühe der Zubereitung	Verbesserung der Verbrauchsreife	Produktgestaltung	Angebot an Zubereitungsgeräten
Bedürfnisbefriedigung				

Abb. 21: Die Phasen des Konsumprozesses und die Zuordnung absatzwirtschaftlicher Aufgaben und Einflußgrößen

Quelle: B. Albert: Die absatzpolitisch bedingte mittel- bis langfristige Absatzprognose . . . , a.a.O.

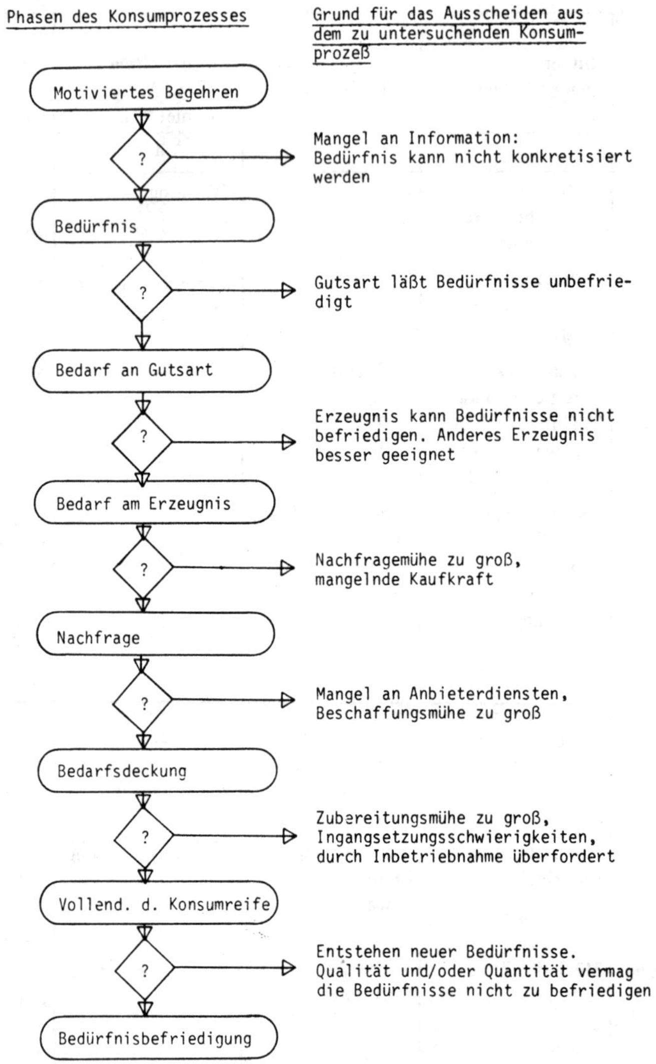

Abb. 22: Der Konsumprozeß als Abfolge von Entscheidungen

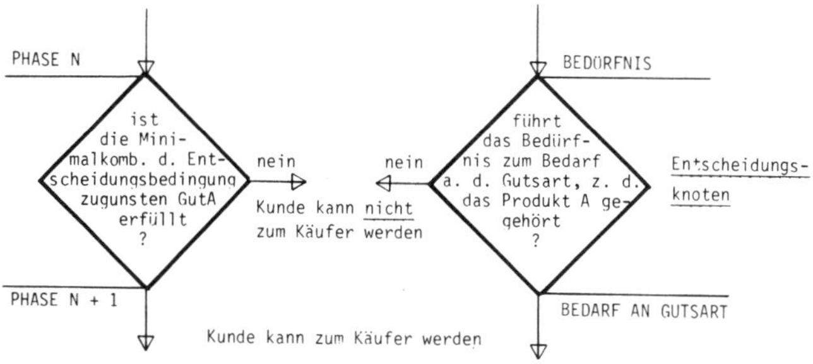

Abb. 23: Entscheidungsknoten oder Einschnitt im Konsumprozeß
Quelle: B. Albert: Die absatzpolitisch bedingte mittel- bis langfristige Absatzprognose . . .

zu wählen, welche den größten Erwartungswert hat bzw. welche auf den am besten bestätigten (bewährten, gestützten) Annahmen beruht. [52]

1.2.7 Phase (8 und 9) – Durchführung, Überwachung und Anpassung der Absatzstrategien

Mit dem Entschluß, einzelne Absatzsystemzustände gemäß der gewählten Absatzstrategie zu verändern, damit die Ergebniszustände der Voraussage erreicht werden, ist der Prozeß der Willensbildung abgeschlossen. Ihm folgt der Prozeß der Willensdurchführung. Die anschließende Kontrollphase läßt den Absatzentscheidungsprozeß dann zu einem vollständigen Lernprozeß werden (vgl. Abb. 10 auf S. 37).

Es wird auf diese Prozeßphase (8 und 9) nicht weiter eingegangen. Es sei jedoch betont, daß dieser Teil des Entscheidungsprozesses wegen der Anweisungen und Unterrichtungen zwischen der Unternehmensleitung, den Ausführenden und den Kontrollierenden stark nomativ und nur mit Hilfe eines modernen computer-gestützten Entscheidungssystems erfolgreich zu verwirklichen ist.

1.3 Zusammenfassung und Überleitung

Die Auseinandersetzung mit den Grundlagen zur Beurteilung und Bestimmung der unternehmerischen Absatzpolitik führt zu folgenden wesentlichen Ergebnissen:

52) Vgl. dazu Stegmüller, W.: R.Carnap . . . , a.a.O., S. 77 und S. 91f.

(1) Eine Unternehmungsführung muß permanent die Aussagen zu ihren absatzpolitischen Strategien in einem Absatzentscheidungsprozeß realdialektisch in normative und informative Sätze trennen und überprüfen.

(2) Kernstück des erforderlichen dynamischen Entscheidungsprozesses der Absatzpolitik ist die Phase der Analyse und Erklärung der einzelnen Absatzsystemzustände. Die Systemzustände stellen die Konsequenzen der Absatzpolitik dar. Sie sind in Erlösfunktionen zur Erklärung und zur quantitativen Erfolgskontrolle abzubilden.

(3) Die entscheidungsorientierten methodischen und instrumentalen Grundsätze (vgl. Abschnitt 1.1), wie auch der absatzpolitische Entscheidungsprozeß selbst, können nur in einem computer-gestützten flexiblen Entscheidungssystem (MEIS) durchgeführt werden. Das MEIS ist systematisch über segmentierte Datenbänke und über ein Abbildungssystem sowohl von der betrieblichen operationalen als auch von der strategischen Ebene eines Unternehmens aufzubauen.

Anregungsinformationen und Vorstellungen von einer zukünftigen Absatzpolitik oder von anzustrebenden Absatzsystemzuständen sind bedeutungslos, wenn sich nicht eine Analyse und Erklärung des Absatzgeschehens anschließt. Allein für sich genommen, stellen die Phasen (1) und (2) des Entscheidungsprozesses zur Bestimmung der Absatzpolitik rhetorische Sätze dar, die nur Aufforderungscharakter in sich tragen. Erst die Diagnose der Konsequenzen der Absatzpolitik und der Ursachen für das Zustandekommen der Erlöse der Absatzsysteme sowie die Überprüfung und quantitative Durchdringung der Systemzustände befähigen eine Unternehmensleitung, den Absatzentscheidungsprozeß rational fortzuführen. Die Grundlage für absatzpolitische Projektionen und zukünftige Absatzstrategien ergibt sich aus der Analyse der Entwicklung der einzelnen Absatzsysteme in der Vergangenheit. Dazu gehört die Diskussion der betrieblichen Absatzmitteleinsätze und deren Kosten, ebenso die Beurteilung der Reaktionen der Kunden auf die ergriffenen Absatzstrategien und ihrer Erlösbeiträge. Hierzu ist auch die Bestimmung und Erörterung der tatsächlich vorliegenden und der fiktiv simulierten Erlösfunktionen der Absatzsystemzustände zu rechnen. Durch die Analyse und Erklärung des Teilbereiches „Absatz" werden Marktchancen erkennbar und notwendige Systemveränderungen im Unternehmen sichtbar. Ohne die kritische Diskussion, d.h. ohne die Kontrolle der Absatzpolitik nach der Bewährung der verwandten Absatzhypothesen und der Absatzmethodik, hinge jede antizipierte Absatzmaßnahme beziehungslos in der Luft.

Die Konstruktion alternativer Absatzstrategien ohne Situationsanalyse bzw. ohne Abbildungsversuche der Systemzustände würde sich auf Glaubenssysteme und Rechtfertigungsdenken (vgl. Abb. 7 auf S. 28) stützen. So kann eine autoritär-dogmatische Unternehmungsführung handeln. Ein komparativ statisches und erst recht ein dynamisches Management wird sich davor hüten. Das Bestreben, permanent über das wichtige Geschehen unterrichtet zu sein und der Wunsch, flexibel, insbesondere ad hoc fundiert entscheiden zu können, erfordert die ständige kritische Prüfung der einzelnen Absatzsysteme und den Einsatz eines MEIS (vgl. Abb. 12 und 17). Erst die Struktur- und Verhaltensanalysen der Absatzsysteme ermöglichen die so wichtigen Rückkopplungs- und Lernprozesse für die Unternehmungsleitung.

Die Reproduktion der Beziehungszusammenhänge führt zur Revision oder Bestätigung der Elemente des Abbildungssystems der ADV-Anlage. Derartige funktionale Erklärungsversuche der absatzwirtschaftlichen Vorkommnisse sind quantitativ nur ausführbar durch die vorherige Ergänzung der Dateienbestände der allgemeinen Datenbank und der Datenbestände der MEIS-Datenbank. Mit ihnen kann das Management die quantitativen Erlösfunktionen der Absatzsystemzustände errechnen, die aufzeigen, welche Variablen maßgebend für die Kundenreaktionen gewesen sind. Die so offenkundig gewordenen Tatbestände stellen die Voraussetzungen für alternative Absatzstrategien dar. Denn aus ihnen wird sichtbar, welche zukünftigen absatzpolitischen Maßnahmen nötig und praktikabel sind.

Die Daten der Datenbänke bilden die Basis für die Absatzprojektionen. Die Anfangs- und Randbedingungen, die für den Einsatz in den Hypothesen zur Bestimmung der Konsequenzen der antizipatorisch ergriffenen Absatzstrategien erforderlich sind, können nur mit Hilfe der Analyseergebnisse erarbeitet werden.

Eine Unternehmungsführung bedarf also primär der rational kritischen Überprüfung der vergangenen Absatzsystemzustände, weil sie sonst ohne ausreichendes Fakten-Wissen wäre und konservierend auf überlieferten Grundsätzen ihrer Absatzpolitik stehen bliebe. Ihr zukünftiges Verhalten gegenüber den Kunden und die Handhabung ihrer Absatzinstrumente würde nach kurzer Zeit überholt sein. Ohne zielabändernde Rückkopplung aufgrund der Analyseergebnisse wäre das zukünftige Handeln des Managements allein eine ausgedehnte Gegenwart, das hoffnungslos den dynamischen Konkurrenzstrategien unterläge.

Wir haben bisher gezeigt, welche methodischen und instrumentalen Grundlagen innerhalb des Entscheidungsprozesses der Absatzpolitik einzusetzen sind. Es kam uns darauf an, zu verdeutlichen, wie die Phase der Analyse und Erklärung der Absatzsystemzustände in diesen Prozeß eingebettet ist und welche bedeutende Rolle ihr zusteht. Dies ist ohne die detaillierten Angaben, wie die Absatzsystemanalyse bzw. die Berechnung der Erlösfunktionen in der Praxis durchzuführen ist, geschehen. Das wird im folgenden Abschnitt 2. nachgeholt.

2. Grundlagen für Absatzanalysen und für die praktische Bestimmung der Erlösfunktionen der einzelnen Absatzsysteme

Thematisch verlassen wir in diesem Teil der Arbeit die methodologischen Grundlagen und wenden uns software-artigen Grundlagen zur Analyse und Erklärung von Absatzsystemzuständen zu. Es wird die Bezeichnung „software-artig" gewählt, um zu verdeutlichen, daß die folgenden Verfahren und Modelle nur einer Programmierung bedürfen, damit sie in einem Unternehmen eingesetzt werden können. Die software-artigen Grundlagen sind u.E. als Programme in der Methoden-, Hypothesen- und Modellbank des Abbildungssystems eines Entscheidungssystems zu speichern (vgl. Abb. 17). Durch den Einsatz eines Teils der Programme kann die Aufbereitung der Daten des betrieblichen Abrechnungssystems und der Aufbau der Dateien des Absatzsegments der MEIS-Datenbank erfolgen. Eine Unternehmensleitung ist im Anschluß daran in der Lage, mit den übrigen Programmen Analysen und Erklärungen der Absatzsituationen mit den zuvor gewonnenen Datei-Beständen durchzuführen.

Es ist unser zentrales Anliegen, den Wirkungszusammenhang für das Zustandekommen des Absatzes zu erklären. Die gegenseitige Abhängigkeit zwischen dem absatzpolitischen Mitteleinsatz und den Kundenreaktionen soll aufgezeigt werden. Die Erlösfunktion eines Absatzsystems nimmt dafür eine Schlüsselstellung ein (vgl. Abschnitt 1.2.3.2). Die Verhaltensursachen von Kunden oder Kundengruppen auf zeitlich zurückliegende Absatzstrategien sind mit Erlösfunktionen zu erkennen. Eine Erlösfunktion erlaubt die Abbildung und Erklärung eines Absatzsystemzustandes. Ihre quantitative Realisierung ist jedoch nur zu erlangen, wenn zusätzliche Verfahren und Modelle, eben software-artige Grundlagen, zur Verfügung stehen. Diese wollen wir in den nächsten Abschnitten vorstellen. Die Bildung von Erlösfunktionen ist nicht nur im Hinblick auf die Analysen und die Erklärung des Absatzgeschehens oder die zukünftige Markt- und Absatzpolitik eines Unternehmens zu sehen. Sie ist auch als ein Einbruchsversuch in die bisherigen geschlossenen Formen des Rechnungswesens aufzufassen. [1)]

---

1) Die Hinwendung zu einer offenen Form des Rechnungswesens und der statistischen Durchdringung des Unternehmungsprozesses nach sachökonomischen Gesichtspunkten verlangt seit langem E.Schäfer, Vgl. Schäfer, E.: Die Unternehmung, Köln 1966, S. 406f. und derselbe: Zur Ertragslehre, a.a.O., S. 362f. Ebenso auch Riebel, P.: Innerbetriebliche Statistik, in: Allgemeines Statistisches Archiv, Bd.49, Heft 1, 1965, S. 69.

Eine Vernachlässigung der Erlösrechnung und der damit verbundenen Erfolgsanalyse darf eine dynamische Unternehmungsführung in ihrem Rechnungswesen nicht zulassen, wenn eine Markt- und Absatzanalyse nach Absatzsystemen und Kundengruppen erfolgen soll. Das Management hat deshalb sowohl konsequent auf die Anwendung der Verfahren der kundenbezogenen markt- und entscheidungsorientierten Einzelerlös-, Einzelkosten- und Deckungsbeitragsrechnung zu bestehen als auch Erlösfunktionen zu erarbeiten. [2] Wir werden die dafür nötigen Grundlagen in unserer Untersuchung schaffen.

2.1 Theoretische Formulierung der Erlösfunktion einer Unternehmung [3]

Am Anfang unserer Einführung (Abschnitt 0.1) haben wir den zentralen Wirkungszusammenhang für das Zustandekommen des Absatzes in der Erlösfunktion $E = f(K_A)$ abgebildet. Eine Unternehmungsführung kommt ohne die Kenntnis der herrschenden Absatzsituation und ohne die Ergebnisse einer Analyse über den Erfolg ihrer absatzpolitischen Strategien nicht aus, wenn sie eine dynamische Absatzpolitik betreiben will. Das dafür nötige Wissen erhält das Management durch die Bestimmung der Erlösfunktion des Unternehmens. Wir wiesen deshalb gleich zu Beginn unserer Arbeit auf die Erklärungsmöglichkeiten durch eine solche Funktion hin. Wir beabsichtigen nun, die Schwierigkeiten bei der Realisierung dieser Erlösfunktion aufzuzeigen, um anschließend eine praxisnahe Funktion zu formulieren.

Die allgemeine Erlösfunktion zeigt den Beziehungszusammenhang auf zwischen dem erzielten Umsatzerlös E einer Unternehmung und dem Einsatz der Absatzmittel (vgl. Abb. 2 auf S. 17). Der innerhalb einer Zeitperiode im Markt erreichte nominale Gegenwert des Güterabsatzes [4] ist gegenüber den Kosten K_A der eingesetzten betrieblichen Absatzmittel i als abhängige Va-

---

2) Ebenso Riebel, P.: Ertragsbildung . . . , a.a.O., S. 149; derselbe: Innerbetriebliche . . . , a.a.O., S. 54 und derselbe: Einzelkosten- und Deckungsbeitragsrechnung, Opladen 1972, Vorwort S. 5.

3) Zur Entwicklung dieser Formel und der Auseinandersetzung mit ähnlichen Ansätzen in der Literatur vgl. Thiele, H.-H.: Das System . . . , a.a.O. und Abschnitt 1.2.3.2 dieser Arbeit.

4) Zu dieser Erlösbegriffsdefinition vgl. Knoblich, H.: Ertragsarten, in: Beiträge zur betriebswirtschaftlichen Ertragslehre, Hrsg. Riebel, P.: Opladen 1971, S. 68.

riable zu sehen. Der Erlös ergibt sich aufgrund der verkauften Gütermengen x_e und der erzielten Preise p_e der Produkte e (e = 1, . . . , q) zu

$$E = \sum_{e=1}^{q} x_e \cdot p_e.$$ [5]

Um diesen Erlös zu realisieren, war eine bestimmte Kombination eines Absatzmitteleinsatzes nötig, die dem Unternehmen insgesamt die Absatzko-

sten $K_A = \sum_{i=1}^{n} s_i \cdot p_i$ verursachte. Dabei errechnen sich die Kosten K_A

aus den eingesetzten Absatzmittelmengen s_i und den Preisen p_i der Absatzmittel i (i = 1, . . . , n). Die allgemeine Erlösfunktion läßt sich vereinfacht darstellen in der mathematischen Formel

$$(1) \quad E = \sum_{e=1}^{q} x_e \cdot p_e = f(s_1 \cdot p_1, s_2 \cdot p_2, \ldots, s_n \cdot p_n).$$

Die Funktion gilt für den besonderen Fall der vollständigen Homogenität der Kunden der Unternehmung.

Ein unterschiedlicher Absatzmitteleinsatz wird i.a. aufgrund des sich entwickelnden Wohlstandes und der daraus resultierenden differenzierten Kundenwünsche im Gegensatz zu den einheitlich gefertigten Gütern der Massenproduktion in den Unternehmen erfolgen. Es ist anzunehmen, daß das Management versucht, mit verschiedenen Kombinationen von Absatzinstrumenten den Kundenanforderungen zu entsprechen. Infolge der herrschenden Inhomogenität der Kunden wird eine Unternehmensleitung nach markt- und kundenorientierten absatzpolitischen Vorstellungen handeln und gegenüber einzelnen Kundengruppen spezielle Absatzstrategien verfolgen. Das Management wird gemäß des Einsatzes der Absatzmittel bestrebt sein, die erzielten Erlöse nach Kundengruppen bzw. nach Absatzsystemen zu gliedern, damit für die Systeme der Erfolg der absatzpolitischen Maßnahmen zu kontrollieren ist. Um das zu ermöglichen, ist die Erlösfunktion (1) so umzuformulieren, daß für jedes Absatzsystem eine einzelne Funktion erarbeitet werden kann. [6] Aus den folgenden Erlösfunktionen (2) lassen sich einzelne Erlösfunktionen jeweils für ein Absatzsystem j (j = 1, . . . , w) ableiten.

---

5) Zur Gleichsetzung des Absatzertrages und des Erlöses vgl. Schäfer, E.: Zur . . . , a.a.O., S. 363.

6) Vgl. hierzu auch Abschnitt 1.2.3.2 .

$$(2\,a)\quad E = \sum_{j=1}^{w} \sum_{e=1}^{q} u_{ej} = \sum_{j=1}^{w} f(Kd_j, Ks_j) + g(Ki)$$

$$(2\,b)\quad E = \sum_{j=1}^{w} \sum_{e=1}^{q} x_{ej} \cdot p_{ej} =$$

$$\sum_{j=1}^{w} f(s_{1j} \cdot p_{1j}, s_{2j} \cdot p_{2j}, \ldots, s_{nj} \cdot p_{nj},$$

$$t_1 \cdot b_{1j} \cdot q_1, t_2 \cdot b_{2j} \cdot q_2, \ldots, t_r \cdot b_{rj} \cdot q_r) + g(Ki)$$

Es ergibt sich der Erlös E des Unternehmens (vgl. Formel 2 a) aus der Summation der erzielten Erlöse u_{ej} für die verkauften Produkte e (e = 1, . . . , q) der Absatzsysteme j (j = 1, . . . , w). Der Erlös ist abhängig von den direkten und semidirekten Kosten Kd_j und Ks_j der Absatzsysteme j sowie von den indirekten Absatzkosten Ki.[7)]

Es ist anzunehmen, daß die funktionalen Beziehungen der indirekten Absatzkosten zu den Erlösen anders geartet sind als die der direkten und semidirekten Absatzkosten der Absatzsysteme. Dieser hypothetische Tatbestand ist in der allgemeinen Erlösfunktion einer Unternehmung berücksichtigt (vgl. Formel 2).

Primär ist es unser Anliegen aufzuzeigen, wie die Erlösfunktionen der einzelnen Absatzsysteme zu gewinnen sind. Sie bilden die Grundlagen in dem computer-gestützten dynamischen Entscheidungssystem (MEIS) der Absatzpolitik. Die Aggregation der Funktionen zur Erlösfunktion der Unternehmung (vgl. Formel 2) stellt eine nächst höhere Entwicklungsstufe im MEIS dar. Sie ist erst anzusteuern, wenn es einer Unternehmungsführung gelungen ist, die einzelnen Funktionen zu erarbeiten. Deshalb konzentrieren wir uns in dieser Untersuchung auf die Abbildung einer einzelnen Erlösfunktion E_j.

Abgeleitet aus der Gesamtfunktion (2 b) ist z.B. für das Absatzsystem j = 1 die Erlösfunktion E_1 zu bestimmen nach

$$(3\,a)\quad E_1 = \sum_{e=1}^{q} x_{e1} \cdot p_{e1} = f(s_{11} \cdot p_{11}, s_{21} \cdot p_{21}, \ldots, s_{n1} \cdot p_{n1},$$

$$t_1 \cdot b_{11} \cdot q_1, t_2 \cdot b_{21} \cdot q_2, \ldots,$$

$$t_r \cdot b_{r1} \cdot q_r)$$

7) Zu den näheren Erläuterungen der Funktionen (2 a) und (2 b) vgl. nochmals Abschnitt 1.2.3.2 .

oder

$$(3\,b)\quad E_1 = \sum_{e=1}^{q} u_{e1} = f(k_{11}, k_{21}, \ldots, k_{n1}, kk_{11}, kk_{21}, \ldots, kk_{r1}).$$

Die Elemente der Erlösfunktion E_1 des Absatzsystems j = 1 haben folgende Bedeutung:

$u_{e1} = x_{e1} \cdot p_{e1}$ ≙ Erlös für die Verkäufe des Produktes e (e = 1, . . . , q), errechnet aus der abgesetzten Warenmenge x_{e1} und den Preisen p_{e1} des Produktes e für das Absatzsystem j = 1.

$$\left.\begin{array}{l} k_{11} = s_{11} \cdot p_{11} \\ k_{21} = s_{21} \cdot p_{21} \\ \cdot \\ \cdot \\ \cdot \\ k_{n1} = s_{n1} \cdot p_{n1} \end{array}\right\}$$

≙ direkte Absatzkosten k_{i1} (i = 1, . . . , n) für die dem Absatzsystem j = 1 direkt zurechenbaren Absatzmittelmengen s_{i1} bei den Preisen p_{i1} der Absatzmittel i (i = 1, . . . , n).

$$\left.\begin{array}{l} kk_{11} = t_1 \cdot b_{11} \cdot q_1 \\ kk_{21} = t_2 \cdot b_{21} \cdot q_2 \\ \cdot \\ \cdot \\ \cdot \\ kk_{r1} = t_r \cdot b_{r1} \cdot q_r \end{array}\right\}$$

≙ Semidirekte Absatzkosten kk_{l1} (l = 1, . . . , r) für die Anteile b_{l1} der Absatzmittelmengen t_l mit den Preisen q_l jener Absatzmittel l (l = 1, . . . , r), die gleichzeitig für mehrere Absatzsysteme j eingesetzt wurden. So gibt z.B. das Produkt $t_1 \cdot b_{11}$ an, welche Menge des Absatzmittels l = 1 für das System j = 1 tatsächlich verbraucht wurde.

Da die indirekten Absatzkosten Ki nicht auf ein Absatzsystem j aufteilbar sind, werden sie bei einer Erlösfunktion E_j nicht berücksichtigt.

Es gelten dieselben einschränkenden Bedingungen der Erlösfunktion E einer Unternehmung (vgl. S. 49) auch für eine Funktion E_j, nämlich:

1. Es sind den Absatzkosten nur jene Erlöse gegenüberzustellen, deren Entstehung auf denselben Kausalprozessen oder auf dieselbe Absatzstrategie

zurückzuführen ist (Identitätsprinzip). Aber selbst bei sorgfältiger Berücksichtigung des Identitätsprinzips brauchen die getroffene zeitliche Zuordnung und Verbundenheit der Erlöse und der Absatzmittelleistungen (bzw. deren Kosten) nicht unbedingt vollständig und eindeutig übereinzustimmen. Kundenaufträge, Absatzmaßnahmen (z.B. Werbekampagnen) in der Vergangenheit, die vor der analysierten Absatzphase lagen sowie das Vertrauenspotential des Unternehmens bei den Kunden, können Folgeaufträge bewirkt haben. Diese quantitativ nicht zu erfassende Absatzverbundenheit ist unbedingt zusätzlich bei der Interpretation und Auswertung einer Erlösfunktion erklärend mit heranzuziehen. [8]

2. Hat eine Unternehmungsführung erhebliche preispolitische Mittel bei einem Absatzsystem j angewandt, so hat eine quantitativ realisierte Erlösfunktion E_j einen beschränkten Erklärungswert. D.h. die ermittelte Wahrscheinlichkeit (p), mit der das untersuchte Absatzsystem als erklärt betrachtet werden kann (vgl. das Erklärungsschema von Abb. 18) hat nur eine relative Bedeutung. Diese Einschränkung ist hinzunehmen, weil allein die präferenzpolitischen Instrumente, Produktgestaltung, Werbung und Vertrieb, aber nicht die Preispolitik als unabhängige Variable in der Funktion E_j erfaßt sind. Einzig durch Vergleiche mit den im Abbildungssystem des MEIS gespeicherten Aufzeichnungen (vgl. Abb. 17) können absatzpolitische Folgerungen erarbeitet und kann die Wahrscheinlichkeit (p) als Indikator mit herangezogen werden.

Exkurs im Hinblick auf eine praxisnahe Entwicklung einer Erlösfunktion und eines Entscheidungssystems

Um zu den Daten zu gelangen, die für die Abbildung einer Erlösfunktion E_j nötig sind, ist von den Positionen einer Kundenrechnung (oder eines Kundenauftrages) auszugehen. Sie sind als Ausgangsbasis zu wählen, weil sie die Grundlage sowohl für die Bestimmung der Erlösfunktionen als auch für andere quantitative Absatzanalysen darstellen. [9] Wir verhindern damit, daß das

8) Zum Problem der Zurechnung der Erlöse vgl. Riebel, P.: Die Deckungs-Beitragsrechnung als Instrument der Absatzanalyse, in: Einzelkosten- und Deckungsbeitragsrechnung, Hrsg. P. Riebel, a.a.O., S. 169.

9) Im Gegensatz zu Riebel, Riebel, P.: Die Deckungsbeitragsrechnung als . . . , a.a.O., S. 164f. schlagen wir vor, die Rechnungsposition als Ausgangsbasis zu verwenden. Die Rechnungspositionen eines Unternehmens liegen i.a. immer in elektronisch gespeicherter Form vor und bieten sich deshalb als Ausgangsinformationen an. Das Arbeiten mit Auftragspositionen bereitet u.a. nur zusätzlichen betrieblichen Aufwand (z.B. die Abfrage: Steht der Auftragsposition auch eine Auftragsausführung gegenüber?).

computer-gestützte Entscheidungssystem der Absatzpolitik nur einseitig, allein im Hinblick auf Absatzsysteme und deren Erlösfunktionen, entwickelt wird.

Wie aus Abb. 24 zu erkennen ist, können von der Rechnungsposition ausgehend, betriebswirtschaftliche Kennzahlen (Umsätze (Erlöse), Absatzkosten, Deckungsbeiträge, etc.) auf unterschiedliche absatzpolitisch wichtige Größen bezogen werden. [10)]

Für die Bezugsgrößen (Kunden, Artikel, Verkaufsbezirke, etc.) sind statistische „Beziehungszahlen" bestimmbar, die einerseits für Zeitvergleiche, andererseits auch für Bereichsvergleiche (z.B. von Kundengruppen, Absatzgebieten und Vertriebswegen) bedeutsam sind. Sie ermöglichen eine Erfolgskontrolle der Absatzstrategien und sind somit richtungsweisend für künftige absatzpolitische Entscheidungen.

Die Bestimmung der Erlösfunktionen der Absatzsysteme ist analog Abb. 24 nach der Bezugsgrößenhierarchie der Abb. 25 auf S. 92 vorzunehmen.

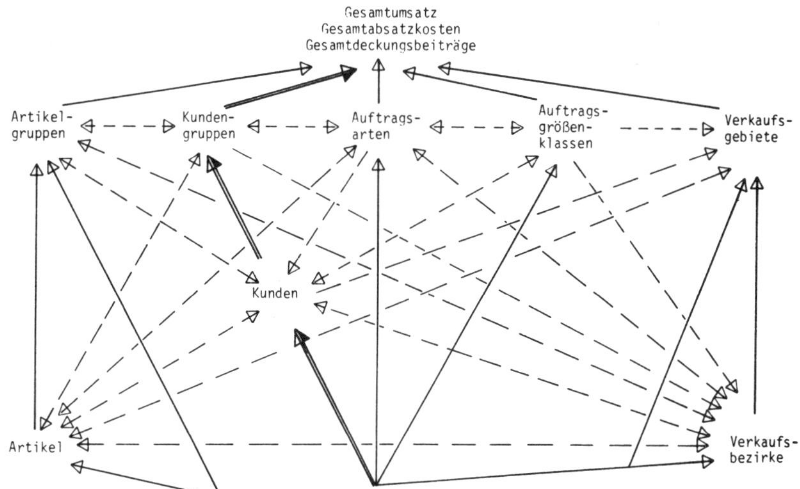

Abb. 24: Konkurrierende Wege für den Aufbau von Bezugsgrößenhierarchien, die von der Rechnungsposition (der Auftragsposition) ausgehen

10) Die Abbildung wurde in leicht abgeänderter Form von Riebel übernommen. Vgl. Riebel, P.: Die Deckungsbeitragsrechnung als . . . , a.a.O., S. 166.

Ein anderer Weg ist gar nicht möglich, weil die Daten eines Absatzsystems unmittelbar in einem Unternehmen nicht anfallen. Ein Absatzsystem konstituiert sich aus verhaltensähnlichen einzelnen Kunden. Folglich sind die Daten eines Systems auch nur über Kundendaten zu ermitteln. Will eine Unternehmensleitung zu den Erlös- und Absatzkostendaten zur Bestimmung der Erlösfunktionen der Absatzsysteme gelangen, so kann sie diese nur sukzessiv über die Rechnungspositionen der Kundenrechnungen erhalten.

Die theoretische Erlösfunktion eines Absatzsystems (vgl. Formel 3, S. 88) bedarf einer Erweiterung, damit der methodische Weg (vgl. Abb. 25) zur Gewinnung der Absatzkosten und der Erlöse deutlicher wird. Das sei im nächsten Abschnitt gezeigt.

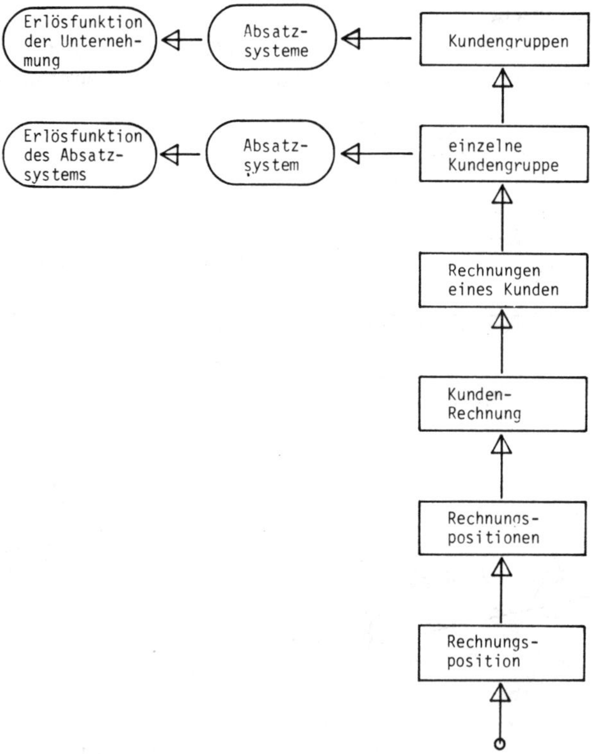

Abb. 25: Bezugsgrößenhierarchie nach der die Zurechnung von Absatzkosten und Erlösen zur Bestimmung von Erlösfunktionen zu erfolgen hat

Bei der folgenden Strukturierung der praxisnahen Erlösfunktion werden wir darauf achten, daß weitere quantitative Absatzanalysen nach den Bezugsgrößenhierarchien von Abb. 24 ohne großen zusätzlichen Aufwand ebenfalls durchzuführen sind.

2.2 Praxisnahe theoretische Formulierung der Erlösfunktion eines einzelnen Absatzsystems

Es setzen sich in einer Erlösfunktion E_j (s. S. 88) die direkten und semidirekten Absatzkosten der eingesetzten Absatzmittelmengen und auch die Erlöse jeweils zusammen aus einzelnen Kundenwerten. Es sind deshalb für jede Rechnungsposition oder für eine Gruppe von Rechnungspositionen einer Rechnung die Absatzkosten kundenbezogen zu ermitteln. [11)] Den Einzelerlösen u_{ec} der Produkte e (e = 1, . . . , q) einer Kundenrechnung c_h (h = 1, . . . , v) sind die dazugehörigen Kosten der verbrauchten Absatzmittelmengen differenziert nach den Absatzmitteln gegenüberzustellen (vgl. Abb. 26 auf S. 95). Diese Werte sind für alle Rechnungen c_h *eines* Kunden a (a = 1, . . . , m) aufzuaddieren. Dazu sind die Kosten jener Absatzmittelverbrauchsquanten hinzuzurechnen, die nicht den einzelnen Kundenrechnungen der betrachteten Absatzperiode aber dem Kunden zurechenbar sind (vgl. Abb. 26). Die gewonnenen y_a - , α_{ia} und β_{la} - Werte sind die Daten, welche zur Abbildung eines Absatzsystemzustandes benötigt werden. Erst die erneute Summation der Erlös- und Kostenbeträge y_a, α_{ia}, β_{la} der Kunden eines Absatzsystems führt zu jenen Werten, die z.B. für die Variablen der Funktion (3) (s. S. 88) zu stehen hätten. Zur unmittelbaren Abbildung der Erlösfunktion eines Absatzsystems j sind jedoch diese letzten Summenwerte nicht verwendbar. [12)] Vielmehr benötigt eine Unternehmungsführung die Summationsbeträge (y_a, α_{ia}, β_{la}) der einzelnen Kunden (vgl. Abb. 26) und nicht die der Kundengruppe eines Absatzsystems.

---

11) Es wird für eine Gruppe von Artikeln (Rechnungsposition ≙ Artikelposition) häufig gleichzeitig nur einmal ein Absatzmittel zum Einsatz gekommen sein (z.B. erfolgt eine Warenauslieferung oft für sämtliche Artikel einer Rechnung); entsprechend steht der Gruppe der Rechnungspositionen (oder der Artikelpositionen) allein ein Absatzkostenwert gegenüber.

12) Wir haben sie dennoch begriffsmäßig in der Erlösfunktion eines Absatzsystems aufgeführt, um vorerst die Einheitlichkeit mit der Funktion von Thiele zu wahren. Vgl. Thiele, H.-H.: Das System . . . , a.a.O.

Das wird besonders erkennbar aus Abb. 27 auf S. 96. Aus dieser vereinfachten Darstellung geht hervor, wie die Erlösfunktion eines Absatzsystems prinzipiell zu gewinnen ist. In einem mehrdimensionalen Koordinatensystem sind über die Werte der direkten Absatzkosten α_{ia} (i = 1, . . . , n) und der semidirekten Absatzkosten β_{la} (l = 1, . . . , r) die dazugehörigen Erlöswerte y_a der Absatzsystemkunden a im Koordinatenraum einzutragen. Das Koordinatensystem besteht aus soviel Achsen α_i und β_l wie Absatzmittel i und l [i (i = 1, . . . , n) und l (l = 1, . . . , r)] bzw. Absatzkostenarten existieren. Dazu gehört zusätzlich jene Ordinaten-Achse des Absatzsystems j, nach der die Erlöswerte y_a der Kunden in die Abbildung zu übertragen sind. Es bestehen also (n + r) + 1 Achsen. Für jeden Kunden a des Absatzsystems j sind für die analysierte Absatzperiode die y_a-Werte punktweise über die α_i-, β_l-Achsen graphisch aufzutragen.

Es ist nicht zu erwarten, daß die Punkte untereinander verbunden einen glatten Verlauf der Erlösfunktion ergeben. Erst mit Hilfe einer multiplen linearen oder nichtlinearen Regressionsrechnung werden der Verlauf der Funktion und ihre Parameter zu bestimmen sein.

Aus dieser Schilderung der Bildung der Erlösfunktion eines Absatzsystems j ist sichtbar, daß die Formel (3) (vgl. S. 88) der Absatzsystemfunktion E_1 Kundengrößen zu enthalten hat und nicht Absatzsystemgrößen. In der allgemeinen Formel (4) einer Erlösfunktion eines Absatzsystems ist die Kundenbezogenheit berücksichtigt:

$$(4) \quad y_j = f(\alpha_{1a}, \alpha_{2a}, \ldots, \alpha_{na} \quad , \beta_{1a}, \beta_{2a}, \ldots, \beta_{ra}) \quad .$$

Die Formel (4) sagt aus, daß der Erlös der Kunden des Absatzsystems j der betrachteten Absatzperiode abhängig ist von den direkten Absatzkosten α_{ia} der Absatzmittel i (i = 1, . . . , n) und den semidirekten Absatzkosten β_{la} der Absatzmittel l (l = 1, . . . , r) jener Kunden a (a = 1, . . . , m), die dem Absatzsystem j angehören.

Die Gleichung (4) müßte, um keine Irrtümer aufkommen zu lassen, lauten:

$$y_{ja} = f(\alpha_{1a_j}, \alpha_{2a_j}, \ldots, \alpha_{na_j} \; , \beta_{1a_j}, \beta_{2a_j}, \ldots, \beta_{ra_j}) \quad .$$

Es wird der Einfachheit halber auf diese exakte Schreibweise verzichtet. Aus dem weiteren Text wird immer klar hervorgehen, ob eine Erlösfunktion y_j oder ein Kundenerlös y_a gemeint ist und ob die Absatzkostenwerte einem Absatzsystem j schon zugeordnet sind oder nicht.

Rechnungen c_h eines Kunden a einer Absatzperiode	Erlöse u_{ec} für die Produkte $e(e = 1, \ldots, q)$ der Rechnungen $c(c = 1, \ldots, v)$	Absatzkosten für die Absatzmittel $i(i = 1, \ldots, n)$ und die Absatzmittel $\underline{l}(\underline{l} = 1, \ldots, r)$					
		$i = 1$	...	$i = n$	$\underline{l} = 1$	...	$\underline{l} = r$
c_1	u_{11} u_{21} ⋮ u_{q1}						
c_2	u_{12} u_{22} ⋮ u_{q2}						
⋮	⋮						
c_v							
-	-	Absatzkosten, die einer Rechnung nicht zurechenbar sind					
Summenwerte	$y_a = \sum_{c=1}^{v} u_{1c} + \ldots + \sum_{c=1}^{v} u_{qc}$	α_{1a}	...	α_{na}	β_{1a}	...	β_{ra}

Abb. 26: Schema für die Ermittlung der Absatzkosten α_{ia} und $\beta_{\underline{l}a}$ sowie der Erlöse y_a eines Kunden a $(a = 1, \ldots, m)$ anhand der ihm ausgestellten Rechnungen c_h $(h = 1, \ldots, v)$ einer Absatzperiode

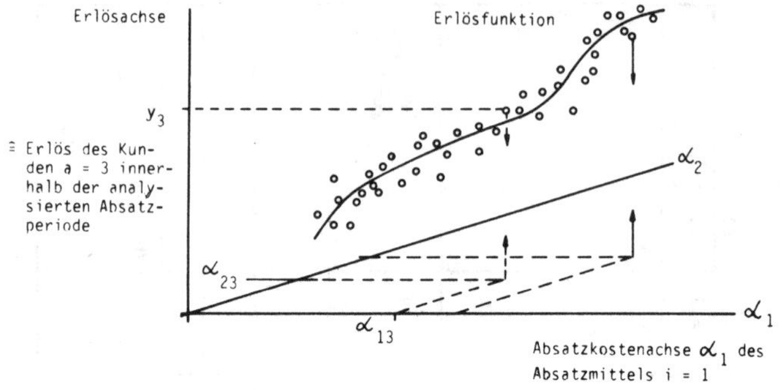

Abb. 27: Vereinfachte Darstellung der Erlösfunktion eines Absatzsystems j

Die Erlösfunktion y_j unterscheidet sich von der Erlösfunktion E_j (vgl. Formel 3, S. 88) insofern, als in E_j zusätzlich bestimmte direkte und semidirekte Absatzkosten mit berücksichtigt sein können. So sind z.B. Werbungskosten, die nicht kundenbezogen aufteilbar, aber dem Absatzsystem j zurechenbar sind, in E_j mit erfaßt. Für y_j gilt das nicht. Diese Schwäche von y_j gegenüber E_j ist jedoch hinzunehmen, um überhaupt zu einer realen quantitativen Funktion zu gelangen. Selbstverständlich dürfen die einem Absatzsystem nur geschlossen zurechenbaren Kostenblöcke nicht unterschlagen werden. Sie sind bei einer y_j-Funktionsdiskussion deutlich herauszustellen.

Um Fehlermöglichkeiten und Unsicherheiten bei der Zuordnung der Erlöse und der Absatzkosten zu vermeiden, ist folgender Anweisungskatalog zu befolgen:

A 1 Die Erlöse eines Kunden a (a = 1, . . . , m) sind nach den Kundenrechnungen c_h (h = 1, . . . , v) einer Absatzperiode zu kennzeichnen und zu speichern. Es sind die Beträge der Rechnungen c_h des Kunden a zu addieren und als Summenwert y_a zu speichern (vgl. Abb. 26).

A 2 Es sind die Erlöse y_a der Kunden a (a = 1, . . . , m) zu addieren, soweit sie einem bestimmten Absatzsystem j (j = 1, . . . , w) angehören. Der Summenwert ist je Absatzsystem j zu speichern.

A 3 Es sind diejenigen Absatzkosten der Absatzmittel i (i = 1, . . . , n) zu kennzeichnen, die pro Kundenrechnung c_h direkt entstanden sind. Sie sind für den Kunden a entsprechend den eingesetzten Absatzmitteln i zu speichern (vgl. Abb. 26).

A 4 Es sind die Absatzkosten zu kennzeichnen, die pro Kunde direkt angefallen sind, die aber nicht einer Rechnung zuzuweisen sind. Sie sind nach den dazugehörigen Absatzmitteln i zu speichern.
Jene Absatzkosten sind als direkt zu bezeichnen, die bezogen auf die Rechnung oder den Kunden unmittelbar registriert werden können, ohne daß eine Umlage notwendig ist.

A 5 Es sind die Werte aus der Anweisung A 3 und A 4 zu addieren und zu speichern. Sie ergeben die direkten Absatzkostensummen α_{ia} $(i = 1, \ldots, n)$ des Kunden a (vgl. Abb. 26).

A 6 Es sind die Absatzkosten zu kennzeichnen, die pro Kundenrechnung c_h semidirekt entstanden sind. Sie sind für den Kunden a entsprechend den eingesetzten Absatzmitteln l $(l = 1, \ldots, r)$ zu speichern. Semidirekte Kosten sind solche, die nach einem verursachungsgerechten Schlüssel aufgeteilt oder umgerechnet wurden.[13)]

A 7 Es sind die Absatzkosten zu kennzeichnen, die pro Kunde semidirekt angefallen sind. Sie sind nach den Absatzmitteln l zu speichern. [13)]

A 8 Es sind die Absatzkosten zu kennzeichnen, die pro Absatzsystem j direkt entstehen. Sofern es sich als sinnvoll erweist, sind Umlageschlüssel zu bestimmen. Mit ihnen sind die Absatzsystemkosten anteilig für die einzelnen Kunden zu berechnen und als semidirekte Kosten zu speichern. [14)]

A 9 Es sind die Werte aus den Anweisungen A 6 ÷ A 8 je Kunde und Absatzmittel zu addieren. Sie ergeben die semidirekten Absatzkostensummen β_{la} $(l = 1, \ldots, r)$ des Kunden a (vgl. Abb. 26).

A 10 Es sind die β_{la}- und α_{ia}-Werte (aus A 9 und A 5) für die Kunden a $(a = 1, \ldots, \bar{m})$ eines jeden Absatzsystems j einzeln zu speichern.

A 11 Es sind diejenigen direkten Absatzkosten der Absatzsysteme j zu kennzeichnen und zu speichern, die nicht in der Anweisung A 8 umgelegt werden konnten.

13/14) Wir handeln hier der Auffassung P.Riebels zuwider. Nach ihm wären derartige semidirekte Kosten dem einzelnen Absatzsystem aber nicht einem einzelnen Kunden zurechenbar. Vgl. Riebel, P.: Die Deckungsbeitragsrechnung als . . . , a.a.O., S. 169f. Näheres dazu Textseite 98.

A 12 Es sind die semidirekten Absatzkosten aller Absatzsysteme zu kennzeichnen und die nach verursachungsgerechten Verteilungsschlüsseln ermittelten Anteile je Absatzsystem j zu speichern.

A 13 Es sind die Werte von A 1 und von A 3 bis A 9 nach jedem Kunden a zu sortieren und in der Form von Abb. 26 zu speichern.

A 14 Es sind die y_a-Werte von A 1 und die Werte von A 10 nach den Kunden a der Absatzsysteme j zu sortieren und zu speichern. Mit ihnen sind die Erlösfunktionen y_j der Absatzsysteme j zu bestimmen.

A 15 Es sind die Werte A 11 und A 12 jedes Absatzsystems j bei jeder Diskussion einer Erlösfunktion y_j mit zu berücksichtigen.

A 16 Es sind die bisher nicht erfaßten Absatzkosten als indirekte Absatzkosten Ki zu kennzeichnen und zu speichern. Sie sind bei der Diskussion der Erlösfunktion einer Unternehmung zu berücksichtigen.

Dieser Anweisungskatalog bedarf noch einer grundsätzlichen Erklärung. Es sind in ihm nicht nur direkte und indirekte Absatzkosten oder (relative) Einzelkosten und (relative) Gemeinkosten zu ermitteln – wie es in den neueren Ansätzen der Kostenrechnung üblich ist.[15] Die Berechnung einer Erlösfunktion verlangt zusätzlich die Bestimmung semidirekter Absatzkosten (vgl. Formel 4 auf S. 94). Semidirekte Absatzkostenwerte sind deshalb nach einigen der aufgeführten Anweisungen zu bilden (z.B. nach A 6).[16] Die Kostenabstufung nach direkten, semidirekten und indirekten Absatzkosten ist u.E. eine notwendige Konsequenz unserer Analyse- und Erklärungsabsichten. Es ist unser Ziel, die in ihren Absatzmittelbeanspruchungen strukturell homogenen Kunden erkennen zu können, um zu den Erlösfunktionen der Absatzsysteme zu gelangen. Dieses Vorhaben ist nur zu erreichen, wenn soweit wie möglich die für jeden Kunden leistungsbezogenen Absatzmittelverbräuche und die daraus entstandenen Absatzkosten statistisch festgestellt und erfaßt werden. Dazu ist mit semidirekten Kosten zu operieren, d.h. für bestimmte Kosten hat eine nach statistischen Prinzipien durchzuführende ver-

15) Vgl. dazu z.B. Riebel, P.: Einzelkosten- und . . . , a.a.O. und Heinen, E., E.Fahn und W.Wegenast: Informationswirtschaft . . . , a.a.O., S. 713.

16) Ebenso Gerth, E.: Betriebswirtschaftliche . . . , a.a.O., S. 207f. und Thiele, H.-H.: Das System . . . , a.a.O.

ursachungsgerechte Kostenaufschlüsselung zu erfolgen. [17] Zur Erläuterung seien zwei Beispiele benutzt.

(1) Ein LKW führt einen Warentransport aus. Beliefert wird ein einziger Kunde (i). Die sendungsbedingten Leistungskosten sind eindeutig als Einzelkosten einem Kundenauftrag bzw. dem Kunden (i) zuzurechnen. [18]

(2) Durch einen LKW werden n Kunden beliefert, darunter auch der Kunde (i). Die entstandenen Kosten des Sammeltransportes sind nach Riebel [19] bezugsgrößenmäßig nicht den einzelnen Kunden, sondern allein den n Kunden insgesamt direkt zurechenbar.

Es wäre sinnlos, die Kosten von Einzeltransporten (analog des Beispieles 1) dem Kunden (i) anzulasten, wenn dies nicht auch anteilmäßig für die Belieferungen aus Sammeltransporten geschähe. Eine Vergleichsfähigkeit der Kunden würde sonst nicht gewährleistet sein; es sei denn, die Transportkosten fänden beim einzelnen Kunden überhaupt keine Berücksichtigung, sondern würden einer hierarchiehöheren Bezugsgröße zugerechnet. Dafür käme bei unserer Problematik nur eine bestimmte Kundengruppe oder ein Absatzsystem in Frage. Doch in diesem Stadium sind die Kunden noch nicht nach Gruppen oder Absatzsystemen zusammengefaßt. Es bestehen noch gar keine Kundengruppen. Nach ihnen wird gerade gesucht.

Die Unkenntnis der tatsächlichen Abläufe der absatzpolitischen Strategien erfordert die Suche nach homogenen Kundengruppen und macht eine Absatzanalyse notwendig. In ihr ist zu klären, ob das System der Markt- und Absatzstrategien von den Kunden angenommen wurde (vgl. Abb. 1) oder inwieweit die Absatzmittelbeanspruchungen der Kunden anders geartet gewesen sind als beabsichtigt. Erst die Abbildung des Absatzgeschehens mit den Erlös- und Absatzkostenwerten der Kunden ermöglicht Korrekturmaßnahmen und Strategieentwürfe für die Zukunft. Darum sind pro Kunde die Kosten für die eingesetzten Absatzmittel zu bestimmen. Mit ihnen sind die strukturellen Kundenunterschiede aufzudecken und die Kunden mit art- und betragsgleichen Absatzkosten zu Absatzsystemen zusammenzufassen. Das kann nur gelingen, wenn nicht allein die für jeden Kunden direkten Kosten

17) Ebenso Hummel, S.: Wirklichkeitsnahe Kostenerfassung, Berlin 1970, S. 173 und vgl. dazu auch die Kostenaufschlüsselung bei Riebel, P.: Einzelkosten- und . . . , a.a.O., S. 181.

18) Ebenso Schott, K.: Deckungsbeitragsrechnung in der Spedition, Hamburg 1971, S. 81.

19) Riebel, P.: Einzelkosten- . . . , a.a.O., S 169.

erfaßt werden, sondern wenn auch die für jede Kundengruppe angefallenen Einzelkosten auf die einzelnen Kunden der jeweiligen Gruppe aufgeteilt werden. Ein Einzelkostenbetrag einer Kundengruppe ist deshalb durch die Kundenanzahl der dazugehörigen Gruppe zu dividieren und der Teilbetrag als semidirekte Kosten einem jeden Kunden zuzurechnen. Sofern es ökonomisch zu vertreten ist, sind statt einer derartigen groben Kostenschlüsselung Verfahren zu entwickeln, die eine kundenbezogene verursachungsgerechtere Kostenaufteilung ermöglichen.

Bei solchen Schlüsselungen sind begleitende Alternativrechnungen durchzuführen. Es ist nämlich festzustellen, welcher Fehler oder welche maximale und minimale Abweichung bei der Kostenaufteilung auftreten kann. Eine kritische Unternehmungsführung wird statt einer Erlösfunktion drei Funktionen berechnen lassen, wenn bei den Differenzbetrachtungen wesentliche Kostenunterschiede auftreten.
Zusätzlich zur Auseinandersetzung über die Aufteilung von Einzelkosten bei Kundengruppen ist eine Erklärung über echte Gemeinkosten oder Schein-Einzelkosten abzugeben.

Als die wichtigste Art von Schein-Einzelkosten sind die Lohnkosten zu nennen. Da Löhne aufgrund eines Arbeitsvertrages entstehen, ist nach Riebel [20)] z.B. die Messung der Lohnkosten bei einer Warenkommissionierung lediglich eine Erfassung der zeitlichen Inanspruchnahme menschlicher Arbeitskraft. Löhne seien deshalb z.B. nur einem Monat als Einzelkosten zurechenbar. Nach unserer Aufgabenstellung kommt es aber gerade darauf an, die zeitlichen Inanspruchnahmen, die durch einzelne Kundenaufträge entstanden sind, festzustellen. Darum sind wir der Auffassung, daß kunden- oder auftragsbezogene Zeitaufwände zu messen und lohnmäßig zu berechnen sind. [21)] Derartige Kosten bezeichnen wir ebenfalls als semidirekte (Absatz-) Kosten.

Außer den Kosten für Löhne und Gehälter können u.E. auch all jene Absatzmittel-Einzelkosten in semidirekte Absatzkosten überführt werden, die für eine bestimmte Zeitperiode vertraglich oder gesetzlich vom Unternehmen laufend zu zahlen sind.

Die Verfahrensforderungen der neueren Kostenrechnung berücksichtigen hinsichtlich der Zurechnung von Kosten u.E. nicht die absatzpolitischen Erfordernisse. Eine Unternehmensleitung ist doch gar nicht in der Lage, markt-

20) Riebel, P.: Deckungsbeitragsrechnung, in: Handwörterbuch des Rechnungswesens, Hrsg. E.Kosiol, Stuttgart 1970, Sp. 387.

21) Ebenso Wöhe, G.: Einführung . . . , a.a.O., S. 648.

orientiertes Entscheidungsverhalten zu praktizieren, wenn sie keine kundenbezogene Kontrolle über die Absatzmitteleinsätze, über ihre Markt- und Absatzstrategien und über Absatzsysteme ausüben kann. Probleme, Wünsche und Bedürfnisse aktueller oder potentieller Kunden sind von der Unternehmungsführung nur zu erkennen, wenn ihr wenigstens die Absatzmittelanforderungen der Kunden differenziert über die Vergangenheit vorliegen. Um das zu erreichen, ist notwendigerweise mit semidirekten Kosten zu rechnen. Diese Forderung gilt vor allem für Erlösfunktionen, soll doch gerade mit ihnen eine Abbildung des vergangenen Absatzgeschehens erfolgen.

Die allgemeine Erlösfunktion $y_j = f(\alpha_{ia}, \beta_{la})$ (vgl. Formel 4 von S. 94) wird für unsere weiteren Betrachtungen die Gesetzeshypothese darstellen, in die die zurechenbaren Erlös- und Absatzkostenwerte für das jeweilige Absatzsystem j (j = 1, . . . , w) einer Absatzphase als Anfangsbedingungen (vgl. Abb. 18) einzusetzen sind, um zu einer Erklärung des Absatzsystemzustandes zu gelangen. Die einschränkenden Bedingungen für die Erklärung bzw. für die Funktion E_j (s. S. 89) gelten selbstverständlich auch für Erlösfunktion y_j. Insgesamt bilden die Erlösfunktionen y_j aller Absatzsysteme einer Unternehmung einen Funktionsraum F. Er ist zu gewinnen, wenn die Erlösfunktionen in dem Koordinatensystem $(y_{(j)}, \alpha_i, \beta_l)$ analog der Abb. 27 (s. S. 96) ermittelt werden. Die Überlagerung (Addition) der Funktionen y_j (j = 1, . . . , w) ergibt die Erlösfunktion des Unternehmens. Diese Gesamtfunktion ist nur zu erzielen, wenn die einzelnen Erlösfunktionen in einem engen Bereich des Raumes F liegen.

Die quantitativ realisierten Erlösfunktionen y_j, die Gesamtfunktion und die für sie verwandten Daten sind im Absatzsegment der MEIS-Datenbank zu speichern (vgl. Abb. 17 auf S. 64). Sie sind für die Formulierung informativer und normativer Sätze in den Entscheidungsphasen zukünftiger Absatzentscheidungsprozesse die Arbeitsgrundlage, nach der Vorstellungsentwürfe der Unternehmungsführung gewonnen oder korrigiert werden können.

Der hohe betriebliche Aufwand bei der Zuordnung der Erlöse und Absatzkosten zu den Kunden ist keinesfalls nur im Hinblick auf die Realisierung der Erlösfunktionen zu sehen. Eine Unternehmungsführung, die modernes Controlling als eines ihrer wichtigsten Führungsinstrumente begreift, kann auf die Methoden und Institutionen, wie sie für die Bildung der Erlösfunktionen erforderlich sind, nicht verzichten.

Verfolgt eine Unternehmensleitung den systematischen Aufbau ihres Entscheidungssystems der Absatzpolitik, so schafft sie sich gleichzeitig die Möglichkeiten, außer den Absatzsystemen auch andere Teilsysteme des Unternehmens kritisch zu überprüfen. Hierin liegt eine zusätzliche Rechtfertigung für einen konsequent und hartnäckig angestrebten MEIS-Aufbau. Mit den Elementen des Entscheidungssystems sind nicht nur direkte Erfolgskontrollen der Absatzstrategien und Konzeptionen zukünftiger Absatzpolitik zu gewinnen, sondern auch die Strukturen und die Wirtschaftlichkeit zahlreicher betrieblicher Subsysteme sind mit ihnen zu analysieren. Bei der Ermittlung der Kosten der Absatzmittel sind nämlich wesentliche Teilbereiche der Unternehmung informationsmäßig weitgehendst in ihren Bestandteilen zu erfassen und deshalb einer Überprüfung zugänglich.

Die Unternehmensleitung ist mit der Bildung von Erlösfunktionen und einer Analyse der Absatzsysteme in der Lage, die Entwicklung der Absatzkosten und deren Reduzierung zu erörtern. Zusätzlich sind mit den Daten, die zur Bestimmung der Erlösfunktionen erforderlich waren, Absatzanalysen nach den Bezugsgrößen der Abb. 24 zu erarbeiten. Das ist allein über Sortierungsprozesse mit einer ADV-Analyse möglich, ohne daß neue Datenerhebungen zu machen sind.

Die aufgezählten Hinweise der erweiterten betrieblichen Kontrolle sollten Gründe genug für eine Unternehmungsführung sein, den Weg der Analyse und Erklärung der Absatzsysteme weiterzuverfolgen.

2.3 Voraussetzungen und Möglichkeiten zur Bildung von Kundengruppen und einzelnen Absatzsystemen

In einer Unternehmung hat eine Gliederung der Kunden und Absatzmittel nach Kundengruppen bzw. nach einzelnen Absatzsystemen vorzuliegen, um Erlösfunktionen bestimmen zu können.

Eine Unternehmungsführung muß die Abgrenzung der Kunden bzw. die Einteilung in Kundengruppen immer selbst vornehmen. Deshalb ist auch nur prinzipiell anzugeben, mit welchen Mitteln und Methoden Kundengruppen oder Absatzsysteme aufzustellen sind.

Relativ leicht gelingt es, die notwendigen System- und Gruppenbildungen zu erhalten, wenn Strukturmatrizen zu Hilfe genommen werden. Allerdings eignen sie sich nur bedingt. Wir befassen uns trotzdem ausführlich mit Strukturmatrizen, weil sie gute Dienste für spezielle Absatzanalysen leisten und sie die Grundlage für die später folgenden Verfahren darstellen.

2.3.1 Die Strukturmatrix als Hilfe zur Kundengruppen- und Absatzsystembildung sowie zur Absatzanalyse

Mit Strukturmatrizen sind Kunden-, Erlös- und Absatzkostenstrukturen ebenso bestimmbar wie Aufteilungen nach Kundengruppen und Absatzsystemen. Eine Unternehmungsführung erhält z.B. mit einer Strukturmatrix die Wiedergabe des Relationengefüges zwischen den Kunden a (a = 1, . . . , m)

Absatzaktivität je Rechnung oder je Artikelgruppe und je Kunde	Eingesetztes Absatzmittel
1. Auftragsgewinnung	Werbemittel, Reisende, Vertreter und ihre Fahrzeuge, ADV-Anlage, etc.
2. Auftragsbearbeitung	Ein- und Verkaufsbüropersonal und deren Arbeitsgeräte (Telefon, Fernschreiber, etc.), ADV-Anlage, Lagerarbeiter, Maschinen, Material und Fahrzeuge für die Warenzusammenstellung, etc.
3. Auftragsausführung	Versandpersonal, deren Hilfsmaterialien (Verpakkungen, etc.), Verladegeräte, Fuhrparkpersonal, Auslieferungsfahrzeuge und in Anspruch genommene Auslieferungsdienstleistungsbetriebe (Post, Bahn, etc.), ADV-Anlage, etc.
4. finanzielle Abwicklung	Personal des Rechnungswesens und deren Arbeitsgeräte, ADV-Anlage, Finanzierungsmittel, Dienstleistungsbetriebe (Post, Banken), etc.
5. Service nach Auftragsausführung und Zusatzleistungen	Wartungen, Reparaturpersonal sowie deren Einsatzgeräte, Materialien und Fahrzeuge, ADV-Anlage, branchenübliche Personen- und Mitteleinsätze für Zusatzleistungen (Dekorateure, Ladenpropagandistinnen), etc.

Tabelle zur Bestimmung der Absatzaktivitäten und Absatzmitteleinsätze je Kundenrechnung und den Absatzmitteln. Dazu muß sie feststellen, welcher Kunde welches Absatzmittel beansprucht hat. Das ist ihr möglich, wenn sie die elektronisch geschriebenen Kundenrechnungen als Unterlagen benutzt und als Ausgangsgröße die Rechnungspositionen verwendet, um die dazugehörigen Verbrauchsvorgänge zu erfassen.[22)]

Für die auf einer Rechnung aufgeführten verkauften Artikel sind ganz spezifische Absatzmittel im Einsatz gewesen, denn es waren spezifische betriebliche Leistungsaufgaben für den Warenabsatz zu erfüllen. Die Aufgaben sind aufgrund der erfolgten Absatzstrategien und der funktional sich ständig wiederholenden Tätigkeitsabläufe im Unternehmen intersubjektiv feststellbar. Eine Unternehmensleitung hat die Absatzaktivitäten je Rechnung oder je Artikelgruppe und je Kunde schematisch zu erfassen. Hierfür kann ihr die Tabelle auf Seite 103 eine Abfragekonzeption sein.

Das Management hat für die jeweilige Absatzaktivität aufzuzeichnen, welche Absatzmittel dafür eingesetzt werden.[23)] Anhand einer solchen Registrierung kann insgesamt für jeden Kunden a in nachstehender Matrix-Schreibweise elektronisch gespeichert werden, welche Absatzmittel einem Kunden zuzuordnen sind. Es ist nach den Absatzmitteln i und $\underline{l}$ entsprechend ihrer direkten oder semidirekten Ermittlung zu unterscheiden.

$SM_1 \hat{=}$

Absatzmittel / Kunde	i = 1	i = 2	...	i = n	$\underline{l}$ = 1	$\underline{l}$ = 2	...	$\underline{l}$ = r
a_1	1	1	...	0	1	1	...	1
a_2	1	0	...	0	0	1	...	1
a_3	1	1	...	0	1	1	...	1
.	.	.		.	.	.		.
.	.	.		.	.	.		.
.	.	.		.	.	.		.
a_m	1	0	...	1	1	0	...	1

22) Zu diesem Gedankengang vgl. Riebel, P.: Die Deckungsbeitragsrechnung als Instrument der Absatzanalyse, in: Einzelkosten- und Deckungsbeitragsrechnung, Opladen 1972, S. 166 und Textseite 93f.

23) Vgl. dazu ausführlich Gerth, E.: Betriebswirtschaftliche . . . , a.a.O., S. 198f. und Than, R.: Betriebliche Kundenpolitik und Kundenauswahl mit Hilfe der Deckungsbeitragsrechnung, Diss. Braunschweig 1970, S. 70f.

Die Zahl 1 kennzeichnet eine Inanspruchnahme des dazugehörigen Absatzmittels. Mit einer ADV-Anlage läßt sich anhand der Matrix SM_1 sehr schnell abfragen, welche Matrixzeilen identisch sind. Kunden mit gleicher Ziffernfolge sind jeweils der gleichen Gruppe zuzuteilen. Nach diesem Verfahren ist eine erste grobe Bestimmung von unterschiedlichen Kundengruppen oder Absatzsystemen zu erzielen.

Eine Unternehmungsführung kann ihre Absatzstrategien anhand der erhaltenen Absatzsysteme einer ersten Überprüfung unterziehen. Die Strukturen der Systeme geben nämlich Aufschluß darüber, ob das jeweilige Angebot von Absatzmitteln auch tatsächlich von jenen Kunden in Anspruch genommen wurde, welche durch die jeweilige Absatzstrategie angesprochen werden sollten.

Ein kritisches Management begnügt sich nicht mit dieser einfachen Aufschlüsselung nach Absatzsystemen. Die derart gewonnenen Absatzsysteme beinhalten wahrscheinlich große Inhomogenitäten, weil sicherlich die absatzwirtschaftlichen Mittelbindungen jedes Kunden umfangmäßig erhebliche Unterschiede aufweisen. Deshalb sind für eine Erfolgskontrolle und für eine Abbildung der Erlösfunktionen (y_j) Absatzsysteme über folgende Strukturmatrizen zu ermitteln:

Absatzmittelmengen / Gütermengen x_{ea}	$d_i = 1$	...	$d_i = n$	$d_l = 1$	...	$d_l = r$
$x_{e1} = x_{11} + x_{21} + \ldots + x_{q1}$	.	...	.	.	...	.
$x_{e2} = x_{12} + x_{22} + \ldots + x_{q2}$	.	...	.	.	...	.
. . ..	.	...	.	.	...	.
$x_{em} = x_{1m} + x_{2m} + \ldots x_{qm}$	.	...	.	.	...	.

$\hat{=} SM_2$

Die Strukturmatrix SM_2 umfaßt die direkt zurechenbaren Mengen d_i der Absatzmittel i (i = 1, . . . , n) und die semidirekten Absatzmittelmengen d_l (l = 1, . . . , r) sowie die Gütermengen x_{ea} der Produkte e (e = 1, . . . , q) der Kunden a (a = 1, . . . , m). Die erste Zeile der Matrix SM_2 enthält für den untersuchten Analysezeitraum für den Kunden a = 1

(1) die einzelnen Summenwerte der gekauften Gütermenge x_{e1} differenziert aufgeteilt nach den Produkten e (e = 1, . . . , q) und

(2) die Summenwerte der verbrauchten Absatzmittelmengen d_i und d_l.

Der Ausdruck x_{11} gibt also den Zahlenwert für die Menge des Produktes e = 1 wieder, welche der Kunde a = 1 im betrachteten Zeitabschnitt vom Unternehmen abgenommen hat. Insgesamt sind für den Absatz der Gütermenge x_{e1} des Kunden a = 1 die einzelnen Absatzmittelmengen d_i und d_l verbraucht worden. [24]

Es ist kaum zu erwarten, daß mehrere Zeilen der Matrix SM_2 identisch sind. Die Strukturmatrix ist für eine Strukturanalyse oder Kundenanalyse, d.h. für Zeilenvergleiche gut zu verwenden, aber für die Bildung von Absatzsystemen, für die Erlösfunktionen berechnet werden sollen, unbrauchbar. Eine Unternehmungsführung kann zwar Werttoleranzen festlegen, die trotz der damit verbundenen Wertabweichungen eine gewisse Homogenität der Absatzsysteme sichern; doch steht die Unternehmensleitung dann vor der Frage, wie groß die Bandbreiten der Toleranzen zu fassen sind.

Das Problem, welche Kunden einem Absatzsystem angehören oder ob sie einem anderen zuzuordnen sind, scheint in Abhängigkeit vom Zweck einer Absatzanalyse eher entscheidbar zu sein. [25]

Beispiel:
Das Management hat vor einer untersuchten Absatzphase z.B. für jede Absatzstrategie aufgezeichnet, welche Kunden seiner Absicht nach als Warenabnehmer zu gewinnen sind. Es ist anhand der Matrix SM_2 möglich, abzufragen und kontrollierend zu registrieren, welche dieser potentiellen Kunden aktive Abnehmer geworden sind. Darin liegt ein erstes Analyseergebnis. Eine kritische Unternehmensleitung wird aber danach trachten, eine genauere Analyse des „Absatzsystems" zu erhalten, das sich aus den aussortierten „aktiven" Kunden zusammensetzt. Sie wird wissen wollen, ob das strukturelle Gefüge des Absatzsystems (die Menge der Elemente und deren Beziehun-

24) Vgl. dazu auch Hummel, S.: Wirklichkeitsnahe Kostenerfassung, a.a.O., S. 190f.

25) Ausführlich nimmt dazu Stellung Gerth, E.: Betriebswirtschaftliche . . . , a.a.O., S. 204-222.

gen) gleichartig ist oder ob es starke Diskrepanzen aufweist. Die Strukturmatrix SM_2 gibt darüber nur bedingt Aufschluß.[26] Eine Abbildung des zuvor bestimmten Absatzsystems durch eine Erlösfunktion würde erst Klarheit schaffen.

Bei diesem Beispiel hat die Unternehmungsführung zu Beginn entschieden, welche der Kunden in einem „Absatzsystem" zu überprüfen sind. Der Analysezweck war maßgebend. Doch die Bestimmung der Erlösfunktion eines derart abgegrenzten Absatzsystems kann allerdings leicht scheitern. Besteht nämlich keine strukturelle Einheitlichkeit, so wird sich keine Erlösfunktion berechnen lassen oder die Wahrscheinlichkeit, mit der das Absatzsystem als erklärt zu betrachten ist, gering sein (vgl. Abb. 18, S. 68). Das ist der Grund, warum u.E. eine Unternehmungsführung gleich zu Anfang versuchen muß, homogene Absatzsysteme auszuwählen, denn der Aufwand für die Erlösfunktionsbildung ist hoch. Im Anschluß daran kann das Management überprüfen, ob die Zielvorstellungen seiner Strategien mit den empirisch ermittelten Absatzsystemen übereinstimmen und welche Bedeutung Abweichungen haben.

Die Strukturmatrizen SM_3 und SM_4 bieten bessere Möglichkeiten, einheitliche Absatzsysteme zu finden. Sie bauen auf SM_2 auf. Die Matrix SM_2 enthält einzig Mengenwerte. Der Übergang zu SM_3 geschieht, indem die Werte d_i und d_l der Absatzmittel in Kostendaten und die Daten x_{ea} der Gütermengen in Erlös- bzw. Umsatzdaten überführt werden. – Jeder Absatzmitteleinsatz für einen Kunden hat im Unternehmen Kosten verursacht und für jede abgesetzte Ware wurde vom Kunden ein Erlös erzielt. In jeder Zeile der Matrix SM_3 stehen folglich die einzelnen Summenwerte α_{ia} und $\beta_{\underline{l}a}$ der Kosten der verbrauchten Absatzmittel i ($i = 1, \ldots, n$) und $\underline{l}$ ($\underline{l} = 1, \ldots, r$) sowie der Wert y_a des Gesamtumsatzes eines einzigen Kunden a ($a = 1, \ldots, m$). Zusätzlich ist der Gesamterlös y_a aufgeteilt in die summarischen Erlösanteile u_{ec}, die jeweils für die Verkäufe eines Produktes e ($e = 1, \ldots, q$) der Rechnungen c ($c = 1, \ldots, v$) des Kunden a in der untersuchten Absatzphase erzielt wurden (vgl. Abb. 26, S. 95).

Die Dimensionsungleichheit, die in der Strukturmatrix SM_2 herrscht, ist für SM_3 beseitigt. Daher wird ein Zeilenvergleich eine höhere Anzahl identischer Kunden hervorbringen.

---

26) Ebenso Klaus, G.: Wörterbuch . . . , Stichwort: Struktur, a.a.O., S. 625f.

$SM_3 \triangleq$

Absatzkosten / Kundenerlöse y_a								
	α_{1a}	α_{2a}	$\cdots$	α_{na}	β_{1a}	β_{2a}	$\cdots$	β_{ra}
$y_1 = \sum\limits_{c=1}^{v} u_{1c} + \ldots + \sum\limits_{c=1}^{v} u_{qc}$	α_{11}	α_{21}	$\ldots$	α_{n1}	β_{11}	β_{21}	$\ldots$	β_{r1}
$y_2 = \sum\limits_{c=1}^{v} u_{1c} + \ldots + \sum\limits_{c=1}^{v} u_{qc}$	α_{12}	α_{22}	$\ldots$	α_{n2}	β_{12}	β_{22}	$\ldots$	β_{r2}
. . ... .	.	.	...	.	.	.	...	.
$y_m = \sum\limits_{c=1}^{v} u_{1c} + \ldots + \sum\limits_{c=1}^{v} u_{qc}$	α_{1m}	α_{2m}	$\cdots$	α_{nm}	β_{1m}	β_{2m}	$\cdots$	β_{rm}

Es ist unser Anliegen, in jedem Absatzsystem jene Kunden zusammenzufassen, deren Element- und Beziehungsstruktur *relativ* übereinstimmt.[27] In den bisherigen Sortierprozessen ging es darum, Kunden zu finden, deren Merkmalswerte in den Matrixzeilen betragsmäßig gleiche Werthöhen aufwiesen. Darin steckt i.d.R. eine unangebrachte Einschränkung. Sie ist aufgehoben, wenn statt der absoluten Werte einer Matrixzeile Verhältniszahlen errechnet werden. D.h. für die erste Zeile der Matrix SM_3 sind z.B. die Absatzkosten α_{i1} ($i = 1, \ldots, n$) und β_{l1} ($l = 1, \ldots, r$) zu addieren. Ihr Summenwert z_1 ist anteilsmäßig prozentual aufzugliedern. Ebenso ist z.B. der Ge-

27) Würden wir nicht so vorgehen, wäre die Definition der Erlösfunktion y_j eines Absatzsystems j sinnlos. Denn die Kunden eines Absatzsystems, die so gut wie vollständig in ihren Merkmalswerten übereinstimmen, bilden einzig einen engen Punkthaufen. Für ihn ist keine Funktion bestimmbar.

samterlöswert y_1 prozentual nach den Einzelerlöswerten u_{ec} für den Kunden a = 1 aufzuteilen. Geschieht dies entsprechend für alle Matrixzeilen SM_3, so ergibt sich daraus die Matrix SM_4. Ist sie berechnet, so enthält sie nur Verhältniszahlen.

Kundenerlös-Verhältniswerte \ Absatzkosten-verhältniswerte			$\frac{\alpha_{ia}}{z_a}$		$\frac{\beta_{la}}{z_a}$				
$\frac{\sum_{c=1}^{v} u_{1c}}{y_1}$	...	$\frac{\sum_{c=1}^{v} u_{qc}}{y_1}$	$\frac{\alpha_{11}}{z_1}$	...	$\frac{\alpha_{n1}}{z_1}$	$\frac{\beta_{11}}{z_1}$	...	$\frac{\beta_{r1}}{z_1}$
$\frac{\sum_{c=1}^{v} u_{1c}}{y_2}$	...	$\frac{\sum_{c=1}^{v} u_{qc}}{y_2}$	$\frac{\alpha_{12}}{z_2}$	...	$\frac{\alpha_{n2}}{z_2}$	$\frac{\beta_{12}}{z_2}$	...	$\frac{\beta_{r2}}{z_2}$
.		.	.		.	.		.
.		.	.		.	.		.
.		.	.		.	.		.
$\frac{\sum_{c=1}^{v} u_{1c}}{y_m}$	...	$\frac{\sum_{c=1}^{v} u_{qc}}{y_m}$	$\frac{\alpha_{1m}}{z_m}$	...	$\frac{\alpha_{nm}}{z_m}$	$\frac{\beta_{1m}}{z_m}$	...	$\frac{\beta_{rm}}{z_m}$

Strukturmatrix SM_4 zur Absatzsystembestimmung

Zweckmäßigerweise sind alle Verhältniswertberechnungen und Sortierungsläufe mit einer ADV-Anlage auszuführen. Kunden gleicher SM_4-Matrixzeilen bilden jeweils ein relativ homogenes Absatzsystem. Allerdings bezieht sich diese Homogenität nur auf die einzelnen Absatzkosten und auf die einzelnen Warenumsätze der Kunden. Es ist durchaus möglich, daß die zuvor gefundenen gleichartigen Absatzsysteme nicht mehr ihr ähnliches Gefüge beibehalten, wenn zusätzliche Unterscheidungskriterien herangezogen werden, z.B. die Deckungsbeiträge der Kunden.

Die Deckungsbeiträge sind nicht nur ein weiteres bedeutsames Sortierungsmerkmal, sondern auch besonders wichtig für die direkte Erfolgskontrolle der Absatzstrategien der Unternehmungsführung. Wir stellen im nächsten Abschnitt dar, wie mit Hilfe der Deckungsbeitragsrechnung Ansatzpunkte sowohl für künftige absatzpolitische Verbesserungen als auch für eine homogenere Absatzsystembildung zu ermitteln sind.

2.3.2 Die Deckungsbeitragsrechnung – ein Instrument für Absatzanalysen und für Absatzsystembildungen

Die förderungswürdigen sowie die bedeutsamen Kunden und Absatzsysteme sind für eine Betriebswirtschaft zu erkennen, damit die zukünftige Absatzpolitik realistisch wird. Eine Unternehmensleitung kann absatzpolitische Entscheidungen nur rational kritisch fällen, wenn ihr differenzierte Informationen über die Erlöse und Kosten der Kunden vorliegen. Die Deckungsbeitragsrechnung ist zusätzlich zu der Erlösfunktionsbestimmung ein brauchbares Instrument für die Gewinnung von aussagekräftigen Analyseinformationen. Mit ihr ist der unternehmerische Erfolg der Absatzsysteme bzw. der Kunden unmittelbar aufzuzeigen. Als Erfolgsmaßstab dient die (jeweilige) Differenz zwischen den Umsatzerlösen und den Absatzkosten. [28] Denn die Deckungsbeitragsrechnung ist „eine abgestufte Folge von Erfolgsdifferenz-(-änderungs-)rechnungen, in denen – unter Verzicht auf Schlüsselung echter Gemeinkosten und Gemeinerlöse – nur die jeweils entsprechenden Erlös- und Kostenteile einander gegenübergestellt werden“. [29]

---

28) Vgl. Riebel, P.: Die Deckungsbeitragsrechnung als . . . , a.a.O., S. 163; derselbe: Innerbetriebliche Statistik, a.a.O., S. 54f. Zum Begriff des Erfolges und der damit verbundenen Erfolgsanalyse vgl. auch Rieper, B., und J.Waldmann: Programmierte Einführung in das betriebliche Rechnungswesen, München 1972, S. 162f.

29) Riebel, P.: Einzelkosten- und . . . , a.a.O., Glossarium, S. 342. Zu den Arten der Deckungsbeitragsrechnungen vgl. Mellerowicz, K.: Kosten und Kostenrechnung, 2. Teil, 4. Aufl., Berlin 1968, S. 73f. und Böckel, J.-J., und F.G.Hoepfner: Moderne Kostenrechnung lern-psychologisch aufbereitet, Stuttgart 1972, S. 114f.

Wir gehen davon aus, daß der Deckungsbeitrag eines jeden Kunden a ($a = 1, \ldots, m$) zeitraumbezogen nach Abb. 28 als Überschuß des Erlöses y_a über die Erlösschmälerungen er_a (durch Boni, Skonti, Sonderrabatte, etc.) und die Absatzkosten $z_a = \sum_{i=1}^{n} \alpha_{ia} + \sum_{\underline{l}=1}^{r} \beta_{\underline{l}a}$ berechnet wird. Die aufgeführten Absatzkosten z_a in Abb. 28 sind die geldlichen Äquivalente der leistungsbezogenen Absatzmittelverbrauchsquanten. Sie sind entstanden aufgrund der unternehmerischen Entscheidung, den potentiellen Kunden a als

1		Brutto-Erlös y_a vom Kunden a (Kundenumsatz zu Listenpreisen abzüglich der normalen Funktions- u.Mengenrabatte)
2	./.	Erlösschmälerungen er_a (durch Boni, Skonti, Sonderrabatte, etc.)
3		Nettoerlös vom Kunden a
4	./.	direkte Absatzkosten $\sum_{i=1}^{n} \alpha_{ia}$ der Absatzmittel i ($i = 1, \ldots, n$)
5	./.	semidirekte Absatzkosten $\sum_{\underline{l}=1}^{r} \beta_{\underline{l}a}$ der Absatzmittel $\underline{l}$ ($\underline{l} = 1, \ldots, r$)
6		Deckungsbeitrag des Kunden a (Kundenbeitrag) zu den indirekten Absatzkosten und den übrigen nicht zugerechneten Kosten einschließlich eines Gewinnbeitrages

Abb. 28: Schema für die Errechnung des Deckungsbeitrages eines Kunden a für eine bestimmte Absatzperiode

aktiven Käufer gewinnen, beliefern und betreuen zu wollen. Den erzielten Einzelerlösen stehen in Abb. 28 entsprechende Einzelkosten gegenüber. Wir genügen damit einer wirklichkeitsnahen Kostenerfassung und den Prinzipien der Deckungsbeitragsrechnung. [30] Eine Einschränkung ist dazu jedoch zu

30) Vgl. Riebel, P.: Deckungsbeitragsrechnung . . . , a.a.O., S. 172 und Hummel, S.: Wirklichkeitsnahe . . . , a.a.O., S. 172f. und 191f.

machen. Die semidirekten Absatzkosten sind keine echten Einzelkosten. Die Begründung für ihre Hinzunahme wurde auf S. 98 gegeben.

Das Berechnungsschema der Abb. 28 zeichnet sich inhaltlich dadurch aus, daß es sich auf Datengrößen stützt, die auch bei der Bestimmung der Erlösfunktionen y_j eines Absatzsystems j zu verwenden sind (vgl. dazu den Text zu Abb. 26 und 27). [31]

Im Rahmen der Bezugsgrößenhierarchie (vgl. Abb. 25, S. 92)

Kunde
Kundengruppe - Absatzsystem
Kundengruppen - Absatzsysteme

sind die übergeordneten Deckungsbeiträge eines Absatzsystems oder von Absatzsystemen relativ leicht über die Kundenbeiträge (vgl. Zeile 6 von Abb.28) zu ermitteln. Für die Kunden eines Absatzsystems j sind deren Deckungsbeiträge (DB) aufzuaddieren, um den *vorläufigen* DB des Systems j zu erhalten. Vorläufig, weil jene Absatzkosten noch abgezogen werden müssen, die auf die Kunden nicht aufteilbar, doch dem Absatzsystem insgesamt zusätzlich zurechenbar sind. Derartige nichtspaltbare Kosten sind z.B. die Personalkosten jener Führungskraft, die allein für das Absatzsystem j als Verkaufsleiter arbeitet.

Der DB von mehreren Absatzsystemen ist analog wie für ein einzelnes Absatzsystem zu bestimmen. [32]

Die Zurechnung der Deckungsbeiträge, der Erlöse und Kosten nach Kunden und Absatzsystemen (vgl. dazu auch den Anweisungskatalog vom S. 96), ermöglicht eine schnelle elektronische Auswertung für die unterschiedlichsten Analysezwecke. Sowohl Kunden- und Absatzsystem-Wirtschaftlichkeitsanalysen als auch andere Absatzkostenanalysen werden durchführbar. [33]

---

31) Diese Aussage stimmt nicht ganz, die Daten für die Erlösschmälerungen er_a sind zusätzlich erforderlich. Doch ist ihre Gewinnung kein Problem, werden die er_a-Werte doch schon bei jeder Massen-ADV benutzt und gespeichert.
Anmerkung: Statt der Brutto-Erlösfunktionen y_j können selbstverständlich auch Netto-Erlösfunktionen (vgl. Pos. 3 von Abb. 28) berechnet werden.

32) Vgl. zur Deckungsbeitragsrechnung von Absatzsystemen und der Berücksichtigung von Nicht-Absatzkosten bei den DB-Rechnungen ausführlich Gerth, E.: Betriebswirtschaftliche . . . , a.a.O., S. 207f.; derselbe: Probleme der . . . , a.a.O., S. 695f. ; Thiele, H.-H.: Das System . . . , a.a.O., S. 94f. und die Anweisungen A 15 und A 16 auf Textseite 98.

33) Zur Absatzsystemanalyse vgl. auch Thiele, H.-H.: Das System . . . , a.a.O., S. 146f. ; zur Kunden- und Kostenanalyse vgl. Kramer, F., und F.Kranz: Kosten- und Leistungsrechnung mit Datenverarbeitungsanlagen, Köln-Braunsfeld 1970, S. 215f. und Geist, M.: Selektive Absatzpolitik, Stuttgart 1963, S. 126f.

Die Daten der Strukturmatrizen $SM_2 \div SM_4$ und der Deckungsbeitragsrechnungen sind dafür die geeigneten Grundlagen. Eine Unternehmungsführung kann mit ihnen zur Unterstützung ihrer absatzpolitischen Entscheidungen u.a. die folgenden Informationen und Analyseziele erreichen:

1 a) Erkennen der verlustbringenden Kunden und Absatzsysteme. Dazu sind die Erlöse (Brutto- und Netto-Erlöse), die Absatzkosten bzw. die Nicht-Absatzkosten und die Deckungsbeiträge (DB) je Kunde oder Absatzsystem zu ermitteln.

b) Erkennen der Bedeutung der Produkte für die Kunden. Rangordnungsreihen der abgesetzten Produktmengen der Produkte e ($e = 1, \ldots, q$) sind dazu aufzustellen. Jede Reihe der Mengenwerte eines Produktes e ist gestaffelt nach den Betragsgrößen der Mengen der Kunden zu sortieren.
– Korrelationsanalysen dieser Reihen sind vorzunehmen.

c) Erkennen der Bedeutung der Kunden und der Absatzsysteme. Rangordnungsreihen der Kunden und der Absatzsysteme sind nach ihren DB, Erlösen und ihren einzelnen oder gesamten Kosten dazu aufzustellen.
– Korrelationsanalysen dieser Reihen sind durchzuführen.

2) Erkennen der räumlichen Verteilung der Kunden und der Absatzsysteme sowie ihrer Daten. Rangordnungsreihen der Kundenmerkmale, also den DB-, Erlös- und Kostenwerten sowie den Produktmengen der Produkte, sind nach den räumlichen Bereichen aufzustellen.
– Korrelationsanalysen dieser Reihen sind durchzuführen.

3) Erkennen der Bedeutung jener Kundengruppen, deren Kunden nach besonderen äußeren gleichartigen Merkmalen zusammengefaßt wurden. Es müssen dazu die DB, Erlöse, Kosten und Produktmengen *der* Kunden aufsummiert werden, die gemäß ihrer Zugehörigkeit zu einer bestimmten Branche, Vertriebsmethode, Auftragsart oder einem anderen Merkmal identisch sind. Rangordnungsreihen der Strukturdaten (der DB, Erlöse, Kosten, Produktmengen und der räumlichen Bereiche) jener Kunden sind aufzustellen, die in einer spezifischen Gruppe zusammengefaßt sind.
– Korrelationsanalysen dieser Reihen sind vorzunehmen.

4) Erkennen von Verlustursachen bei den Kunden und Absatzsystemen.

5) Erkennen von absatzstrategischen Maßnahmemöglichkeiten aus Punkt $1 \div 4$.

6) Erkennen der DB-, Erlös- und Kosten-Auswirkungen zukünftiger strategischer Maßnahmen (z.B. bei Preisdifferenzierungen, Absatzmitteleinsatzänderungen oder bei der Aufgabe von Kunden oder Absatzsystemen).

Die in den Analyseuntersuchungen eingesetzten Strukturdaten sind als Absolut- und als Verhältniswerte zu verwenden. Die Werte der Rangordnungsreihen sind auch jeweils in Form von Summenlinien abzubilden. [34)]

Die zuvor aufgestellten und benutzten Modelle, Hypothesen, Methoden und Datensysteme (z.B. die Strukturmatrizen) hat eine dynamische oder auch komparativ statisch eingestellte Unternehmensleitung im Abbildungssystem und in den Absatzdatenbänken ihres Entscheidungssystems für zukünftige Analysen zu speichern (vgl. Abb. 17, S. 64).

Eine Unternehmungsführung ist mit den geschilderten Untersuchungsmöglichkeiten (vgl. Punkt 1 ÷ 6) in der Lage, die Elemente des Teilbereichs „Absatz" und deren Bedeutung deskriptiv aufzuzeigen. Das Management kann aber zur Kenntnis der Beziehungszusammenhänge und zur Erklärung des Absatzgeschehens nur kommen, wenn es die Erlösfunktionen der Absatzsysteme berechnet. Auf dem Wege dazu ist es notwendig, Absatzsysteme mit relativ homogenen Kunden zu ermitteln, weil sonst aufgrund des großen Streuungsbereiches der Erlös- und Kostenwerte die Bestimmung der Erlösfunktionen nicht gelingt (vgl. Abb. 27, S. 96).

Wir haben festgestellt, daß zusätzlich zu den Kundenmerkmalsdaten der Strukturmatrix SM_4 als weiteres kundenbezogenes Unterscheidungskriterium die Deckungsbeiträge verwandt werden können. Nach Abb. 28 lassen sich die Deckungsbeiträge der Kunden eines Unternehmens berechnen. Die Strukturmatrix SM_5 (s. S. 115) gibt i.a. eine größere Gewähr für das Erkennen relativ homogener Kunden. Sie setzt sich zusammen aus den Elementen der Matrix
SM_4 und den Deckungsbeitragsverhältnisgrößen $\frac{DB_a}{y_a}$. Für jeden Kunden a

(a = 1, . . . , m) ist dessen Deckungsbeitrag DB_a durch den Gesamtumsatz y_a

34) Als Kriterien für weitere Untersuchungs- und Vergleichsmöglichkeiten von Kunden sollte eine Unternehmungsführung nach dem Schema für die Ermittlung der Absatzkosten und der Erlöse eines Kunden (vgl. Abb. 26) die durchschnittliche Betragshöhe der Rechnungen und die Anzahl der Belieferungen eines jeden Kunden für die Absatzperiode ermitteln. Mit diesen Merkmalswerten sind Rangordnungsreihen und sinnvolle Korrelationsanalysen mit anderen Reihen durchzuführen.

$SM_5 \triangleq$

Kundenerlös-verhältniswerte	Absatzkosten-verhältniswerte	Deckungsbeitrags-verhältnisgrößen $\frac{DB_a}{y_a}$
$\frac{\sum_{c=1}^{v} u_{ec}}{y_a}$ wo $e = 1, \ldots, q$ $a = 1, \ldots, m$	$\frac{\alpha_{ia}}{z_a}$; $\frac{\beta_{la}}{z_a}$ wo $i = 1, \ldots, n$ $l = 1, \ldots, r$ $a = 1, \ldots, m$	$\frac{DB_1}{y_1}$ $\frac{DB_2}{y_2}$ . . . $\frac{DB_m}{y_m}$

(SM_4 = the first two columns)

der Absatzperiode dieses Kunden zu teilen. Um die auf diese Art ermittelten Verhältniswerte ist die Matrix SM_4 zu ergänzen.

Mit SM_5 ist eine Zusammenstellung jener Merkmalsgrößen eines jeden Kunden gewonnen, die geeignet sein kann, relativ homogene Absatzsysteme zu bestimmen.

Die Definition eines Absatzsystems besagt, daß jene Kunden dem System angehören, gegenüber denen gezielte Kombinationen von Absatzmitteln für den Absatz bestimmter Produkte eingesetzt wurden.[35] Fassen wir die Kunden zu einem Absatzsystem j zusammen, deren Verhältniswerte je Matrixzeile von SM_5 identisch sind, so genügen wir den Zugehörigkeitsbedingungen eines Absatzsystems. Selbstverständlich können statt der y_a- und z_a-Werte auch andere problembezogene Größen von der Unternehmungsführung zur Verhältnisbildung verwandt werden. Das richtet sich nach dem Zweck ihrer Analysebestrebungen bzw. nach ihren Absatzstrategien.

35) Zur Absatzsystemdefinition vgl. Gerth, E.: Betriebswirtschaftliche . . . , a.a.O., S. 111f.

Es mag der Einwand fallen, die Deckungsbeitragsgrößen $\frac{DB_a}{y_a}$ gehörten nach der Absatzsystemdefinition nicht zu den notwendigen Merkmalsgrößen. Das ist nur zum Teil richtig, denn durch sie finden die Erlösminderungen, die durch die Gewährung von Rabatten, Boni, Skonti etc. entstanden sind, ihre notwendige Berücksichtigung (vgl. Abb. 28). Da die Erlösminderungen (er_a) der Kunden a ($a = 1, \ldots, m$) als Kosten auffaßbar sind, könnte entsprechend auch die Matrix SM_4 z.B. um die Verhältniswerte $\frac{er_a}{z_a}$ ihre Erweiterung finden (z_a setzt sich dann aus den einzelnen Werten der Absatzkosten α_{ia} und β_{1a} sowie den Erlösminderungen er_a zusammen).
Gleichgültig welche Merkmalsgröße eine Unternehmungsführung zur Matrix SM_4 hinzunimmt, die Deckungsbeiträge sind wegen ihrer grundlegenden Bedeutung bei der Analyse der Kunden und Absatzsysteme immer zu berechnen.

Sicherlich wäre es nicht richtig, wenn wir die Forderung aufrecht erhielten, daß nur jene Kunden einem Absatzsystem angehören, deren SM_5-Matrixzeilen völlig übereinstimmen. Um eine intersubjektive Überprüfung der Zuordnung der Kunden zu einzelnen Absatzsystemen zu ermöglichen, ist es u.E. angebracht, die Kundengruppeneinteilungen für die Absatzsysteme analytisch mit Hilfe der Clusteranalyse und der Faktorenanalyse vorzunehmen. Eine Unternehmungsführung entzieht sich damit der Gefahr, willkürliche Toleranzen festzusetzen. Die Strukturmatrizen werden durch die Anwendung der Cluster- und Faktorenanalyse keineswegs überflüssig. Im Gegenteil, sie stellen notwendige Bestandteile für diese Analysen dar.

2.3.3 Die Cluster- und die Faktorenanalyse zur Bestimmung von Absatzsystemen und zur Absatzanalyse

Ziel der Clusteranalyse ist es, Gruppen von Objekten (z.B. von Kunden) so zu bilden, daß die Gruppen in sich weitgehendst homogen sind bzw. die beobachteten Merkmale der Objekte einer jeden Gruppe untereinander möglichst ähnlich sind. [36] Zwischen den Gruppen soll stärkste Heterogenität bestehen. Die Zuordnung der Objekte erfolgt nach dem Prinzip: Abweichun-

---

36) Die Clusteranalyse wird im Deutschen auch als Klumpungsanalyse bezeichnet. Damit soll offensichtlich darauf hingewiesen werden, daß Punktansammlungen oder Punktklumpen erkannt werden sollen.

gen der Merkmale der Objekte haben innerhalb jeder Gruppe so klein und zwischen den Gruppen so groß wie möglich zu sein. [37)]

Das Verfahren entspricht unserer Forderung zur Absatzsystembildung. Es sind *die* Kunden (Objekte) zu einem Absatzsystem j (j = 1, . . . , w) zusammenzufassen, die in ihren Merkmalswerten (den Erlösen und Absatzkosten) nur geringe Unterschiede aufweisen.

Bei der Clusteranalyse sind die euklidischen Entfernungen zwischen den Objekten maßgebend für die Ähnlichkeit der Objekte und für die Zugehörigkeit zu einer Gruppe. Ein multidimensionaler Raum ist zu bilden, um das Cluster-Verfahren anwenden zu können (vgl. dazu auch Abb. 27). Sein Koordinatensystem hat aus (n + r + 2) Achsen zu bestehen; das sind die Achsen α_i und β_l gemäß der im Einsatz gewesenen Absatzmittel i (i = 1, . . . , n) und l (l = 1, . . . , r) zuzüglich der Achsen für die Erlösminderungen er_a und den Erlösen y_a der Kunden a (a = 1, . . . , m). [38)]

Die y_a-Werte sind punktweise über die α_i-, β_l-, er-Achsen entsprechend den jeweiligen Kundenwerten α_{ia}, β_{la} und er_a aufzutragen. In dem Koordinatensystem (y, α_i, β_l, er) sind folglich m Punkte vorhanden, für jeden Kunden a (a = 1, . . . , m) ein einzelner.

37) Zum Verfahren und der Entwicklung der Clusteranalyse vgl. Tryon, R.C.: Cluster Analysis, Ann Arbor: Edwards Brothers, Inc., 1939; derselbe: General Dimensions of Individual Differences: Cluster Analysis vs. Factor Analysis, in: Educational And Psychological Measurement, Vol. XVIII, No. 3, 1958, S. 477f.; derselbe: Cumulative Communality Cluster Analysis, in: Educational And Psychological Measurement, Vol. XVIII, No. 1, 1958, S. 3f.; King, B.: Stepwise Clustering Procedures, in: American Statistical Association Journal, March 1967, S. 86f.; Fortier, J.J., und H.Solomon: Clustering Procedures, in: International Symposium on Multivariate Analysis, New York 1966, S. 493f. und Friedmann, H.P., und J.Rubin: On some invariant criteria for grouping data, in: American Statistical Association Journal, December 1967, S. 1159f. sowie die dort angegebenen Literaturstellen. Wir stützen uns wesentlich auf die Arbeiten von Wishart, D.: Fortran II Programs for 8 Methods of Cluster Analysis (Clustan I), in: Computer Contribution 38, Hrsg. D.F.Merriam, University of Kansas, Lawrence 1969; Parks, J.M.: Fortran IV Program for Q-Mode Cluster Analysis on Distance Function with printed Dendrogram, in: Computer Contribution 46, Hrsg. D.F. Merriam, University of Kansas, Lawrence 1970 und Heidemann, C., und J.Doormann: Statistische Methoden in der Planung, TU Braunschweig 1973, unveröff. Vorlesungsumdruck, S. 126f.

38) Wir setzen hier eine Achse für die Erlösminderungen er_a an, anstatt für die Deckungsbeiträge DB_a.
Zur Bestimmung der Kundenwerte α_{ia}, β_{la}, y_a und er_a vgl. Abb. 26 und 28.
Die Daten sind aus rechentechnischen Gründen in Form einer Strukturmatrix zu speichern.

Sämtliche Entfernungen d_{aa} zwischen jedem Punkt a und allen übrigen Punkten a müssen bei der Clusteranalyse berechnet werden. Die Gesamtheit aller Distanzen läßt sich am besten in einer Dreiecksmatrix speichern. [39)]

	1	2	3	...	m
1	0	d_{12}	d_{13}	...	d_{1m}
2		0	d_{23}	...	d_{2m}
3			0	...	d_{3m}
.					.
.					.
.					.
m					0

Die beiden Punkte mit der kürzesten Entfernung voneinander (z.B. d_{23} der Kundenpunkte a = 2 und a = 3) bilden eine erste Gruppe, ein einzelnes Absatzsystem oder ein erstes Cluster. Dieses Cluster ist unter Löschung der Punkte (2, 3) durch deren gemittelte Koordinaten und einem Gewicht, das der Anzahl der im Cluster befindlichen Kundenpunkten entspricht, neu in dem multidimensionalen Raum aufzunehmen.

Nach dieser ersten Gruppen- oder Cluster-Bildung gibt es noch m - 1 Punkte. Die Clusterbildung ist nur weiter durchzuführen, wenn die veränderten Entfernungen neu ermittelt werden, die aufgrund des zuvor gewonnenen Clusters vorhanden sind. Die Neuberechnung hat für alle jene Distanzen unseres Beispiels zu erfolgen, die zwischen den Punkten 2 bzw. 3 und allen anderen berechnet worden waren. Diese Entfernungen sind durch die dem Cluster zugeordneten Distanzen zu ersetzen. Sie sind in einer neuen (m - 1) x (m - 1) Dreiecksmatrix einzufügen. Aus der Matrix muß wieder die kürzeste Entfernung herausgesucht werden, um bestimmen zu können, ob die dieser Entfer-

39) Die Distanzen unter der Diagonalen der Matrix sind identisch mit den Entfernungen über die Diagonalen (z.B. ist $d_{12} = d_{21}$). Sie brauchen deshalb bei der Clusteranalyse nicht berücksichtigt zu werden.

nung zugehörigen Punkte der schon bestehenden Gruppe zuzuordnen sind oder ein neues eigenständiges Cluster (Absatzsystem) bilden. Nach dieser Clusterteilanalyse ist wiederum eine neue (reduzierte!) Dreiecksmatrix aufzustellen usw. .[40)]

Die Verwendung des Merkmales „Entfernung" bei der Clusteranalyse setzt voraus, daß die Variablen der y_a-, er_a-, α_{ia}- und $\beta_{\underline{l}a}$-Koordinaten orthogonal zueinander sind. D.h. die Variablen müssen unabhängig sein. Nur dann sind die Koordinatenachsen des multidimensionalen Raumes als senkrecht aufeinanderstehend anzunehmen. Ein derartiges rechtwinkliges (orthogonales) kartesisches Koordinatensystem ist eine Notwendigkeit, weil die zu berechnenden Entfernungen nur im euklidischen Raum einen Sinn haben. [41)]

Mit Sicherheit ist bei der großen Anzahl der α_i und $\beta_{\underline{l}}$ Variablen zu erwarten, daß mehrere Variablen miteinander korrelieren, also abhängig voneinander sind. Deshalb müssen vor der eigentlichen Clusteranalyse nach der Methode der Faktorenanalyse [42)] die Dimensionalität des Variablenraumes geklärt und eine Transformation der Analysewerte in den Faktorraum durchgeführt werden. Erst die so gewonnenen Faktoren (hypothetischen Variablen) sind unabhängig voneinander. Ihre Darstellung in einem Koordinatensystem, dessen Achsen durch die Faktoren bestimmt sind, bildet den benötigten multidimensional-orthogonalen Raum. [43)] In diesem orthogonalen

40) Vgl. dazu Heidemann, C., und J.Doormann: Statistische Methoden. . . , a.a.O., S. 127f. und Tietz, B.: Grundlagen der Handelsforschung, Bd. 1, Marketing-Theorie, Zürich 1969, S. 478f.

41) Vgl. dazu u.a. Parks, J.M.: Fortran IV Program . . . , a.a.O., S. 1. Zu dem von Parks vorgeschlagenen ADV-Programm zur Clusteranalyse vgl. auch das Programm von Wishart, D.: Fortran II . . . , a.a.O., S. 2. Zur Orthogonalität vgl. auch Überla, K.: Faktorenanalyse, Berlin 1968, S. 167f.; Pawlik, K.: Dimensionen des Verhaltens, 2. Aufl., Bern 1971, S. 45 und S. 423f. und Zurmühl, R.: Matrizen, 4. Aufl., Berlin 1964, S. 101f.
Zum euklidischen Raum vgl. Meschkowski, H.: Mathematisches Begriffswörterbuch, Mannheim 1971, S. 75 und Rutishauser, H., E.Stiefel und H.R.Schwarz: Numerik symmetrischer Matrizen, Stuttgart 1968, S. 13.

42) Die Grundgedanken zur Faktorenanalyse skizziert anschaulich Sauberer, M.: Anwendungsversuche der Faktorenanalyse in der Stadtforschung: Sozialräumliche Gliederung Wien, in: Seminarbericht 7 der Gesellschaft für Regionalforschung, Heidelberg 1973, S. 174f. Zur numerischen Verfahrensdurchführung sei verwiesen auf Pawlik, K.: Dimensionen . . . , a.a.O.; Überla, K.: Faktorenanalyse, a.a.O. und der dort angegebenen Literatur.

43) Vgl. Heidemann, C., und J.Doormann: Statistische . . . , a.a.O., S. 126f. Zur Begründung, weshalb miteinander korrelierende Variable keinen orthogonalen Raum bilden, vgl. auch Hofstätter, P.R.: Faktorenanalyse, in: Handbuch der Empirischen Sozialforschung, 1. Bd., a.a.O., S. 392f.

Raum sind die jeweiligen kürzesten Entfernungen zwischen den Kundenpunkten zu ermitteln und die Cluster bzw. die einzelnen Absatzsysteme festzustellen. Das Verfahren der Faktorenanalyse muß also bekannt sein, damit der Faktorenraum zu berechnen ist. Die Faktorenanalyse ist nicht nur für die Clusteranalyse wichtig. Mit ihr kann auch die Bedeutung einer jeden Absatzkostenvariablen für den erzielten Erlös eines Absatzsystems beurteilt werden. Ihre besondere Eignung liegt in der Möglichkeit, die große Zahl der voneinander abhängigen Absatzkostenvariablen durch wenige unabhängige Faktoren zu ersetzen. Ohne diese Fähigkeit würde die mathematische Abbildung der Absatzsystemzustände durch Erlösfunktionen nicht gelingen. Die Ausnutzung dieser Tatsache erfolgt erst in dem Abschnitt (3.) unserer Untersuchung.

Eine Unternehmungsführung wird nur erfolgreich in der Entscheidungsphase der Analyse und Erklärung vorankommen, wenn ihr die Grundzüge der Faktorenanalyse vertraut sind. Die Methode sei deshalb an dieser Stelle geschildert.

2.3.3.1 Die Faktorenanalyse

Hohe Korrelationen zwischen den Werten der Absatzmittelkostenvariablen (α_i, β_l, er) zeigen an, daß diese in starkem Maße in derselben Weise variieren, also in einem bestimmten Zusammenhang stehen und – statistisch betrachtet – Informationen doppelt wiedergeben. Es ist der Zweck der Faktorenanalyse, die Struktur dieser gegenseitigen Abhängigkeiten aufzudecken, unbedeutende oder nicht wesentliche Variablen zu eliminieren und, im Endeffekt, die Zahl der ursprünglichen Veränderlichen zu einer geringeren Zahl von neuen orthogonalen, d.h. nicht-korrelierten, Dimensionen zu reduzieren. Auf diese Möglichkeit, durch die Faktorenanalyse orthogonale Dimensionen (Variablen) aus korrelierenden Variablen zu gewinnen, kommt es an. Die neuen hypothetischen Variablen (Dimensionen) werden Faktoren genannt. Sie sind empirisch meist nicht meßbare Einflußgrößen. Sie lassen ursächliche Zusammenhänge erkennen und bilden quasi einen logischen Obersatz für die ursprünglichen Absatzkostenvariablen. Die Faktorenanalyse gestattet die Analyse und die Transformation der quantitativ vorliegenden Kundenmerkmale in funktional einfachere Grundvariablen (Faktoren). Mit ihr wird eine Hypothese über die Struktur des Zueinanders der Variablen und der Faktoren aufgestellt. Dieser Sachverhalt ist in Abb. 29 veranschaulicht. [44)]

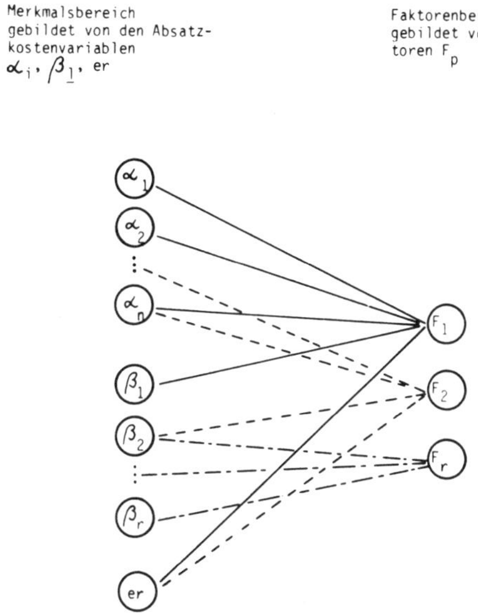

Abb. 29: Hypothetischer Zusammenhang zwischen Kundenmerkmalen oder Absatzkostenvariablen und Faktoren

Mathematisch ist der Zusammenhang zwischen den Absatzkostenvariablen und den Faktoren durch eine Serie linearer Transformationen darstellbar. Dabei wird angenommen, daß jeder Wert einer Merkmalsgröße (α_i, β_l, er) eine Linearkombination von Faktoranteilen ist. Die allgemeine Beziehung für einen normierten Merkmalswert z_{aj} [a = 1, . . . , m; a = Index der Kunden; an den Kunden werden jeweils die Werte der Variablen j (j = 1, . . . , t) gemessen] sieht folgendermaßen aus:

$$z_{aj} = a_{1j} \cdot f_{a1} + a_{2j} \cdot f_{a2} + \ldots + a_{pj} \cdot f_{ap} + \ldots + a_{rj} \cdot f_{ar}$$

Wurde z.B. für den Kunden a = 2 der (normierte) Kostenwert z_{26} der Absatzkostenvariablen α_6 ermittelt, dann ist die folgende Gleichung als eine Art Regressionsfunktion auffaßbar:

$$z_{26} = a_{16} \cdot f_{21} + a_{26} \cdot f_{22} + a_{36} \cdot f_{23}$$

44) Vgl. Pawlik, K.: Dimensionen . . . , a.a.O., S. 17f.; Überla, K.: Faktorenanalyse, a.a.O., S. 3 und Heidemann, C., und J.Doormann: Statistische . . . , a.a.O., S. 112f.

Die Regressionskoeffizienten a geben als Faktorenladungen in diesem Beispiel an, wie hoch generell die Anteile der Faktoren F_p (p = 1, 2, 3) an dem Merkmal α_6 sind. Durch die sogenannten Faktorwerte f_{ap} wird berücksichtigt, in welcher Größe die Faktoren F_p bei dem Kunden tatsächlich vorhanden sind. In Matrizenform läßt sich das Gesamtsystem der Gleichungen für die Merkmalswerte z_{aj} wie folgt darstellen[45]:

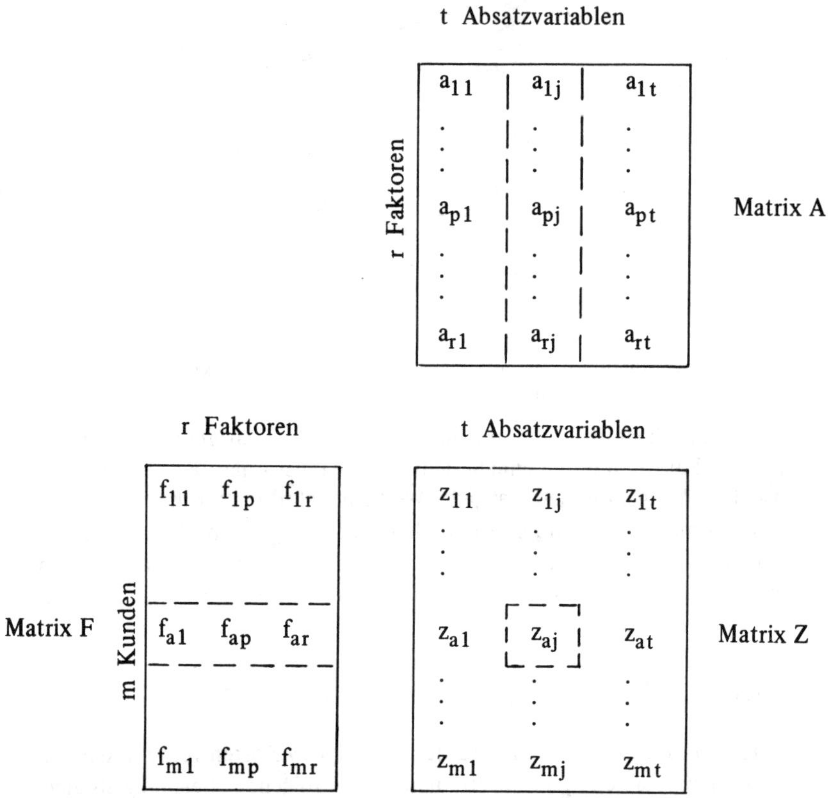

oder in abgekürzter Matrix-Schreibweise ausgedrückt:

$$\boxed{F \cdot A = Z}$$

45) Vgl. Heidemann, C., und J.Doormann: Statistische . . . , a.a.O., S. 113 und Pawlik, K.: Dimensionen . . . , a.a.O., S. 18f.

Das Gleichungssystem $F \cdot A = Z$ ist später bei der Ausführung der Clusteranalyse zu benutzen. Das hat allerdings in der nach der Matrix F aufgelösten Form $F = Z \cdot A^{-1}$ zu geschehen. Nicht die Gleichungen für die normierten Kundenmerkmalswerte z_{aj} sind während der Clusteranalyse gesucht, sondern die Faktorwerte f_{ap} der unabhängigen Faktoren F_p. Statt des empirisch bestimmten Absatzvariablenraumes der z_{aj}-Werte ist der unbekannte orthogonale Faktorenraum der f_{ap}-Werte festzulegen. Deshalb gilt es, die Matrix F zu gewinnen. Mit den Matrix-Faktorwerten f_{ap} der Faktoren F_p ($p = 1, \ldots, r$) der Kunden a ($a = 1, \ldots, m$) sind mit der Clusteranalyse die homogenen Absatzsysteme (Cluster) zu bestimmen.

Um die Faktorwerte der Matrix F zu erhalten, sind zuerst die ursprünglichen Werte einer jeden Absatzkostenvariablen α_i, β_l und er durch Normierung in z_{aj}-Werte zu überführen, damit sich die Matrizenrechnungen i.S. der Faktorenanalyse überhaupt ausführen lassen. Die Matrix Z enthält die erforderlichen spaltenweise (0,1)-normierten z_{aj}-Werte. Als Ausgangsbasis für die Daten der Matrix Z ist die Strukturmatrix SM_3 gut zu verwenden (s. S. 108). Der Datenbestand der Matrix SM_3 enthält nicht die Werte der Erlösschmälerungen er_a. Die er_a-Werte liegen aufgrund der Deckungsbeitragsberechnungen (vgl. Abb. 28) für die Strukturmatrix SM_5 für jeden Kunden a in der allgemeinen Datenbank gespeichert vor. Die Daten sind also leicht in SM_3 ergänzend zu übertragen. Notwendigerweise müssen auch die Erlöswerte y_a der Kunden in die Z-Matrix (normiert!) aufgenommen werden. Insgesamt sind die folgenden Merkmalswerte der Kunden vor der Normierung zur Matrix Z in einer Matrix X zusammenzustellen:

$$X = \begin{vmatrix} \alpha_{11} & \alpha_{21} & \cdots & \alpha_{n1} & \beta_{11} & \beta_{21} & \cdots & \beta_{r1} & er_1 & y_1 \\ \alpha_{12} & \alpha_{22} & \cdots & \alpha_{n2} & \beta_{12} & \beta_{22} & \cdots & \beta_{r2} & er_2 & y_2 \\ \vdots & \vdots & & \vdots & \vdots & \vdots & & \vdots & \vdots & \vdots \\ \alpha_{1m} & \alpha_{2m} & \cdots & \alpha_{nm} & \beta_{1m} & \beta_{2m} & \cdots & \beta_{rm} & er_m & y_m \end{vmatrix}$$

Die Faktorwerte f_{ap} der Matrix der unabhängigen Faktoren sind für die Clusteranalyse nur zu erhalten, wenn die Inverse der Matrix A der Faktorenladungen a_{pj} bekannt ist. Bevor die Berechnung der Inverse geschildert wird, sei auf die hohe Bedeutung der Matrix A hingewiesen.

Die Matrix A der Faktorenladungen ist die Grundlage für eine Interpretation der Faktoren F_p. In ihr stehen mit den Ladungswerten a_{pj} die Komponenten, die ausdrücken, wie stark die einzelnen Faktoren an der Größe einer Absatzvariablen beteiligt sind (vgl. dazu auch den Text zur z_{aj}-Gleichung auf S. 121). In der Spalte der Matrix A stehen nämlich die Komponenten aller Faktoren an einer einzigen Variablen. Insgesamt erhält jede der ursprünglichen Kundenmerkmalsvariable für jeden der extrahierten Faktoren eine Faktorenladung. Diese ist nichts anderes als ein Korrelationskoeffizient, der den Zusammenhang zwischen der betreffenden Absatzvariablen und einem Faktor ausdrückt. Die Faktorenladungen können daher nur Werte zwischen + 1 und - 1 annehmen (vgl. dazu Abb. 30, S. 125). Hohe positive bzw. negative Ladungen bedeuten einen engen Zusammenhang zwischen den Variablen und den Faktoren. Sie zeigen für jede Matrixzeile an, welche der Absatzeinflußgrößen das „Wesen" des (zeilenzugehörigen) Faktors ausmachen. Durch hohe Ladungswerte wird deutlich, welche der Veränderlichen maßgebend für den jeweiligen Faktor sind. Faktorenladungen nahe Null besagen nämlich, daß zwischen einer Merkmalsvariablen und einem Faktor kein oder nur ein sehr geringer Zusammenhang besteht.[46] Nach den Werthöhen in einer Zeile der Matrix A läßt sich also angeben, welche Absatzvariablen bei einer Interpretation des dazugehörigen Faktors zu berücksichtigen oder zu vernachlässigen sind (vgl. dazu Abb. 29 und 30).

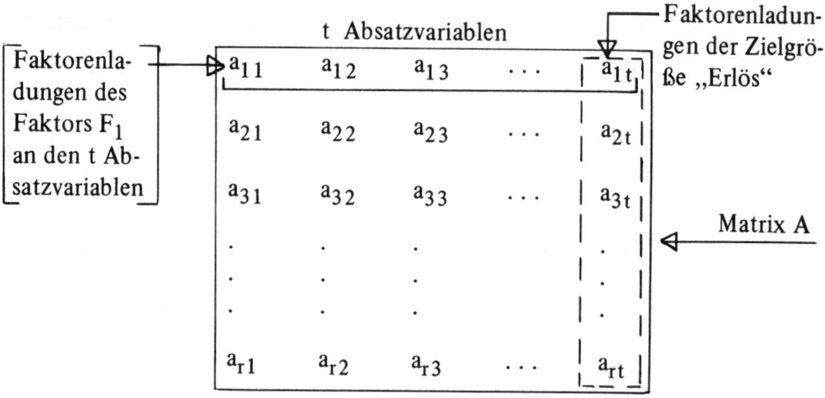

Abbildungen der Faktorenladungen in ihren Faktorenebenen bieten eine weitere Beurteilungsmöglichkeit der Bedeutung der einzelnen Variablen für

46) Ebenso Sauberer, M.: Anwendungsversuche . . . , a.a.O., S. 174f.

einen Faktor und eine gute Hilfe für die sachlogische Auslegung der Faktoren.[47]

Beispiel:
Aus Abbildung 30 wird ersichtlich, daß der Faktor F_1 mit den Absatzkostenvariablen (2, 4, 9, 10) zu erklären ist und F_2 den sachlogischen Oberbegriff für die Einflußgrößen (5, 6, 8) bildet. Die Veränderlichen (1, 3, 7) haben aufgrund ihrer geringen Ladungswerte kaum einen Erklärungsanteil bzw. es besteht zwischen ihnen und den beiden Faktoren nur ein unbedeutender vernachlässigbarer Zusammenhang.

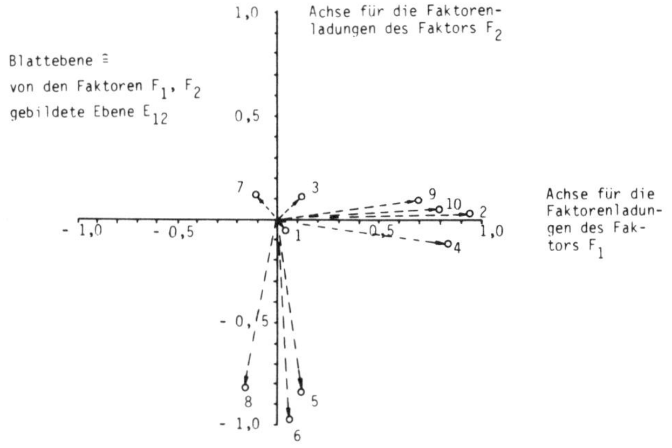

Abb. 30: Beispiel für die Abbildung von Faktorenladungen[48]

Eine Unternehmensleitung kann anhand von Faktorenladungs-Abbildungen schnell erkennen, welche der Variablen der Absatzmittelkosten eine überragende Bedeutung für das Absatzgeschehen in der Vergangenheit hatten. Gleichzeitig wird sichtbar, welche der Absatzkostenveränderlichen in ähnlicher Weise auf die Kunden wirkten. Das sind jene Kosteneinflußgrößen, die allein auf einen Faktor hoch laden – oder anders ausgedrückt – das sind

47) Ein Zeichenprogramm für die Faktorenladungen ist zu entnehmen bei Ondrick, C.W., und G.S.Srivastava: Corfan-Fortran IV Computer Program for Correlation, Factor Analysis (R- and Q-Mode) and Varimax Rotation, in: Computer Contribution 42, Hrsg. D.F.Merriam, University of Kansas, Lawrence 1970, S. 29f. und S. 41f.

48) Mathematisch müßte jede Absatzvariable als Vektor abgebildet werden. Vgl. Pawlik, K.: Dimensionen . . . , a.a.O., S. 80.

die Variablen, die einzig mit ein und demselben Faktor hohe Korrelationskoeffizienten (Faktorenladungen) haben. Sie stehen in einem Wirkungszusammenhang. Ist der Faktor F_2 (vgl. Abb. 30) z.B. das übergeordnete Kostenmerkmal für die mit der Auftragseinholung verbundenen Leistungen, so bilden die Einflußgrößen (5, 6, 8) die Teilkomponenten von F_2. Die Variablen (5, 6, 8) stellen Elemente dar, die in ihren kundenstrategischen Einflußtendenzen ähnlich wirkten.

Weitere differenzierte Aussagen lassen sich machen, wenn die Matrix A auf Seite 124 nochmals kritisch betrachtet wird. Die letzte Matrixspalte enthält die Werte der Faktorenladungen der Zielgröße „Erlös". Eine Unternehmungsführung beabsichtigt i.a., die maßgebenden Einflußgrößen auf die Zielgröße „Erlös" eines jeden Absatzsystems zu erkennen. Das ist ihr möglich, denn eine jeweilige hohe Faktorenladung von einer Einflußgröße in einem Faktor, der wiederum mit der Zielgröße hoch korreliert ist, läßt auf eine hohe Korrelation oder ursächlichen Zusammenhang dieser Einflußgröße mit der Zielgröße schließen. [49)]

Durch derartige Vergleiche ist eine Unternehmensleitung in der Lage, ihre Kunden- bzw. Absatzpolitik zu überprüfen. Dazu muß sie aber zusätzlich vergleichen, ob in Übereinstimmung mit den Kunden eines untersuchten Absatzsystems die dominierenden Einflußgrößen in ihrer Art und Stärke beabsichtigt gewesen sind.

Diese letzte Untersuchung ist jedoch erst nach einer Faktoren- und Clusteranalyse, in denen die Absatzsysteme abgegrenzt wurden, durchzuführen. Eine Unternehmungsführung kann danach mit einer zweiten Faktorenanalyse, die allein mit den Kundendaten eines Absatzsystems vorzunehmen ist, zu den vorher geschilderten Aussagen gelangen.

Es dürfte deutlich geworden sein, daß die Matrix A keinesfalls nur als Hilfskonstruktion für die Ermittlung der Matrix F zu verwenden ist.

Die Gewinnung einer Matrix A ist einzig unter Einbezug einer Korrelationsmatrix R und der Beziehung $R = A \cdot A'$ möglich. [50)] Die Werte der Matrix R sind zu erhalten, indem die zwischen den t-Absatzvariablen der Matrix Z (s. S. 122) möglichen Einfach-Korrelationen berechnet werden. Die t x t Korrelationsmatrix R kann als reell-symmetrische Matrix nach einem Satz über reel-symmetrische Matrizen auch als Produkt ihrer Eigenwerte und Eigenvektoren dargestellt werden:

49) Ebenso Hillmann und Jahn: Die Faktorenanalyse – eine Arbeitsmethode der Verkehrsplanung, in: Die Straße, 5. Jg., Heft 12, Dez. 1965, S. 622.

50) A' ist die transponierte Matrix der Matrix A. Zur Berechnung vgl. Zurmühl, R.: Matrizen, a.a.O., S. 9.

$$R = L \cdot \Lambda \cdot L'$$

oder

$$R = L \cdot \Lambda^{\frac{1}{2}} \cdot \Lambda^{\frac{1}{2}} \cdot L'$$

wo L: Matrix der Eigenvektoren
Λ : Matrix der Eigenwerte
L: transponierte Matrix der Eigenvektoren

Aus diesem Beziehungszusammenhang läßt sich schließen, daß

$$A = L \cdot \Lambda^{\frac{1}{2}}$$ ist.[51]

Die Berechnung der Matrix L und Λ ist z.B. mit der Jacobi-Methode durchzuführen.[52]

Zwar gelingt die Bestimmung einer Matrix A über das Gleichungssystem $R = L \cdot \Lambda \cdot L'$, doch ist sie nicht eindeutig. Eine Matrix A der Faktorenladungen läßt sich stets gewinnen, aber i.d.R. ist die berechnete Matrix A nicht die optimale Lösung für die Faktorenanalyse.[53] Sie würde erzielt sein, wenn eine Einfachstruktur gefunden würde. Diese ist durch die Tatsache gekennzeichnet, daß im Gegensatz zum Absatzvariablenraum der Faktorenraum wesentlich weniger Dimensionen hat. Der ursprüngliche Variablenraum würde durch den Faktorenraum optimal approximiert sein und in dem Faktorenraum wären die Faktoren einwandfrei zu interpretieren. Auf den letzten Punkt kommt es besonders an, denn die Zuordnung der Ausgangsvariablen (α_i, β_l, er, y) zu den Faktoren muß eindeutig sein.[54] Mit Hilfe einer Rotation eines bestimmten Bezugssystems, nämlich dem Koordinatensystem, in dem die Faktorenladungen eingetragen sind und dessen Achsen die

---

51) Vgl. dazu Zurmühl, R.: Matrizen, a.a.O., S. 184f.; Pawlik, K.: Dimensionen . . . , a.a.O., S. 452f. und Schwarz, H.R., u.a.: Numerik . . . , a.a.O., S. 109f.

52) Zur Jacobi-Methode und anderen Lösungsverfahren vgl. Pawlik, K.: Dimensionen . . . , a.a.O., S. 81f. und Zurmühl, R.: Matrizen, a.a.O., S. 308f. Zur Programmierung des Jacobi-Verfahrens vgl. die Literaturangaben bei Pawlik, S. 81 und die Algol-Prozedur bei Schwarz, H.R., u.a.: Numerik . . . , a.a.O., S. 121.

53) Vgl. dazu Pawlik, K.: Dimensionen . . . , a.a.O., S. 174f. und Heidemann, C., und J.Doormann: Statistische . . . , a.a.O., S. 120f.

54) Zur Identifikation und Interpretation von Faktoren vgl. Pawlik, K.: Dimensionen . . . , a.a.O., S. 256f.

Faktoren bilden (vgl. Abb. 30), kann die Einfachstruktur ermittelt werden. 55)

Analytisch ist die Achsenrotation nach dem Varimax- oder dem Quartimax-Kriterium vorzunehmen. Die Lösungsschritte zu diesem Verfahren sind in der Literatur bis zur Programmierung zu finden. 56)

Eine Faktorenanalyse wird durch die Rotation zur Einfachstruktur i.a. erst sinnvoll, weil durch die Rotation jene hypothetischen Zusammenhänge der Absatzvariablen und der Faktoren entdeckt werden können, die eine saubere Erklärung der Faktoren als Oberbegriffsgrößen zulassen.

Für die Clusteranalyse sind weniger die Erkenntnismöglichkeiten durch die Matrix A entscheidend als die Tatsache, daß die Matrix F mit den Matrizen A und Z zu bestimmen ist. Die richtigen Faktorenwerte f_{ap} liegen mit der Lösung des Gleichungssystems $F = Z \cdot A^{-1}$ vor. Die Kundenwerte der Absatzvariablen sind dabei in die Faktorwerte der unabhängigen Faktoren transformiert. Ein Management ist mit dem erzeugten orthogonalen Koordinatensystem der Faktoren in der Lage, die Clusteranalyse zur Abgrenzung der Absatzsysteme vornehmen zu können. Es kommt dadurch einen wesentlichen Schritt auf dem Weg zur Abbildung der Absatzsystemzustände voran.

2.3.3.2 Die Clusteranalyse

Die individuellen Strukturunterschiede der Kunden eines Unternehmens machen eine Kundengruppeneinteilung schwierig. Die Clusteranalyse befähigt eine Unternehmungsführung zu klaren Kundenzuordnungen zu relativ homogenen Gruppen (Absatzsystemen). Die euklidischen Entfernungen dienen dabei als Maß für die Ähnlichkeit der Kunden. Sie sind zwischen den Kunden a (a = 1, . . . , m) im Faktorraum zu berechnen, weil mit den abhängigen Absatzkostenvariablen nur ein schiefwinkliges Koordinatensystem vorläge, in

55) Vgl. Sauberer, M.: Anwendungsversuche . . . , a.a.O., S. 176 und seinen Hinweis auf den „Bargmann-Test" zum Nachweis der Einfachstruktur sowie Heidemann, C.: Gesetzmäßigkeiten städtischen Fußgängerverkehrs, Bad Godesberg 1967, S. 49f. und S. 59f.

56) Vgl. zu diesen Verfahren Harman, H.H.: Modern factor analysis, 2. Aufl., Chicago 1962, S. 301f.; Hermes, H., und E.Mittenecker: Methoden . . . , a.a.O., S. 90f.; Pawlik, K.: Dimensionen . . . , a.a.O., S. 204f. und Überla, K.: Faktorenanalyse, a.a.O., S. 208f.; bei Überla ist auf S. 346 ein Rotoplot-Programm zu finden, nach dem die rotierten Faktorenladungen auch gezeichnet werden können. Zur Berechnung und Rotation der Faktorenladungen vgl. ebenfalls Ondrick, C.W., und G.S.Srivastava: Corfan-Fortran IV . . . , a.a.O., S. 1f.

dem Entfernungsmessungen unsinnig wären. Die Matrix F der Faktorwerte f_{ap} ist darum mit der Faktorenanalyse zu ermitteln (s. S. 122) und anschließend der Faktorraum zu erzeugen. Dies geschieht, indem räumlich für jeden Kunden ein Kundenpunkt mit den f_{ap}-Kundenwerten über die r-Achsen der Faktoren F_p ($p = 1, \ldots, r$) abgebildet wird.

Nach folgenden Verfahrensschritten ist zu handeln, um die Entfernungen im Faktorraum zur Absatzsystembestimmung ermitteln zu können:

1. Schritt: Es sind in einer m x (n + r + 2) Matrix für die Kunden a ($a = 1, \ldots, m$) deren Merkmalswerte α_i, β_l, er und y zusammenzustellen: [57]

$$X = \begin{vmatrix} \alpha_{11} & \alpha_{21} & \cdots & \alpha_{n1} & \beta_{11} & \beta_{21} & \cdots & \beta_{r1} & er_1 & y_1 \\ \alpha_{12} & \alpha_{22} & \cdots & \alpha_{n2} & \beta_{12} & \beta_{22} & \cdots & \beta_{r2} & er_2 & y_2 \\ . & . & \cdots & . & . & . & \cdots & . & . & . \\ \alpha_{1m} & \alpha_{2m} & \cdots & \alpha_{nm} & \beta_{1m} & \beta_{2m} & \cdots & \beta_{rm} & er_m & y_m \end{vmatrix}$$

2. Schritt: Die Werte der Matrix X sind spaltenweise zu normieren und in einer Matrix Z zu speichern. [58] Dabei ist für die unterschiedlichen Symbole α_{ia}, β_{lr}, er_a und y_a der Merkmalswerte der Kun-

57) Vgl. dazu S. 95, die Strukturmatrix SM_3 auf S. 108 und den Anweisungskatalog auf S. 96. Statt der Erlöswerte y_a könnten auch die summarischen Erlösanteile

$u_{ea} = \sum_{c=1}^{v} u_{ec}$ für die Verkäufe der Produkte e ($e = 1, \ldots, q$) nach den

Rechnungen c ($c = 1, \ldots, v$) eines jeden Kunden a eingesetzt werden. Ein solches Vorgehen hätte den Vorteil, daß mit einer derart erweiterten Matrix X nur solche Kunden zu Absatzsystemen (Cluster) zusammengefaßt würden, die sowohl in der Absatzmittelbeanspruchung als auch in der Produktabnahme homogen wären. Wir beschränken uns in dieser Untersuchung auf die oben angegebene Matrix X.

58) Die (0,1)-normierten Werte z_{aj} (mit korrekter Index-Bezeichnung) sind zu erhalten, indem für jedes Merkmal j von den individuellen Kundenwerten einer Matrixspalte der Mittelwert subtrahiert und die Ergebnisse durch die Standardabweichung dividiert werden. Eine (0,1)-Transformation hat i.a. keinen Einfluß auf die Absatzsystembildung. Sie ist aber bei einer Beurteilung der Lage der Absatzsysteme im Koordinatensystem zu berücksichtigen. Zur Skalierung der Datenmatrix vgl. Pawlik, K.: Dimensionen . . . , a.a.O., S. 46f.

den ein einheitliches Zeichen z_{aj} zu wählen, wo a = 1, . . . , m und j = 1, . . . , t mit t = n + r + 2.[59)]

$$Z = \begin{vmatrix} z_{11} & z_{12} & z_{13} & \cdots & z_{1t} \\ z_{21} & z_{22} & z_{23} & \cdots & z_{2t} \\ . & . & . & \cdots & . \\ z_{m1} & z_{m2} & z_{m3} & \cdots & z_{mt} \end{vmatrix}$$

3. Schritt: Es sind alle zwischen den t Variablen möglichen Einfach-Korrelationen zu berechnen nach der bekannten Formel

$r = \frac{s_{xy}}{\sqrt{s_x \cdot s_y}}$.[60)] Das ergibt die t x t Korrelationsmatrix R:

$$R = \begin{vmatrix} 1{,}0 & r_{12} & r_{13} & \cdots & r_{1t} \\ r_{21} & 1{,}0 & r_{23} & \cdots & r_{2t} \\ r_{31} & r_{32} & 1{,}0 & \cdots & r_{3t} \\ . & . & . & \cdots & . \\ r_{t1} & r_{t2} & r_{t3} & \cdots & 1{,}0 \end{vmatrix}$$

---

59) Die Anzahl der Variablen entspricht der Anzahl (t = n + r + 2) der n direkten und r semidirekten Absatzmittelkosten zuzüglich der beiden Merkmale Kundenerlös und Erlösminderung. Die Anzahl erhöht sich um q - 1, wenn statt des Erlöses die Erlösanteile u_{ea} berücksichtigt werden (vgl. Anm. 57, Satz 2).

60) Vgl. dazu z.B. Pfanzagl, J.: Allgemeine Methodenlehre der Statistik II, Berlin 1966, S. 270f. und Weber, E.: Grundriß der Biologischen Statistik, Stuttgart 1967, S. 362f.

4. Schritt: Aus dem Matrizengleichungssystem $Z = F \cdot A$ (s. S. 122) sind die Faktorwerte f_{ap} der Faktorwertematrix F unter Verwendung der Gleichung $R = A \cdot A'$ zu bestimmen.[61)]

Die Gleichung

$F \cdot A = Z$ ist durch Multiplikation mit der inversen Matrix A^{-1} nach der Matrix F der Faktorwerte auszulösen:

$$F = Z \cdot A^{-1}$$

Die Matrix Z ist aus Schritt (2) bekannt. Die Inverse A^{-1} läßt sich bilden, wenn die Matrix A ermittelt ist.[62)] Die Matrix R ist als das Produkt ihrer Eigenwerte und Eigenvektoren aufzufassen um die Matrix A nach der Gleichung $A = L \cdot \Lambda^{\frac{1}{2}}$ bestimmen zu können (s. S. 127).
Die Berechnung der Matrix der Eigenvektoren L und der Diagonalmatrix Λ hat aus rechentechnischen Gründen am besten nach der Jacobi-Methode zu erfolgen.[63)] Die Rotation zur Einfachstruktur (s. S. 128) braucht zu diesem Zeitpunkt nicht vorgenommen zu werden. Es geht vorerst nicht darum, eine einwandfreie Interpretation der Faktoren zu ermöglichen, sondern um die Gewinnung der Faktorwerte der Matrix F. Das kann

---

61) Vgl. zu den Zusammenhängen und zur Lösung der Gleichungen Pawlik, K.: Dimensionen . . . , a.a.O., S. 48f. und S. 58f.; Überla, K.: Faktorenanalyse, a.a.O., S. 93f.; Hermes, H., und E.Mittenecker: Methoden der Logik und Mathematik, Statistische Methoden, München 1968, S. 89 sowie die dortigen Literaturangaben; Heidemann, C., und J.Doormann: Statistische . . . , a.a.O., S. 112f. und zur Programmierung Demirmen, F.: Multivariate Procedures and Fortran IV Program for Evaluation and Improvement of Classifications, in: Computer Contribution 31, Hrsg. D.F.Merriam, University of Kansas, Lawrence 1969 und Ondrick, C.W., und G.S.Srivastava: Corfan-Fortran IV Computer Program for Correlation, Factor Analysis (R- and Q-Mode) and Varimax Rotation, in: Computer Contribution 42, Hrsg. D.F.Merriam, University of Kansas, Lawrence 1970.

62) Zur Berechnung der inversen Matrix A^{-1} aus A vgl. Zurmühl, R.: Matrizen, a.a.O., S. 33.

63) Zur Jacobi-Methode und anderen Lösungsverfahren vgl. Pawlik, K.: Dimensionen . . . , a.a.O., S. 81f. und Zurmühl, R.: Matrizen, a.a.O., S. 308f. Zur Programmierung des Jacobi-Verfahrens vgl. die Literaturangaben bei Pawlik, S. 81 und die Algol-Prozedur bei Schwarz, H.R., u.a.: Numerik . . . , a.a.O., S. 121.

nach Anwendung der Jacobi-Methode und nach der Ermittlung der Inversen von A mit der Multiplikation der Matrizen Z und A^{-1} geschehen. In der m x r Faktorwertematrix F

$$F = \begin{vmatrix} f_{11} & f_{12} & f_{13} & \dots & f_{1r} \\ f_{21} & f_{22} & f_{23} & \dots & f_{2r} \\ . & . & . & \dots & . \\ f_{m1} & f_{m2} & f_{m3} & \dots & f_{mr} \end{vmatrix}$$

stehen für jeden Kunden a (a = 1, . . . , m) die erforderlichen orthogonalen Werte f_{ap} [(a = 1, . . . , m); (p = 1, . . . , r)] für die Clusteranalyse zur Verfügung. Sie ersetzen die untereinander abhängigen Werte der Matrix X (vgl. Schritt 1). Mit den f_{ap}-Daten der Faktoren F_p sind in dem r-dimensionalen Raum mit den Faktorachsen p (p = 1, . . . , r) die Entfernungen d_{ij} zwischen jedem Kundenpunkt a = i und allen übrigen Punkten a = j (i ≠ j) zu berechnen. Die Entfernung z.B. zwischen den zwei Kundenpunkten a = 2 und a = 3 ist nach der Formel

$$d_{23} = \sqrt{(f_{21} - f_{31})^2 + (f_{22} - f_{32})^2 + \dots + (f_{2r} - f_{3r})^2}$$

$$= \sqrt{\sum_{q=1}^{r} (f_{2p} - f_{3p})^2} \qquad \text{zu ermitteln.}$$ [64)]

Alle Distanzen sind in einer m x m Dreiecksmatrix zu speichern (s. S. 118). Die Punkte mit der kürzesten Entfernung bilden eine erste Gruppe (Absatzsystem). Der weitere Verfahrensablauf der Clusteranalyse zur Bestimmung der Absatzsysteme wurde schon geschildert (s. S. 128).

Bei der Clusteranalyse besteht die Gefahr, daß letztlich die Absatzsysteme nacheinander vereinigt werden, so daß zum Schluß allein ein einziges Absatzsystem übrig bleibt. Es ist deshalb ein Kriterium einzuführen, das bis zur Bildung einer optimalen Anzahl homogener Gruppen die Analyse voranschrei-

64) Vgl. Heidemann, C., und J.Doormann: Statistische . . . , a.a.O., S. 126f. und Wishart, D.: Fortran . . . , a.a.O., S. 3.

ten läßt, sie aber danach abbricht. Dazu ist der Quotient SG/ST nach jedem neu gewonnenen oder erweiterten Absatzsystem zu berechnen. [65] Es bedeutet SG die Summe der einzelnen Entfernungsstreuungen innerhalb der bestehenden Gruppen.

Die Ermittlung jedes Streuungswertes eines Absatzsystems hat von dem Gruppenschwerpunkt des Systems aus zu erfolgen. Die Gesamtstreuung ST der Distanzen ist vom gemeinsamen Schwerpunkt aller Kundenpunkte in dem Koordinatensystem der Faktorwerte zu bestimmen.

Die Clusteranalyse ist nur soweit fortzuführen, bis der SG-Wert einen Anteil von 5 ÷ 10 % des ST-Wertes erreicht, weil sonst die Abweichungen der Kunden untereinander zu groß werden können. Eine strenge Abbruchschranke, welche die optimale Kompaktheit der Absatzsysteme sichert, gibt es nicht. Werden die SG/ST-Werte jedoch graphisch aufgetragen (vgl. das Beispiel in Abb. 31), so ist i.a. klar zu entscheiden, wann eine weitere Zusammenfassung abzubrechen ist. Dies hat spätestens nach jener Gruppe in der Nähe der 10 % Abbruchschranke zu geschehen, nach der der Abstand zu dem nächsten Verhältniswert SG/ST unverhältnismäßig stark ansteigt.

Allerdings ist hierzu eine Einschränkung zu machen. Absatzsysteme sollten vorerst nur soweit vereinigt werden, wie dies jeweils den Absatzstrate-

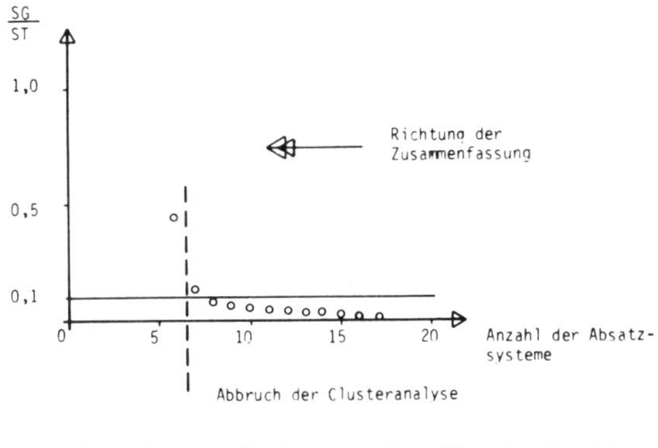

Abb. 31: Graphisches Verfahren zur Bestimmung des Abbruchs einer Clusteranalyse

65) Wir folgen hier dem Gedankengang von Heidemann, C., und J.Doormann: Statistische . . . , a.a.O., S. 128f. Vgl. auch das Verfahren von Amedeo, D.: An optimization approach to the identification of a system of regions, in: The Regional Science Association Papers, Hrsg. Morgan D.Thomas, Vol. 23, University of Washington 1969, S. 25f.

gien einer Unternehmungsführung entspricht. D.h. es ist zu überprüfen, ob den zusammengefaßten Absatzsystemen auch eine einzelne Strategie aus der Vergangenheit gegenübersteht. Primär kann nur jener Absatzsystemzustand erklärt werden, dessen Zustandekommen durch *eine* strategische Entscheidung begründet ist. Es ist darum sehr wohl möglich, daß ein (erster) Abbruch der Clusteranalyse vor der 5 ÷ 10 % Schranke zu erfolgen hat. Unter Berücksichtigung ihrer strategischen Zusammengehörigkeit sind danach mit den übrigen ursprünglichen Absatzsystemen erneut weitere Zusammenfassungen vorzunehmen. Das hat soweit zu geschehen, bis eben bei einem unverhältnismäßig starkem SG/ST-Verhältnissprung in der Nähe der 5 ÷ 10 % Schranke der Vereinigungsprozeß endgültig zu stoppen ist.

Der methodische Arbeitsablauf zur Bildung von homogenen Kundengruppen oder Absatzsystemen führt über Strukturmatrizen zur Cluster- und Faktorenanalyse. Die Strukturmatrizen stellen die formalen Ordnungsschemata zur Aufnahme der Erlös- und Absatzkostendaten der Kunden einer Unternehmung dar. Sie eignen sich selbst bei unterschiedlichen Transformationen der Matrizendaten kaum für eine eindeutige Bestimmung von Kundengruppen bzw. Absatzsystemen. Die Strukturmatrizen bilden aber die Grundlage für die Cluster- und Faktorenanalyse, mit denen analytisch Absatzsysteme zu berechnen sind.

Die überwiegend streng mathematische Vorgehensweise zur Clustergewinnung sieht teilweise relativ unanschaulich aus. Erst beim Praktizieren werden einzelne Schritte verständlicher werden. Aber auch die folgende Diskussion zur Clusteranalyse macht u.E. einiges deutlicher und hilft, Fehler zu vermeiden.

Diskussion zur Clusteranalyse

Die mit der Clusteranalyse direkt gewonnenen Absatzsysteme j enthalten einzig Kunden, deren Merkmalswerte nur geringfügig voneinander abweichen. Kunden mit relativ gleichen Erlös- und Absatzkostendaten werden mit dem Rechenverfahren der Clusteranalyse nicht zusammengefaßt. Der Grund dafür liegt in der im ersten Verfahrensschritt (vgl. S. 129) aufgestellten Matrix X. In ihr stehen absolute Werte und keine Verhältniszahlen. An Abb. 32 sei demonstriert, welche Auswirkungen das hat.

Würden die Merkmalswerte eines jeden Kunden zu einer bestimmten Größe (z.B. zu den Gesamtabsatzkosten eines jeden Kunden) ins Verhältnis gesetzt (wie in SM_4 auf S. 109), dann ist es denkbar, daß clusteranalytisch statt der sieben Absatzsysteme nur zwei ermittelt würden. Die Kunden der

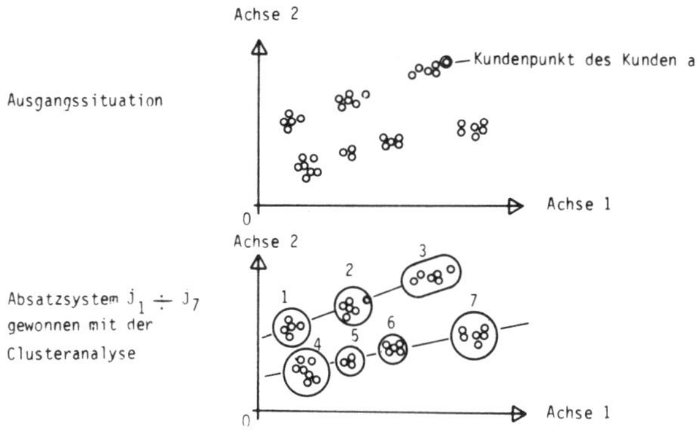

Abb. 32: Demonstrationsbeispiel zur Clusteranalyse

Absatzsysteme $j_1 \div j_3$ bildeten z.B. wie die Warenabnehmer der Absatzsysteme $j_4 \div j_7$ jeweils ein System. Wird aber die beschriebene Matrix X als Ausgangsbasis gewählt, so ergeben sich alle abgebildeten Absatzsysteme $j_1 \div j_7$. Diese Vorgehensweise ist u.E. berechtigt und gegenüber dem Verfahren mit relativen Ausgangsdaten vorzuziehen. Das läßt sich an einer Diskussion über die verschiedenen Absatzstrategien und Zielvorstellungen einer Unternehmensleitung zeigen. Folgende Fälle sind z.B. denkbar:

Fall (1) Mit jeder Strategie sollen von den Kunden, bei festen gleichartigen Kombinationen von Absatzmitteleinsätzen, gleichhohe Erlöse (Umsätze) erzielt werden. Den potentiellen Käufern wird also je nach Absatzstrategie jeweils ein ausgewähltes „Paket“ von Absatzmitteleinsätzen angeboten; dafür sollen sie entsprechend gleiche Warenmengen beziehen.

Nahmen die Kunden die Strategien an, so müßten die einer Strategie zugehörigen Warenabnehmer bei einer einzigen Merkmalskombination im Koordinatensystem zu finden sein. Mit der geschilderten Clusteranalyse wird diese Annahme bestätigt werden, und die Kunden einer Strategie werden jeweils in einem Cluster (Absatzsystem) zusammengefaßt sein. Zu einem derartig eindeutigen Ergebnis würde eine Unternehmensleitung aber nicht gelangen, wenn sie die Clusterbestimmung mit Verhältniswerten in der Ausgangsmatrix X vornehmen ließe.

Hat eine Unternehmungsführung vor den eingeleiteten Absatzstrategiemaßnahmen zusätzlich festgelegt, welche Kunden mit jeder Strategie erreicht werden sollen, so ist eine Gegenüberstellung nach Abb. 33 sinnvoll. [66)]

fiktive Absatzsysteme f (f = 1, . . . , s), an die sich die Absatzstrategien richteten		clusteranalytisch bestimmte Absatzsysteme j (j = 1, . . . , w)	
System (1) mit der Kundengruppe	g_1	System (1) mit der Kundengruppe	r_1
System (2) mit	g_2	System (2) mit	r_2
.	.	.	.
.	.	.	.
.	.	.	.
System (s) mit	g_s	System (w) mit	r_w

Abb. 33: Gegenüberstellung fiktiver und clusteranalytisch bestimmter Absatzsysteme zur Strategienkontrolle

Es stehen sich die angestrebten (fiktiven) und die tatsächlich vorgefundenen Absatzsysteme gegenüber. Durch eine Abfrage ist zu ermitteln, ob die Kunden eines Systems f auch überwiegend in einem clusteranalytisch gewonnenen Absatzsystem j anzutreffen sind. Mit einer solchen Überprüfung kann eine Unternehmensleitung sich die Kenntnis verschaffen, ob die durchgesetzten Absatzstrategien in ihren Auswirkungen den Zielvorstellungen entsprechen. Das Management muß dazu allerdings ergänzend die Analyseuntersuchungen von S. 113 im MEIS durchführen. Es kann sich nicht auf formale Kundenvergleiche beschränken.

Fall (2) Den zuvor inhaltlich als starr gekennzeichneten Absatzstrategien stehen die Strategien mit relativ variablen Konzeptionen gegenüber. Die einzelnen strategischen Pläne zeichnen sich dadurch aus, daß sie ebenfalls jeweils eine bestimmte Auswahl an Absatzmitteln zugrunde legen. Doch unterscheiden die Strategien sich von den vorheri-

66) Eine Gegenüberstellung von fiktiven und clusteranalytisch bestimmten Absatzsystemen ist natürlich bei allen Strategietypen sinnvoll.

gen, weil, je nach Kundenanforderung, auch umfangmäßig verschieden große Absatzmitteleinsätze zugelassen sind. Es wird angestrebt, mit größeren Absatzmittelmengen entsprechend höhere Erlöse zu erzielen. Als Ergebnis könnten z.B. die Absatzsysteme $j_1 \div j_7$ mit der Clusteranalyse nachgewiesen werden (vgl. Abb. 32). Die Merkmalswerte der Cluster $j_1 \div j_3$, aber auch von $j_4 \div j_7$, stehen in einem besonderen Verhältnis. Sicherlich wäre es richtig, wenn die Kunden in zwei Absatzsysteme zusammengefaßt würden. Dazu müßten die Daten der Ausgangsmatrix X in Verhältniswerte überführt werden. Ein Algorithmus hätte bekannt zu sein, mit dem es gelänge, die empirischen Merkmalswerte strategiebezogen relativ gleichartig zu machen. Das ist i.a. wohl selten möglich. Deshalb ist es vernünftig, die Kundendaten unverfälscht zu belassen.

Fall (3) Als dritter Unterscheidungsfall ist eine Kombination von Strategien der ersten und zweiten geschilderten Art denkbar. Es wäre verhängnigvoll, wenn in einer Clusteranalyse versucht würde, die Kundendaten der Matrix nicht unverändert in die Berechnungen einzubeziehen. Dasselbe gilt bei Strategien, in denen eine Unternehmensleitung nur gewillt ist, einzig einen Teil der Absatzmittel beschränkend zu beeinflussen. D.h. ihr ist es gleich, in welchem Maße bestimmte andere Absatzmittel von den Kunden beansprucht werden. Entscheidend für sie ist der Erlös- und Deckungsbeitragsanstieg.

Damit das Management eines Unternehmens keine falsche Kenntnis vom Absatzgeschehen und Kundenverhalten erhält, ist in einer Clusteranalyse mit den ursprünglichen Erlös- und Kostendaten zu rechnen. Erst danach, wenn die Bedeutung der einzelnen homogenen Absatzsysteme erkannt ist, ist zu überprüfen, ob eine weitere Zusammenfassung von Absatzsystemen gerechtfertigt ist.

Erkennt beispielsweise eine Unternehmensleitung, daß zwischen bestimmten Achsen des multidimensionalen Koordinatensystems des Faktorenraumes mehrere Cluster nahe beieinander liegen, die auf verschiedene Absatzstrategien zurückzuführen sind, so kann sie vor folgender Tatsache stehen:

Ihre in der Vergangenheit eingeleiteten Strategien (n) wurden von den dazugehörigen Kunden (k) nicht angenommen. Vielmehr haben die Kunden (k) sich in ihrem Kaufverhalten und in ihrer Inanspruchnahme der Absatzmittel strukturell einer solchen Kundengruppe genähert, für die eine Strategie (a) geplant war. Die ursprünglich vorgesehenen Maßnahmen (n) gelangten gar nicht zur Ausführung. Das Management hatte also die Käuferanforderungen verkannt und anfangs Fehlentscheidungen getroffen. Für die Kunden (k) waren bezüglich der Absatzmitteleinsätze Dispositionen nötig, die den Dispositionen der Strategie (a) ähnlich gewesen sind. Aus diesem Grund dürfte es gerechtfertigt sein, wenn die Absatzsysteme der Strategien (n) und (a) vereinigt werden. Sie sind insgesamt durch eine einzige Erlösfunktion zu erklären. An diesem Beispiel wird zusätzlich deutlich, welche Bedeutung die Clusteranalyse als Erfolgskontrolle hat.

Eine Unternehmungsführung muß, um zu einer klaren Beurteilung der Zusammengehörigkeit der einzelnen Absatzsysteme zu kommen, die Kundenpunkte bzw. die Absatzsysteme mit den Faktorachsen des Faktorenraumes in die Zeichenebene projizieren. Sie ist dazu gezwungen, weil von ihr sonst bestehende Beziehungsstrukturen zwischen den Absatzsystemen nicht erkannt werden.

Eine Projektion ist durchaus sinnvoll, weil die ursprüngliche Vielzahl von Absatzvariablen auf wenige Faktoren mit der Faktorenanalyse reduziert wurde. [67] Meistens ist die Punktekonfiguration der Kunden mit ausreichender Genauigkeit durch drei Faktoren zu reproduzieren. Deshalb können die Kundenpunkte bzw. die Cluster auf die Koordinatenebenen der Faktoren nach den Werten der gewonnenen Faktorwertematrix F (s. S. 122) abgebildet und leicht auf eine weitere Zusammenfassung überprüft werden. [68]

In einem fortgeschrittenen Stadium der Clusterbildung wird z.B. festgestellt, daß bei einer rechnerisch ermittelten Vereinigung der Cluster c_4 und c_9 (vgl. Abb. 34) Kunden zusammengefaßt würden, für die ursprünglich unterschiedliche Absatzstrategien von der Unternehmensleitung vorgesehen waren.

Die Punkte bzw. die Cluster müssen in der Zeichenebene abgebildet werden, um sicher erkennen zu können, ob die Lage der Kundenpunkte von c_9 und c_4 tatsächlich auf ähnliche absatzpolitische Dispositionen schließen läßt. Erst dann ist eine Beurteilung möglich. Der Einfachheit halber gehen wir davon aus, daß sich die Ursprungsvariablen schon von zwei Faktoren F_1 und F_2 optimal erklären lassen.

---

67) Wir gehen davon aus, daß bei der Clusteranalyse eine Faktorenextraktion vorgenommen und die Faktorwerte nach der Jacobi-Methode berechnet wurden. Vgl. dazu u.a. Pawlik, K.: Dimensionen . . . , a.a.O., S. 84 und S. 131f.

68) Ein Zeichenprogramm dazu ist zu entnehmen bei Ondrick, C.W., und G.S.Srivastava: Corfan-Fortran . . . , a.a.O., S. 29f.

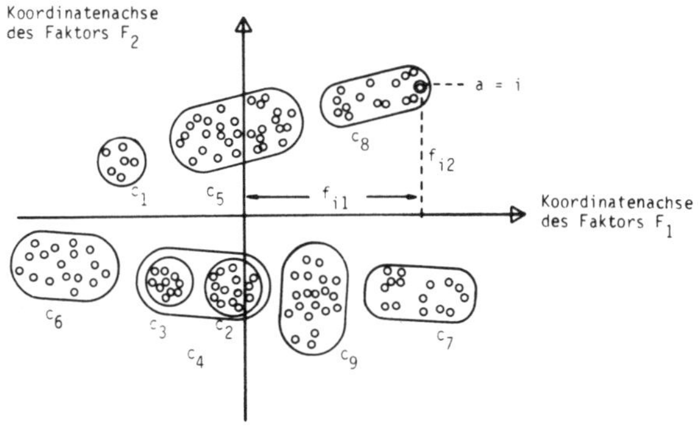

Abb. 34: Clusterprojektionen auf die Faktorebene F_1 F_2

Nach Abb. 34 spricht alles für eine Aufhebung der Trennung der Absatzsysteme c_4 und c_9. Es ist offensichtlich, daß trotz Branchenfremdheit (Annahme!) die Kunden beider Systeme gleichartige Anforderungen an das Unternehmen in der Vergangenheit gestellt haben, denen das Verkaufsmanagement auch nachgekommen ist. Die zu Beginn der Absatzperiode aufgestellte Strategie für das Absatzsystem c_9 wurde also nachträglich z.B. wegen der Absatzsystemdynamik (Eigendynamik) oder einer veränderten Marktsituation korrigiert.

Aufgrund der Verteilung der Absatzsysteme in dem Koordinatensystem von Abb. 34, empfiehlt es sich, jeweils insgesamt für die Cluster c_1, c_5, c_8 bzw. c_6, c_4, c_9, c_7 eine Erlösfunktion aufzustellen.

Ist anhand der Cluster-Projektionen entschieden, welche Absatzsysteme zu einem System zu vereinigen sind, dann sollte bei der späteren Erlösfunktionsermittlung nicht in dem bestehenden Faktorenraum weitergerechnet werden. Dafür besteht ein wichtiger Grund. Infolge der Inhomogenität der Kunden wird die Art und die Anzahl der gewonnenen extrahierten Faktoren eine andere sein, als wenn nur für die Kunden jenes Absatzsystems die Faktoren bestimmt würden, für die nach der Clusteranalyse eine Erlösfunktion zu ermitteln ist. [69] Deshalb muß eine kritische Unternehmensführung die geschilderten Schritte 1 ÷ 4 der Faktorenanalyse (vgl. S. 129) nochmals durchführen, um die Faktoren bzw. die dominierenden Einflüsse auf das einzelne Absatzsystem ohne Einwirkung der anderen Systeme zu erhalten. Die Ausgangsmatrix X enthält in diesem Fall allein die Merkmalswerte der Kun-

69) Vgl. Überla, K.: Faktorenanalyse, a.a.O., S. 359.

den des einen Absatzsystems. Die Rotation zur Einfachstruktur ist bei der Faktorenanalyse für ein Absatzsystem unbedingt vorzunehmen, damit eine bestmögliche Interpretation der Faktoren des Absatzsystems gewährleistet ist.

Das Management einer Unternehmung sollte mit diesen Ergänzungen zur Clusteranalyse von der Methode her in der Lage sein, sinnvolle Absatzsysteme zu bilden.

Handlungsgrundlagen für Absatzanalysen sind die Kundendaten. Es wird im nächsten Abschnitt geschildert, wie die Daten für die Kunden und Absatzsysteme zu gewinnen sind.

2.4 Die Datengewinnung für die einzelnen Kunden und Absatzsysteme (mit Beispielen)

Speziell für die Entscheidungsphase der Analyse und Erklärung der unternehmerischen Absatzsituation wurden das MEIS und die Grundlagen für die praktische Bestimmung der Erlösfunktionen soweit geschildert, daß für die Durchführung einer Erklärung eines Absatzsystemzustandes nur noch zwei Problembereiche darzustellen sind:

1. Der Komplex der Gewinnung der betrieblichen Erlös- und Absatzkostendaten.
   Es werden dafür in diesem Abschnitt die nötigen Verfahren der Informationserschließung mit der Informationsgewinnung erörtert. Wir befassen uns erst jetzt nach den Strukturmatrizen, der Clusteranalyse und der Faktorenanalyse mit dem Problemkreis der Datenermittlung, weil nun gesichert ist, daß gewonnene Daten auch wirklich ihre vorgesehene Verwendung finden können. Zumindest deskriptive Analysen der Absatzsysteme sind mit den vorgestellten Verfahren und mit den entsprechenden Daten zu erreichen.
2. Die Möglichkeiten der realen Abbildung der Kundenwerte oder der Kundenpunkte eines Absatzsystems in einem mehrdimensionalen Koordinatensystem durch eine mathematische Funktion (Erlösfunktion).
   Die Methoden werden dafür im 3. Abschnitt (s. S. 167) behandelt. Die „Software" des Entscheidungssystems ist nach der Behandlung der beiden Problembereiche soweit entwickelt, daß eine Unternehmensleitung u.E. vertrauensvoll an die Realisierung des MEIS der Absatzpolitik herangehen kann, um später erfolgreich mit ihm zu operieren.

Wir verwenden bei der Angabe der Datengewinnungsverfahren zur Demonstration ihrer Brauchbarkeit Erhebungsergebnisse, die mit eigenen Untersuchungen in einem Großhandelsunternehmen erzielt wurden. Einwände, ein Großhandelsunternehmen stelle einen Sonderfall unter den Betriebswirtschaften dar, können für die Erfassung der Absatzmittelverbrauchsquanten nicht gelten. Wer sich klarmacht, welche prinzipiellen Aufgaben und Absatzmitteleinsätze auf den Absatzwegen der Großhandels-, Konsumgüter- und Produktionsgüterbetriebe zu erfüllen sind, wird das zugeben.

Eine Unternehmungsführung sollte bei ihren organisatorischen Maßnahmen für die Ermittlung und für die Weiterverarbeitung der Absatzkostenwerte (α_{ia}, β_{la}, er_a) sowie der Erlöswerte (y_a) folgende Gesichtspunkte berücksichtigen:

(1) Daten sind besonders als Führungsinformationen in einem computer-gestützten Entscheidungssystem für die Kontrolle, Realisierung und Vorbereitung von Entscheidungen bereitzuhalten und einzusetzen.[70)]

(2) Die Absatzkostenerfassung ist ein Meßvorgang. Sie ist als statistische Erhebung zu begreifen.[71)]

(3) Es sind die Betriebsvorgänge, die Kostenverursachungsprozesse, i.a. nicht determinierte, sondern stochastische Prozesse.[72)] Diese Tatsache ist durch die Art der Meßmethoden und der Auswertung der Meßdaten zu beachten. Die Verbrauchsvorgänge sind möglichst in funktionaler Abhängigkeit zu den Handlungs- oder Aktionsparametern festzustellen, so daß mathematische Kostenmodelle vorliegen.[73)]

---

70) Vgl. Wacker, W.H.: Betriebswirtschaftliche . . . , a.a.O., S. 235 und Löhr, H.-W.: Elektronische integrierte Datenverarbeitung im Bereich der Kostenrechnung als Beispiel zeitgemäßer Unternehmensführung, in: Beiträge zur Unternehmensführung und Unternehmensforschung, Hrsg. R.Schwinn, Würzburg-Wien 1962, S. 88f.

71) Ebenso Fraas, G.: Kostenverursachung und Kostenzurechnung, Berlin 1969, S. 33. Vgl. auch Hummel, S.: Wirklichkeitsnahe . . . , a.a.O., S. 21f., S. 150f. und S. 173 und Riebel, P.: Innerbetriebliche . . . , a.a.O., S. 60f. Zum Verhältnis Kostenstatistik-Kostenanalyse vgl. Mellerowicz, K.: Kosten und Kostenrechnung, Bd. 2, 4. Aufl., Berlin 1968, S. 487f.

72) Ebenso Fraas, G.: Kostenverursachung . . . , a.a.O., S. 38.

73) Vgl. Böckel, J.-J., und F.G.Hoepfner: Moderne Kostenrechnung, a.a.O., S. 125 und Rieper, B., und J.Waldmann: Programmierte . . . , a.a.O., S. 162.

(4) Absatzkosten entstehen aufgrund der unternehmerischen Entscheidung, einem Kunden oder einer Kundengruppe (Absatzsystem) in einem bestimmten Umfang Waren verkaufen zu wollen. Absatzmitteleinsätze erfolgen entsprechend den Absatzaufgaben, den Absatzstrategien und den Dispositionen nach der Art und Zusammensetzung der absatzpolitischen Mittel. Aus den Mittelbeanspruchungen bzw. den erbrachten Absatzleistungen erwachsen die Absatzkosten. Um sie eindeutig zu erfassen, sollten die Kosten nach den jeweiligen Funktionsausübungen berechnet werden, welche als Tätigkeiten für einen Absatzmitteleinsatz nötig waren (funktionale Gliederung der Absatzkosten). Die Kostenerfassung hat dafür soweit wie möglich direkt am betrieblichen Arbeitsplatz zu geschehen. [74] Es ist die Zurechnung der Absatzkosten und der Erlöse nach der Bezugsgrößenhierarchie (Rechnungsposition – Kundenrechnung – Kunde – Kundengruppe) von Abb. 25 vorzunehmen, und zwar je nach dem, auf welcher Hierarchiestufe die Zuordnung durchführbar ist.

(5) Die Daten sind im MEIS so zu speichern, daß sie für andere Auswertungen verfügbar und verwendbar sind (Zweckpluralismus).

Die fünf angeführten Grundsätze bestimmen auch unser Vorgehen. Die von uns entwickelten Verfahren zur Informationsgewinnung berücksichtigen die aufgestellten Forderungen.

Es wird davon ausgegangen, daß zumindest für das Rechnungswesen eines Unternehmens eine ADV-Anlage (Massen-ADV) benutzt wird. Wir werden versuchen zu verdeutlichen, wie je nach Zurechenbarkeit die Erlöse und Absatzkosten für einen Kunden oder eine Kundengruppe zu ermitteln sind. Dabei ist es unser Bestreben zu zeigen, wie von dem elektronisch gespeicherten Erlös einer Kundenrechnung auszugehen ist und wie dafür die angefallenen betrieblichen Leistungen bzw. Absatzkosten festzustellen sind. Hierzu ist nachzuprüfen bzw. elektronisch abzufragen, welche Kosten für welche(n) Kunden in den funktionalen Betriebsbereichen gemäß den Absatzmitteleinsätzen entstanden sind. Unter den Funktionsbereichen sind jene Abteilungen oder Betriebsstellen zu verstehen, die notwendig sind, um Kundenaufträ-

---

74) Vgl. dazu Gerth, E.: Probleme . . . , a.a.O., S. 693f.; Hessenmüller, B.: Kosten- und Erfolgsrechnung im industriellen Vertrieb, Baden-Baden 1966, S. 46f.; Geist, M.: Selektive Absatzpolitik, a.a.O., S. 59f.; Fischer, K.-P.: Industrielle Vertriebskostenrechnung, a.a.O., S. 32f.; Than, R.: Betriebliche Kundenpolitik, a.a.O., S. 68; Böckel, J.-J., und F.G.Hoepfner: Moderne Kostenrechnung, a.a.O., S. 131f. und Schäfer, E.: Zur Ertragslehre, a.a.O., S. 366.

ge einholen, bearbeiten und erledigen zu können (vgl. dazu die Tabelle auf S. 103). Gemäß des Auftragsablaufgeschehens ist die funktionale Gliederung und die Bestimmung der Absatzkosten durchzuführen.[75]

Wir haben nicht vor, umfassend zu schildern, wie sämtliche Kunden- oder absatzsystembezogenen Kosten zu berechnen sind. Die unterschiedlichen betrieblichen Strukturen zwingen eine Unternehmensleitung sowieso, eigenständige Methoden der Informationserschließung zu handhaben. Deshalb beabsichtigen wir nur zu erreichen, daß eine Unternehmungsführung in der Lage ist, entsprechend ihrer betrieblichen Gegebenheiten selbst eigene Datengewinnungsverfahren oder Absatzkostenmodelle zu entwickeln. Es wird durch unsere Ausführungen erkennbar sein, daß auch mit einem unvollkommenen Entscheidungssystem die geschilderten Prinzipien und Verfahren zur Absatzkostenbestimmung anzuwenden sind und daß sie geeignet sind, zur Bildung der Erlösfunktionen hinzuführen.

2.4.1 Erfassung der Erlösdaten

Es bedarf i.d.R. keines besonderen Aufwandes, um die Beträge der Kundenerlöse (y_a) eines jeden Absatzsystems für die Erlösfunktionsbildungen zu erhalten. Die benötigten Erlösdaten sind nämlich bei der Rechnungsschreibung i.a. schon mit Hilfe einer ADV-Anlage errechnet und auf Magnetbändern aufgezeichnet worden. Zu ihrer Aktivierung müssen sie also nur von den Magnetbändern abgerufen werden, damit sie zur weiteren Verarbeitung zur Verfügung stehen. Eine Unternehmensleitung hat dazu vorher festzulegen, für welche Absatzperiode, d.h. für welchen einheitlichen Absatzstrategiezeitraum, die Erlösdatenerfassung erfolgen soll. Für alle Kunden des Unternehmens sind nach dem Schema (vgl. Abb. 26) für die Ermittlung der Erlöse und der Absatzkosten anhand der ausgestellten Kundenrechnungen die Erlösbeträge für die Absatzkostenbestimmung bereitzuhalten.

Im Falle des von uns untersuchten Großhandelsunternehmens speicherten wir pro Kundenrechnung folgende Daten:

---

75) Vgl. Gerth, E.: Betriebswirtschaftliche . . . , a.a.O., S. 198f.

Kunden-Nummer	Versand-Art	
Rechnungs-Nummer	Versand- Zahlungs- Datum	Verkaufsabteilungs-Nr.
Artikel-Nummer	Liefermenge	Bruttoerlösbetrag
Artikel-Nummer	Liefermenge	Bruttoerlösbetrag
.	.	.
.	.	.
.	.	.
Artikel-Nummer	Liefermenge	Bruttoerlösbetrag
		Bruttoerlös (fakturierter Umsatz) Bonus, Skonto, Sonderrabatt etc.

Erklärungen zu den vorstehenden Begriffen einer Kundenrechnung:

Aus der Versandartangabe ist ersichtlich, ob der Kunde seine gekaufte Ware z.B. selbst abgeholt, per Post, Bahn oder durch LKW-Zustellung erhalten hat. Diese Angabe ist später für die Kostenberechnung wichtig.

Das Versanddatum ist identisch mit dem Rechnungsdatum. Mit der zusätzlichen Kenntnis des Zahlungsdatums können das Zahlungsverhalten des Kunden erkannt und die für ihn entstandenen Zinskosten für das Unternehmen später berechnet werden.

Der Bruttoerlösbetrag pro Position oder Artikelart ergibt sich aus dem rechnerischen Produkt Liefermenge x Listenpreis abzüglich des normalen Mengen- und Funktionsrabattes.[76]

Der Bruttoerlös der Kundenrechnung ist die Summe der einzelnen Bruttoerlösbeträge. Die Bruttoerlöse sämtlicher Rechnungen einer Absatzperiode bilden den Bruttoerlös y_a des Kunden a. Die y_a-Werte werden für die mathematische Abbildung der Erlösfunktionen der Absatzsysteme benötigt.

Der pro Kundenrechnung gewährte Bonus-, Skonto- und/oder Sonderrabattbetrag reduziert den Bruttoerlös und führt zum Nettoerlös der Rechnung. Die Summation dieser Abzugsbeträge erbringt den Kundenbetrag der Erlösschmälerungen (er_a), den das Unternehmen in dem untersuchten Zeitraum hinnehmen mußte. Die Höhe des jeweiligen Nachlasses ist als eine Vor-

76) Im Listenpreis ist keine Mehrwertsteuer enthalten.
Über die Systematik der Rabattformen vgl. Bidlingmaier, J.: Marketing 2, Hamburg 1973, S. 352.

aussetzung für den Warenkauf des Kunden zu verstehen. Wir können deshalb sagen, der Erlös ist von der Größe er abhängig. Die Variable er wird darum wie eine andere Absatzkosteneinflußgröße behandelt. In die allgemeine Erlösfunktion y_j (s. S. 94) für das Absatzsystem j ist also die Variable er mit aufzunehmen. Sie lautet somit:

$$y_j = f(\alpha_{1a}, \alpha_{2a}, \ldots, \alpha_{na}, \beta_{1a}, \beta_{2a}, \ldots, \beta_{ra}, er_a)$$

Für die Bestimmung der Erlösfunktionen mit der multiplen Regressionsrechnung sind mit den Daten der Kundenrechnungen die Werte für die Variablen y und er bekannt. Wir haben für die Hauptniederlassung des von uns untersuchten Großhandelsunternehmens für dessen Kunden a (a = 1, . . . , m) die Erlöswerte y_a und die Erlösschmälerungen er_a spaltenweise in der Matrix

$$X = \begin{vmatrix} \cdot & \cdot & \cdot & \cdot & er_1 & y_1 \\ \cdot & \cdot & \cdot & \cdot & er_2 & y_2 \\ \cdot & \cdot & \cdot & \cdot & \cdot & \cdot \\ \cdot & \cdot & \cdot & \cdot & \cdot & \cdot \\ \cdot & \cdot & \cdot & \cdot & \cdot & \cdot \\ \cdot & \cdot & \cdot & \cdot & er_2 & y_m \end{vmatrix}$$

gespeichert. [77]

Insgesamt übernahmen wir für die 1862 Kunden der fünf nach Produktgruppen aufgeteilten Verkaufsabteilungen die y_a und er_a Daten eines Geschäftshalbjahres. [78] Bei der Festlegung der Absatzperiode konnten nicht die Zeitspannen der Absatzstrategien berücksichtigt werden, weil keine exakten Aufzeichnungen über die Strategiewechsel im Unternehmen vorlagen. Unberücksichtigt blieben auch bei unserer Untersuchung Privat- und „Einmal"-Kunden.

Die Matrix X enthält die Daten von sogenannten Lagergeschäften. Es handelt sich bei den Lagergeschäften um Bestellungen, für die die Waren in den Lagerhallen des Unternehmens kommissioniert wurden.

Es gilt nun zu zeigen, wie die Werte der Absatzkosten α_i und β_l für die Ausgangsmatrix X zu ermitteln sind. Ohne Anspruch auf Vollständigkeit seien in der Reihenfolge von der Auftragserlangung über die Bearbeitung bis zur Ausführung und der finanziellen Abwicklung der Kundenaufträge die dazugehörigen Methoden zur Bestimmung der Absatzkosten in den folgenden Abschnitten erörtert.

---

77) Zum Aufbau der Matrix X vgl. Textseite 123.

78) Die Zusammenstellung dieser Daten führten wir mit der betriebseigenen ADV-Anlage (Univac 9300, 16 k) des Großhandelsunternehmens durch.

2.4.2 Datenerfassung im Bereich der Auftragserlangung und der Auftragsbearbeitung

2.4.2.1 Absatzkostenbestimmung für die Reisenden-Besuche bei Kunden

Geht es um die Schaffung und Ausweitung von Absatzmöglichkeiten, so können die Reisenden eines Unternehmens durch ihre Besuche bei potentiellen Kunden oder bei Stammkunden eine große Bedeutung haben. Reisende sind absatzfördernd und auftragsgewinnend tätig. Es bedarf statistischer Erhebungen, um sowohl eine Kontrolle über ihren Einsatz zu haben als auch die durch sie entstandenen Absatzkosten zu erhalten. Über jeden Reisenden haben Unterlagen vorzuliegen, aus denen hervorgeht, wie oft und wie lange ein Kunde besucht und welche Entfernungen für die Besuche zurückgelegt wurden. [79] Zusätzlich haben die Personal- und Reisekosten jedes Reisenden bekannt zu sein, wenn die Besuchskosten für die Kunden bestimmt werden sollen.

Ein Beispiel für eine mögliche Vorgehensweise der Kostenermittlung sei anhand des von uns untersuchten Großhandelsunternehmens gezeigt. Es sei vorweggenommen, daß die Ermittlungsmethode, nach strengen Maßstäben beurteilt, sicherlich unvollkommen ist. Bei jeder Kostenerfassung stehen sich zwei gegensätzliche Forderungen gegenüber, nämlich der Wunsch nach größerer Genauigkeit bzw. nach realitätsnäherer Geschehnisabbildung und das Wirtschaftslichkeitsprinzip. Eine Unternehmungsführung wird darum bei ihren Kostenmodellansprüchen oft zu Kompromissen genötigt sein. Deshalb ist es besonders wichtig, daß festgestellt wird, welche extremen Werte abweichend zu den berechneten Kostenwerten auftreten können. Das Management sollte bei wesentlichen Kostenabweichungen grundsätzlich Alternativrechnungen durchführen lassen (vgl. dazu auch den Hinweis auf S. 100).

Für uns bildeten die „Tätigkeitsberichte“ der Reisenden des Großhandelsunternehmens die Unterlagen zur Kostenberechnung. Wir werteten die Tagesberichte für dasselbe Geschäftshalbjahr aus, für das auch die Erlös- und die Erlösschmälerungsdaten erfaßt wurden (s. S. 145). Jeder dieser Berichte enthält für einen Reisendentag nachstehende Angaben, die bei der Kostenberechnung berücksichtigt wurden:

1. Reisenden-Nummer
2. Datum, an dem der Reisende seine Kundenbesuche ausführte
3. Kunden-Nummern jener Kunden, die an einem Tag aufgesucht wurden

79) Vgl. dazu Gerth, E.: Betriebswirtschaftliche . . . , a.a.O., S. 198f.; Geist, M.: Selektive Absatzpolitik, a.a.O., S. 89 und Fischer, K.-P.: Industrielle Vertriebskostenrechnung, a.a.O., S. 120.

4. Gesamtreisedauer in Minuten und
5. Kilometeranzahl, die insgesamt am Berichtstag anfiel.

Sämtliche Tätigkeitsberichte eines Reisenden wurden von uns geschlossen elektronisch ausgewertet. In dem Großhandelsunternehmen geschah dergleichen nicht. Die Abteilungsleiter verwandten die Berichte nach Gutdünken nur zur persönlichen Beurteilung. Da im Unternehmen bekannt ist, welche Kunden von welchem Reisenden betreut werden, war es möglich, für jeden Reisenden eine Kunden-Nummernliste (Kundenliste) mit der ADV-Anlage zu drucken. Es wurden für jeden Reisendenbesuch folgende Werte bei einer Kunden-Nummer in der Kundenliste notiert:

(a) Anzahl der Besuchsminuten
Dieser Wert ist durch Division der Gesamtreisedauer und der Zahl der am Tag aufgesuchten Kunden berechnet worden. Wir waren zu dieser ungenauen Ermittlungsform gezwungen, weil keine exakteren Angaben vorlagen. Eine Befragung der Reisenden ergab, daß sie bei einigen Kunden i.d.R. länger verweilen. Sie machten dazu präzise Aussagen. Diese wurden berücksichtigt.

(b) Anzahl der Kilometer
Dieser Wert ist durch Division der verfahrenen Tageskilometer und der Zahl der besuchten Kunden berechnet worden. Bei mehreren nacheinander am gleichen Ort aufgesuchten Kunden wurde diesen nicht der Entfernungsmittelwert, sondern nur ein Betrag von sieben Kilometern zugeschrieben.

Es lagen nach der Auswertung der Tätigkeitsberichte eines Reisenden die Summenwerte der Besuchsminuten und der Kilometer kundenbezogen vor. Um die Absatzkosten ermitteln zu können, war es nötig zu wissen, welcher Aufwand dem Unternehmen für eine Besuchsminute und einen Kilometer entstanden waren. Die erforderlichen Daten konnten den Buchhaltungsunterlagen entnommen werden. Wir teilten den Betrag sämtlicher Aufwendungen für einen Reisenden durch den Gesamtminutenwert seiner halbjährigen Reisedauer. Damit waren die Kosten für eine Besuchsminute bekannt. Die PKW-Kosten für den Brennstoff-, Öl- und Fettverbrauch, für die bezahlten Steuer- und Versicherungsbeträge sowie für einen anteiligen Abschreibungs- und Reparaturbetrag bildeten zusammen einen Kostenblock. Die Kosten für einen Kilometer ergaben sich mit der Aufteilung des Kostenblocks auf die insgesamt verfahrenen Reisekilometer. [80)]

80) Vgl. zur Problematik der Zurechenbarkeit von Fahrzeugkosten, Schott, K.: Dekkungsbeitragsrechnung in der Spedition, a.a.O., S. 178f.

Kundenliste für einen Reisenden						
	Mengenwerte		spez. Kostenwerte		Gesamtkostenwerte
Kd.-Nr.	Anzahl der Besuchsminuten	x	Kostenbetrag/Min.	=	Kundenkosten (1)
	Kilometer	x	Kostenbetrag/km	=	Kundenkosten (2)
.	.		.		.
.	.		.		.
.	.		.		.
Kd.-Nr.	Anzahl der Besuchsminuten	x	Kostenbetrag/Min.	=	Kundenkosten (1)
	Kilometer	x	Kostenbetrag/km	=	Kundenkosten (2)

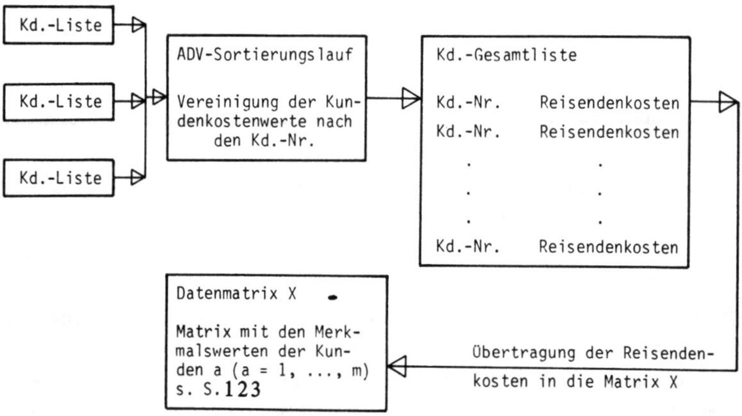

Abb. 35: Aufbau einer Kundenliste für einen Reisenden und Ablauf der Übertragung der Listendaten in die Matrix X

Die einem Kunden zuzurechnenden Gesamtkostenbeträge waren durch Multiplikation der Kundenmengenwerte mit den spezifischen Kostenwerten (DM/Min., DM/km) zu erzielen (vgl. Abb. 35). Die elektronische Vereinigung der Kundenlistendaten aller Reisenden durch Zuordnung der einzelnen Kunden-Kostendaten ermöglichte die Ermittlung der Reisendenkosten für jeden Kunden (vgl. Abb. 35). Diese Reisendenkostenwerte wurden gemäß der Ordnung der Erlöswerte y_a in der Matrix X gespeichert (s. S. 123).

Insgesamt werteten wir die 11536 Reisendenbesuche des Geschäftshalbjahres aus. [81]

Für eine Unternehmungsführung ergeben sich durch die systematische Erfassung der Reisendentätigkeiten vorzügliche Analysemöglichkeiten. – Der Erfolg der Reisenden bei den Kunden ist zu bestimmen. Die Struktur der Reisendenorganisation wird überprüfbar. Es können Schwächen entdeckt und Reisendeneinsatzkorrekturen vorgenommen werden. –

2.4.2.2 Absatzkostenbestimmung im Verkaufsbereich

Die administrative Bearbeitung der Kundenaufträge in den Verkaufsabteilungen eines Unternehmens verursacht hohe Kosten. Es müssen die Geschehnisse in den Abteilungen funktional an den Arbeitsplätzen des Verkaufspersonals erfaßt werden, wenn die entstandenen Kosten kundenbezogen festgestellt werden sollen. Die erbrachten Leistungen für einen Kunden sind durch

1) Analysen der Arbeitsabläufe
2) Erfassung des Verbrauchs von Verwaltungsmaterialien
   und durch
3) Erfassung der Einsätze von Nachrichtenübermittlungsapparaten und Büromaschinen

zu ermitteln. Die Tätigkeiten im Bereich der internen Auftragsbearbeitung zeichnen sich dadurch aus, daß sie überwiegend repetitiver Natur sind und deshalb i.a. in gleichbleibender Form ständig wiederkehren.[82]
Nur aufgrund dieser Tatsache wird es möglich, die Absatzkosten für die Kunden zu berechnen.

---

81) Wir führten sämtliche Kostenberechnungen mit der ADV-Anlage (ICL 1907, 64 k) der Technischen Universität Braunschweig aus. Als Datenträger wurden Magnetbänder verwandt.

82) Vgl. Fischer, K.-P.: Industrielle . . . , a.a.O., S. 123f. und Gerth, E.: Betriebswirtschaftliche . . . , a.a.O., S. 198.

Ausgangspunkt für Modelle und Methoden der Kostenerfassung im Verkaufsbereich haben die Rechnungspositionen der Kundenrechnungen zu sein. Ein Unternehmen kann es sich nicht leisten, zusätzlich aufzuschreiben, welche Arbeitsleistungen für jeden Kunden zu erbringen sind, durch die sichergestellt wird, daß die Kundenaufträge auch zur Auftragsausführung kommen. Die elektronisch gespeicherten Rechnungsaufzeichnungen bilden die geeignete Grundlage für die Kostenbestimmungen. Es muß mit ihnen fiktiv rekonstruiert werden, welche Arbeitszeiteinsätze, Materialverbräuche und Büromaschineneinsätze für jede Auftragsbearbeitung stattgefunden haben. Die aus den Arbeitsleistungen entstandenen kostenmäßigen Belastungen sind also kundenbezogen zu erfassen. Soweit es von Bedeutung ist, sind die Rekonstruktionen der Aufwendungen in Abhängigkeit von den Rechnungspositionen vorzunehmen. Studien und Messungen der administrativen Tätigkeiten sind nötig, um sie ausführen zu können. Als Ergebnisse solcher Studien sind analytische Modelle zu formulieren. Sie sind zur elektronischen Ermittlung der Kosten einzusetzen.

Die angegebenen Arbeitsschritte und die dazugehörigen quantitativen Abbildungen von Abb. 36 auf S. 151 sind in einer Verkaufsabteilung für die Erledigung eines Kundenauftrages denkbar. Wiederholen sich die dargestellten Tätigkeiten in der Abteilung bei jeder Auftragsbearbeitung, dann können die angegebenen funktionalen Abhängigkeiten leicht für die Kostenberechnungen benutzt werden.

Die Zeitverbräuche sind z.B. je nach Anzahl der Positionen einer Kundenrechnung anhand der Funktionen festzustellen und mit einem entsprechenden Kostenfaktor zu multiplizieren. [83] Die Größe des jeweiligen Kostenfaktors (DM/sec) richtet sich nach den Gehältern der Sachbearbeiter, die die Tätigkeiten (1) bis (4) ausführen (vgl. Abb. 36). Formulare (z.B. Auftragssätze) und Hilfsmaterialien werden beim Tätigkeitsvollzug benutzt. Sie bedingen leicht zu bestimmende Kosten. Inwieweit die Kosten für Nachrichtenübermittlungen (z.B. durch Telefon, Fernschreiber und Porti) ständig wiederkehren, wird von Abteilung zu Abteilung verschieden sein. Fallen sie unregelmäßig an, so sollten sie je nach Bedeutung statistisch für jeden Kunden aufgeschrieben werden.

Aufsummiert für einen Zeitabschnitt ergeben die Einzelkostenwerte eines Kunden den Gesamtkostenbetrag für die Auftragsbearbeitungen im Verkaufsbereich. Alle Gesamtkostenbeträge der Kunden sind in der bekannten Matrix X (s. S. 123) zu speichern, damit sie später für die Gewinnung der Erlös-

83) Vgl. dazu auch Geist, M.: Selektive . . . , a.a.O., S. 119f.

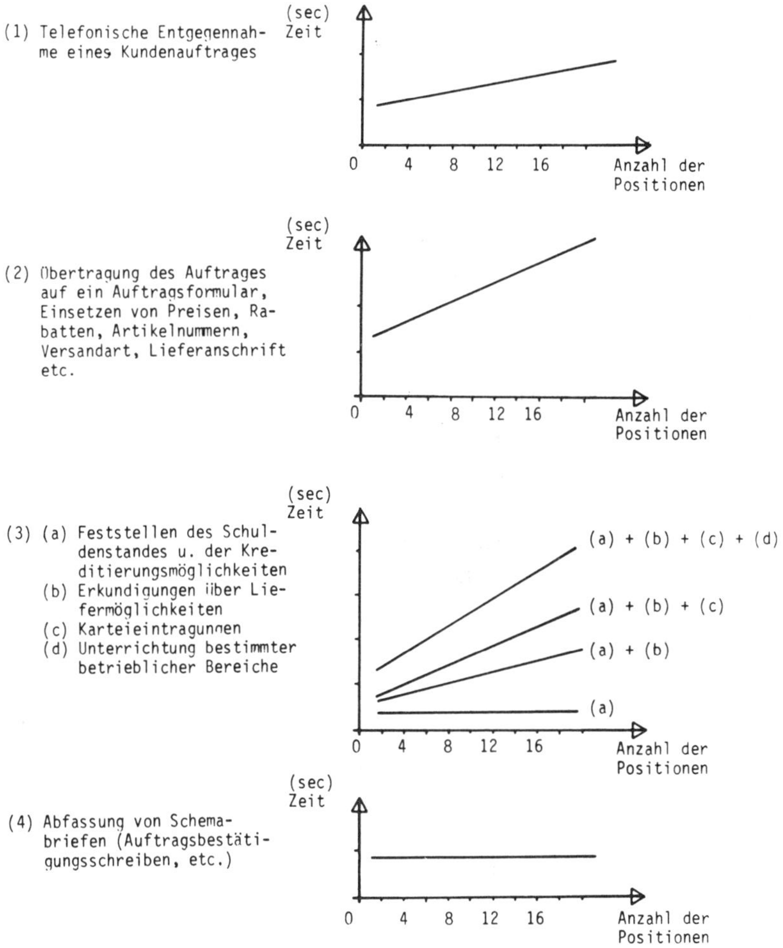

Abb. 36: Beispiel für im Verkaufsbereich mögliche Tätigkeiten und deren quantitative Abbildungen (Arbeitszeit in Abhängigkeit von der Anzahl der Positionen eines Auftrages oder einer Rechnung)

funktionen zur Verfügung stehen. Die benutzten Kostenfunktionen sollten im Abbildungssystem des Entscheidungssystems gespeichert werden (vgl. Abb. 17).

2.4.3 Datenerfassung im Bereich der Auftragskommissionierung

Nach der Bearbeitung von Kundenaufträgen in den Verkaufsabteilungen gelangen i.a. die dazugehörigen Auftragssätze zum Lager des Unternehmens. Im Lager werden i.d.R. im wesentlichen drei Hauptaufgaben verrichtet:

(a) die Zusammenstellung (Kommissionierung) der bestellten Artikel nach den Kundenaufträgen zur späteren Auslieferung der Ware

(b) die Verpackung der Artikel und

(c) die administrativen Tätigkeiten in Verbindung mit (a) und (b).[84]

Um die entstehenden Absatzkosten bei der Auftragskommissionierung feststellen zu können, sind die Tätigkeiten im Lager statistisch zu erfassen. Das hat entsprechend der Hauptaufgabe ((a), (b) oder (c)) und der Produktart durch Messen des funktionsbezogenen Zeitaufwandes in Abhängigkeit von folgender Bezugsgröße

(1) der Anzahl der Positionen je Auftrag oder

(2) der Menge, dem Gewicht oder dem Volumen der Artikel je Position in Verbindung mit den übrigen Positionen eines Auftrages oder nach

(3) der Anzahl der Aufträge oder pro Auftrag

zu geschehen.[85]

Im einzelnen sind z.B. für folgende Tätigkeiten oder Aufgaben Zeitmessungen durchzuführen, um danach die Absatzkosten ermitteln zu können:
führen, um danach die Absatzkosten ermitteln zu können:

Tätigkeit oder Aufgabe	Bezugsgröße[86]
Arbeitsvergabe an das Lagerpersonal	(3), (1)
Zusammenstellen einer Lieferung (örtliches Zusammentragen, Zählen oder Abwiegen der Artikel für eine Kundenbelieferung)	(1), (2)

84) Vgl. dazu u.a. Hessenmüller, B.: Kosten- und Erfolgsrechnung . . . , a.a.O., S. 50f.

85) Ebenso Fischer, K.-P.; Industrielle . . . , a.a.O., S. 124f.

86) Vgl. dazu die angegebenen Möglichkeiten unter Ziffer (1), (2) und (3).

Tätigkeit oder Aufgabe	Bezugsgröße [86)]
versandfertige Verpackung der Artikel der Lieferung einschließlich einer Positionenkontrolle	(1), (2), (3)
Transport zur Verlade- oder Versandstelle	(1), (2), (3)
Adressieren, Etikettieren der Lieferungen	(3)
Ausfertigung der Versandpapiere	(3)
Ausfüllen, Signieren der Auftragssätze zur Weitergabe an die Rechnungs- und / oder Transportabteilung	(3), (1)

Anhand unserer Untersuchungen in dem Großhandelsunternehmen sei demonstriert, wie die Absatzkosten für jeden Kunden gewonnen wurden.

Wir führten für die kostenaufwendigen Arbeitsschritte Kommissionieren, Kontrollieren und Verpacken der Artikel eines Kundenauftrages Zeitstudien in den verschiedenen Lagern des Betriebes aus.

Zum weiteren Verständnis sind einige Besonderheiten des Betriebes zu berücksichtigen:

Jedes Lager ist einer Verkaufsabteilung zugeordnet, so daß relativ gleichartige Artikel in jeder Lagerhalle zur Auslieferung zusammengestellt werden. Setzt sich eine Kundenbestellung aus Artikeln verschiedener Verkaufsabteilungen zusammen, so schreibt jede Abteilung einen Auftragssatz aus, nach welchem jeweils in dem dazugehörigen Lager kommissioniert wird. Jeder Auftrag führt in der Rechnungsabteilung zur internen Abrechnung zu einer Rechnung. Der Kunde erhält nur eine einzige zusammengefaßte Rechnung gemäß seiner Bestellung.

Aufgrund dieser Gegebenheiten war es leicht möglich, einen funktionalen Zusammenhang zwischen der Positionenanzahl eines Auftrages und der aufgewandten Arbeitszeit in der jeweiligen Lagerhalle herauszufinden.

In Abb. 37 ist für eine Lagerhalle für die auf Seite 152 genannten Kommissionierungstätigkeiten (a, b, c) die Abhängigkeit der Arbeitszeit von der Anzahl der Positionen eines Auftrages dargestellt. Die ermittelte Gleichung für die Regressionsgerade bildete eine weitere Grundlage für die Absatzkostenberechnung.

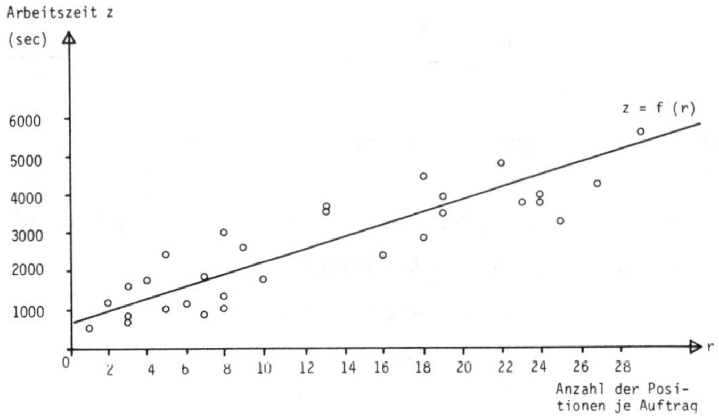

Abb. 37: Abhängigkeit der Arbeitszeit von der Anzahl der Positionen eines Kundenauftrages für das Kommissionieren, Kontrollieren und Verpacken der zum Auftrag dazugehörigen Artikel

Die Anzahl der Rechnungen je Verkaufsabteilung und je Kunde sind aufgrund der Rechnungsschreibung bekannt. Ebenfalls liegt die Anzahl der Positionen je Rechnung oder Auftrag aufgrund der Magnetbandaufzeichnungen der ADV-Anlage vor. Damit ist die aufgewandte Arbeitszeit (z) pro Kundenauftrag entsprechend der Positionenanzahl (r) nach der jeweiligen Regressionsgleichung $z = a + b \cdot r$ berechenbar, denn die Parameter a und b sind nach der Bestimmung einer Regressionsgeraden bekannt. Insgesamt werteten wir 52.345 kommissionierte Kundenaufträge aus.

Für jeden Kunden des Unternehmens ermittelten wir nach den verschiedenen Regressionsgleichungen (je nach Abteilung und Lagerhalle) die angefallenen Arbeitszeiten in den Lagern. Um die Absatzkosten zu erhalten, ist es erforderlich zu wissen, wie hoch die Arbeitsstundensätze in den verschiedenen Lagerhallen gewesen sind. Da die zeitlich erfaßten Tätigkeiten je nach Lager entweder von einer Person oder in Zusammenarbeit von mehreren Personen (Teams) ausgeführt werden und deren Lohnniveau in einem Lager nicht voneinander abwich, konnte ein Stundenkostensatz je Lager festgelegt werden. Die Multiplikation der aufsummierten Arbeitszeiten je Lager und Kunde mit den entsprechenden Stundenkostensätzen ergaben die dem Kunden anzulastenden Kosten.

Die für alle Kunden derart berechneten Kostenwerte der Auftragskommissionierung wurden in der dafür vorgesehenen Spalte der Matrix X gespeichert (s. S. 123).

2.4.4 Datenerfassung im Bereich der Warenauslieferung

Es wird hier davon ausgegangen, daß Warenauslieferungen nur per LKW erfolgen.
Umfangreiche Datenerfassungen sind notwendig, wenn die Kosten für die mit der Warenzustellung verbundenen Leistungen ermittelt werden sollen. Eindeutige Kostenrekonstruktionen sind i.a. allein unter Verwendung der Daten der Kundenrechnungen nicht möglich. Eine Unternehmensleitung muß zusätzliche Erhebungen begleitend zu den Anlieferungen vornehmen lassen, sofern relativ genaue Absatzkostenwerte gefordert werden.

In der nachfolgenden Tabelle stehen sich

I. die Tätigkeiten, welche für den LKW-Warenversand eines Kundenauftrages auszuführen sind und

II. die Angaben, welche für die späteren Kostenberechnungen festzustellen sind

gegenüber.

I. Tätigkeiten beim Versand	II. Benötigte Angaben zur Kostenberechnung
1. Prüfen und einordnen eines Auslieferungsauftrages in eine LKW-Tour	(a) statist.Erfassung darüber, welcher LKW und Hänger an welchem Tag eine bestimmte Auftragsauslieferung während einer bestimmten LKW-Tour vornimmt (b) durchschnittliche Arbeitszeit pro Auftragszuordnung (falls die Zuordnung nicht elektronisch erfolgt)
2. Beladen des LKWs mit den Artikeln eines Kundenauftrages	(a) Beladezeit für die Artikel des Auftrages (b) beteiligte Personen beim Beladen: Fahrer (?), Beifahrer (?) und / oder andere (?)

I. Tätigkeiten beim Versand	II. Benötigte Angaben zur Kostenberechnung
3. Transport der bestellten Artikel des Auftrages zum Kunden	(a) Fahrtzeit, zurückgelegte Kilometer und Reihenfolge der Auftragsanlieferung in der LKW-Tour (b) ausführende Personen der Anlieferung
4. Abladen der Warengüter	(a) Abladezeit
5. Vorbereitungsarbeiten für die nächste LKW-Tour (z.B. Ab holen der Warenpapiere u.der Lieferscheine, Umrüsten u. Tanken des LKWs, Warten im Lager vor der Beladung	(a) durchschnittliche Arbeitszeiten und genaue Wartezeiten

Erläuterungen zu den Angaben in der Tabelle:
Zu Punkt 3. (a) und 3. (b)
Es liegen i.d.R. in einem Unternehmen keine Aufzeichnungen darüber vor, welche Fahrtzeiten und Fahrtkilometer für einen Kundenauftrag aufgewandt wurden. Zwei Ausnahmen sind denkbar:

1. Jede Kundenbelieferung erfordert für sich einen eigenen LKW oder
2. Die Transporte und die genauen Fahrtstreckenverläufe werden immer unter Optimierungsgesichtspunkten mit Hilfe einer ADV-Anlage festgelegt

Für beide Fälle wäre eine recht genaue Kostenzuordnung je Kundenauftrag möglich.

Befriedigende Ergebnisse würden wahrscheinlich auch schon zu erzielen sein, wenn die Gesamtfahrtzeit jeder LKW-Tour und die Daten von 1. (a) und 3. (b) bekannt wären.

Zu Punkt 4. (a)
Eine Kostenzurechnung ist einfach, wenn die Abladezeit je Abladung und Auftrag vom Fahrer oder Beifahrer eines LKWs gemessen würde. Wie unsinnig die Forderung nach solchen dauernden Abladezeitmessungen ist, wird jeder beurteilen können, der einmal das LKW-Personal zu Zeitnahmen aufgefordert hat. Es muß versucht werden, funktionale Beziehungen zwischen der

Abladezeit und der Positionenanzahl (oder dem Gewicht oder dem Volumen) der Auftragsanlieferungen zu erkennen, um dadurch zu Kostenzuweisungen zu gelangen. Sind keine Zusammenhänge festzustellen, bleibt nichts anderes übrig, als die Gesamtausfahrtdauer einer LKW-Tour in geeigneter Form auf die belieferten Kunden aufzuteilen. [87)]

Folgende Daten lagen über jeden LKW des Fuhrparks des von uns untersuchten Großhandelsunternehmens vor:

(1) Fahrzeug-Typ

(2) gefahrene Kilometer pro Monat	(3) Kraftstoffverbrauch pro Monat	(4) Wartungskosten pro Monat
(5) Fahrer- u.Beifahrer-Kosten	(6) Einsatzgebiet Stadt oder Land	(7) Instandhaltungskosten über mehrere Jahre
(8) Versicherungskosten und Steuern pro Jahr	(9) Anschaffungskosten	

Aufzeichnungen über das Geschehen im Fuhrparkbereich bestanden ansonsten nicht. Es wurden deshalb zwei Untersuchungen durchgeführt, um einen Überblick über die LKW-Organisation und über eventuelle funktionale Abhängigkeiten zu erhalten.

Zur ersten Untersuchung:
Die Fahrzeugbesatzungen von vierundzwanzig LKWs notierten über vierzehn Tage lang nachstehende Daten über jede LKW-Tour:

(1) KFZ-Nr.	(2) Tournummer	(3) Datum	(4) mit Hänger unterwegs?
(5) Beladezeitbeginn Beladezeitende	(6) Abfahrtszeit / Ankunftszeit Lagerplatz		(7) Kilometerstand bei Abfahrt Kilometerstand nach Rückkehr
(8) ungewöhnliche Tourunterbrechungen (Gründe)	(9) Arbeitspausenzeiten		(10) Reihenfolge der Anlieferungen der Tour

87) Zu den Problemen der Kostenzurechnung im Transportwesen vgl. Schott, K.: Deckungsbeitragsrechnung . . . , a.a.O. und Fischer, K.-P.: Industrielle . . . , a.a.O., S. 124f.

Die Informationen der Angaben von Punkt (1) ÷ (7) speicherten wir auf einem Magnetband. Die Lieferschein-Nummern der Aufträge, die identisch mit den Rechnungsnummern sind, wurden mit der Reihenfolge-Nummer der dazugehörigen Tour zusätzlich elektronisch erfaßt. Dadurch war u.a. auch die Anzahl der Rechnungs-(Auftrags-)Positionenanzahl bekannt.
Das Aufzeichnungsdiagramm des Fahrtenschreibers wurde von jedem LKW zu den Tourunterlagen hinzugefügt. Das geschah einmal aus Kontrollgründen und zum anderen, um vielleicht weitere Erhebungsergebnisse erreichen zu können. Diese Hoffnung erfüllte sich aber nicht.

Zur zweiten Untersuchung:
Ergänzend zu den Angaben der Punkte (1) ÷ (10) der ersten Fuhrparkstudie wurden jeweils folgende Daten von acht Landtouren und sechs Stadttouren von neutralen Zeitnehmern mit ihren Stoppuhren gemessen:

(1) Beladezeiten für jede Kundenanlieferung

(2) Fahrtzeiten von Kunde zu Kunde

(3) Abladezeiten bei jedem Kunden

Außerdem wurden die Kilometerentfernungen von einem Kunden zum anderen registriert.

Ergebnisse aus beiden Untersuchungen:
Es war nicht möglich, irgendwelche funktionalen Beziehungen zu entdecken. Gerade sie wären erforderlich gewesen, um genaue Kostenrekonstruktionen mit den Rechnungsdaten des betrachteten Geschäftshalbjahres zu erzielen. Die Erhebungen waren allein für das Handelsunternehmen aufschlußreich. Die Fuhrparkorganisation bedurfte einer gründlichen Neugestaltung.

Die Beobachtungen während der zweiten Studie machten klar, weshalb das statistische Material sich als ungeeignet erwies.
Die Beladezeiten waren abhängig von den jeweiligen technischen Ladehilfsmitteln, von der Verpackung, von spontanen Zuladungen (ein Kunde hatte z.B. etwas hinzubestellt), von Stapelmöglichkeiten auf den LKWs, von der Suche der angeblich kommissionierten Ware in den Lagerhallen, von der Bereitschaft der Arbeiter zu persönlichem Einsatz, von den Zusammensetzungen der Lieferungen, usw.
Die Fahrtzeiten wurden maßgeblich beeinflußt von der Ortskenntnis der Fahrer, von der genauen Lieferanschrift (Zweigbetrieb, Produktionshalle), von der Ankunftszeit beim Kunden, von der Sicherung der Güter im Laderaum, usw.

Die Abladezeiten waren abhängig von den eigenen und kundenbedingten technischen Abladehilfsmitteln, von der Stelle, an der sich die Ware auf dem LKW befand (Suchen, Herauslösen!), von der Anzahl der Abladepersonen (Fahrer, Beifahrer u.a.), usw.
Der Versuch, die Kosten der Warenauslieferungen so genau wie möglich zu ermitteln, war zum Scheitern verurteilt. Eine Näherungslösung mußte gefunden werden.
Wir wählten entweder die Entfernung eines jeden „Überland"-Kunden vom Auslieferungslager der Unternehmung als Kostenkriterium, oder wir verwandten eine konstante Kilometeranzahl für die Kostenzurechnung bei den „Stadt"-Kunden. Die Kunden wurden dazu aufgeteilt in „Überland"- und „Stadt"-Kunden.
Die Stadt-Kunden waren leicht zu bestimmen. Sie wurden nach der Postleitzahl der Großstadt der Hauptniederlassung des Unternehmens aussortiert. Die Stadtfahrzeuge waren bekannt, ebenso deren monatliche Kilometerleistungen und die monatlichen LKW-Kosten (die LKW-Kosten sind mit den Daten auf S. 157 berechnet worden, vgl. auch S. 147). Nach den Stadtfahrten der zweiten Fuhrparkuntersuchung liegt der Mittelwert μ für die Kilometeranzahl, die einem Stadt-Kunden für eine Anlieferung zuzurechnen ist mit einer Sicherheitswahrscheinlichkeit von 95 % im Bereich von 6,9 ± 0,9 km. Die für die Kostenbestimmung zu erfassende Gesamtkilometeranzahl jedes Stadt-Kunden konnte mit der ADV-Anlage des Großhandelsunternehmens gewonnen werden. Es wurde dazu abgefragt, wieviel Rechnungen hatte der Stadt-Kunde in den Monaten des Geschäftshalbjahres erhalten. Dabei berücksichtigten wir, daß Rechnungen (Aufträge) eines Stadt-Kunden gleichen Rechnungsdatums (≡ Lieferdatum) zu einer Anlieferung führten.

Folgende Daten standen für jeden Stadt-Kunden nach der elektronischen Abfrage zur Kostenbestimmung zur Verfügung:

(1) Anzahl (a_i) der Belieferungen eines Monates i ($i = 1, \ldots, 6$)

(2) Gesamtkilometeranzahl (n_i) eines jeden Monates $n_i = 6{,}9 \cdot a_i$

(3) Kostenbetrag (k_i) für einen gefahrenen Stadtkilometer eines jeden Monates i ($i = 1, \ldots, 6$)

Der jeweilige Kostenbetrag k_i war nach der Formal

$$k_i = \frac{\text{Betrag der gesamten Stadt-LKW-Kosten des Monates i}}{\text{Summe der verfahrenen Stadt-Kilometer des Monates i}}$$

ermittelt worden. Die Anlieferungskosten für jeden Stadt-Kunden wurden mit den Angaben von (2) und (3) berechnet und auf Magnetband gespeichert.

Ein einheitlicher Kilometermittelwert μ mit hohem Sicherheitswahrscheinlichkeitswert konnte für eine Belieferung an einen Überland-Kunden nicht gefunden werden. Wir bildeten deshalb einen Dämpfungsquotienten q_i, um ein Maß für die anzurechnenden Fahrtkilometer für die Landkundenanlieferungen zu erhalten.

$$q_i = \frac{\text{Summe der verfahrenen Land-Kilometer des Monates i}}{\sum_{a=1}^{m} s_a \cdot d_a}$$

Es bedeuten:

s_a die Summe der „Land-Anlieferungen" für einen Kunden a (a = 1, . . . , m) in einem Monat i (i = 1, . . . , 6)
Die monatliche Anzahl der Anlieferungen wurde wie bei den Stadtkunden bestimmt.

d_a die Luftlinienentfernung von dem Lagerplatz des Unternehmens zu einem Kunden a
Wir speicherten die geographischen Koordinaten der 540 Ortschaften des Absatzgebietes, um die Entfernungen d_a der Kunden elektronisch gewinnen zu können.

Das Produkt $s_a \cdot d_a$ wurde für jeden Überland-Kunden berechnet. Die monatlichen Anlieferungskosten eines jeden Landkunden a wurden nach der Formel

$$k_a = s_a \cdot d_a \cdot q_i \cdot kl_i$$

festgestellt und für die Monate des betrachteten Halbjahres aufsummiert sowie in der Matrix X gespeichert. Wir ermittelten den Kostenbetrag kl_i für einen Landkilometer eines Monates i wie für die Stadt-Kunden.

Überprüfungen ergaben, daß sich mit den Dämpfungsquotienten q_i realitätsnahe Entfernungs- und Kostenwerte erzielen ließen.
Sicherlich finden sich Argumente gegen dieses Näherungsverfahren. Eine bessere Kostenzurechnung war aber aufgrund der vorgefundenen betrieblichen Zustände nicht möglich.

Der Ordnung halber sei vermerkt, daß die monatlichen Kosten (Expeditionskosten) für das Einordnen der Auslieferungen in die LKW-Touren (s. S. 155) bei der Kostenberechnung eines Land- bzw. Stadtkilometers berücksichtigt wurden.

2.4.5 *Erfassung der Kreditkosten*

Das finanzwirtschaftliche Geschehen eines Unternehmens wird teilweise erheblich durch die Gewährung von Kundenkrediten und durch das Zahlungsverhalten der Kunden beeinflußt. Die Ausnutzung von zugestandenen Zahlungs- bzw. Rückzahlungszielen oder deren Überschreitungen verursacht Zins- bzw. Kreditkosten.

Die Billigung von Zeitfristen für die Bezahlung der Kundenrechnungen kommt der Einräumung von Krediten gleich. Wir sprechen deshalb fortan nur noch von Kreditkosten.

Folgende Daten müssen für jeden Kunden bekannt sein, damit die Kreditkosten kundenbezogen bestimmt werden können:

(1) Rechnungsbeträge

(2) Rechnungsdatum Zahlungsdatum	(3) Zinssatz

(4) Kreditbeträge

(5) Ausgabedatum Rückzahlungsdatum	(6) Zinssatz

Die Höhe der gesamten Zinsbelastung ist abhängig von der unternehmerischen Entscheidung, welcher Zinssatz, welcher Risikoaufschlag, welche Spesen und Verwaltungskosten den Kunden angerechnet werden sollen.

Handelsunternehmungen übernehmen in gewissem Grade die Funktion eines Bankhauses, so auch das von uns untersuchte Großhandelsunternehmen. Die geforderten Datenangaben (1) bis (6) lagen wegen ihrer Bedeutung in dem Unternehmen elektronisch gespeichert vor. Es war dadurch leicht, die Kreditkosten für jeden Kunden zu berechnen und in die Matrix X zu übertragen.

2.4.6 *Analyseergebnisse über das untersuchte Großhandelsunternehmen*

Es wurde gezeigt, wie die

Bruttoerlöse,
Erlösschmälerungen,
Reisendenkosten,
Kosten im Verkaufsbereich,

Auftragskommissionierungskosten,
Warenauslieferungskosten und
Kreditkosten

eines Halbjahres für jeden Kunden eines Unternehmens zu ermitteln sind.

Damit dürfte der Nachweis erbracht sein, daß es durchaus möglich ist, die benötigten Kundendaten zur Erlösfunktionsbildung zu bestimmen. Darauf kam es uns an.

Welche hohe Aussagekraft schon mit dem relativ bescheidenen Datenmaterial aus dem Großhandelsunternehmen zu erzielen ist, sei anhand der Abbildungen 38 und 39 demonstriert.

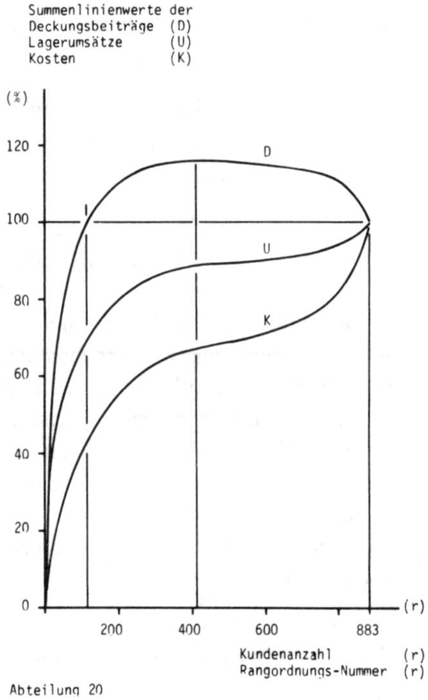

Abb. 38: „Summenlinie“ von den nach steigender Betragshöhe geordneten positiven und negativen Deckungsbeiträgen der Kunden der Verkaufsabteilung 20 und Summenlinien von den dazugehörigen Kunden-Umsätzen und Absatzmittelkosten eines Geschäftshalbjahres – ausgedrückt in Prozentsätzen

Die Deckungsbeiträge der Kunden der Verkaufsabteilungen wurden nach dem Rechenschema von Abb. 28 (s. S. 111) als erstes berechnet. Die Werte sind anschließend nach ihrer Betragshöhe für jede Abteilung geordnet worden. Der Kunde mit dem höchsten Deckungsbeitrag erhielt die Rangordnungs-Nummer (1). Die letzte Rangordnungs-Nummer wurde dem Kunden mit dem höchsten negativen Deckungsbeitrag vergeben (z.B. 883 für die Verkaufsabteilung 20 der Abb. 38). Die Summe aller aufaddierten Deckungsbeiträge (DB) wurde als Ausgangswert zur kundenbezogenen prozentualen DB-Aufteilung und Summenlinienbildung benutzt. Es gibt dadurch Summenlinienbeträge über hundert Prozent in den Abb. 38 und 39, die aber infolge der negativen Prozentwerte wieder auf hundert Prozent abgebaut werden. Eine solche Darstellungsweise macht augenfällig, mit welcher geringen Anzahl von Kunden in den Abbildungen jeweils das erste Mal der hundertprozentige DB-Wert erreicht wird und bei welcher Kundenanzahl der maximale Deckungsbeitrag erzielt worden wäre, wenn eben nicht Kunden mit negativen DB folgen würden.

In der Rangfolge der DB sind auch die Bruttoerlöse (Umsätze) und die erfaßten Kosten (K) für die betrieblich eingesetzten Absatzmittel summenlinienmäßig für die Kunden jeder Verkaufsabteilung in den beiden Abbildungen aufgetragen. Die Verläufe der Summenlinien lassen eindeutig darauf schließen, daß die Kundenstruktur in den Abteilungen stark inhomogen ist. Das Großhandelsunternehmen wäre gut beraten, wenn es seine Absatzstrategien und seine kundenpolitischen Zielsetzungen überprüfen sowie die Notwendigkeit der Bildung von Absatzsystemen (vgl. Abb. 6) und Erlösfunktionen erkennen würde.

Auf bedeutende Abteilungswerte sei in der nachstehenden Abb. 40 hingewiesen. Eine Unternehmungsführung kann sich allerdings die Auseinandersetzung mit den einzelnen spezifischen Kundenwerten nicht ersparen. Ihr sollten dafür Kundenlisten mit den Erlös- und Absatzkostenwerten zur Verfügung stehen (vgl. dazu auch die Anregungen auf S. 113).

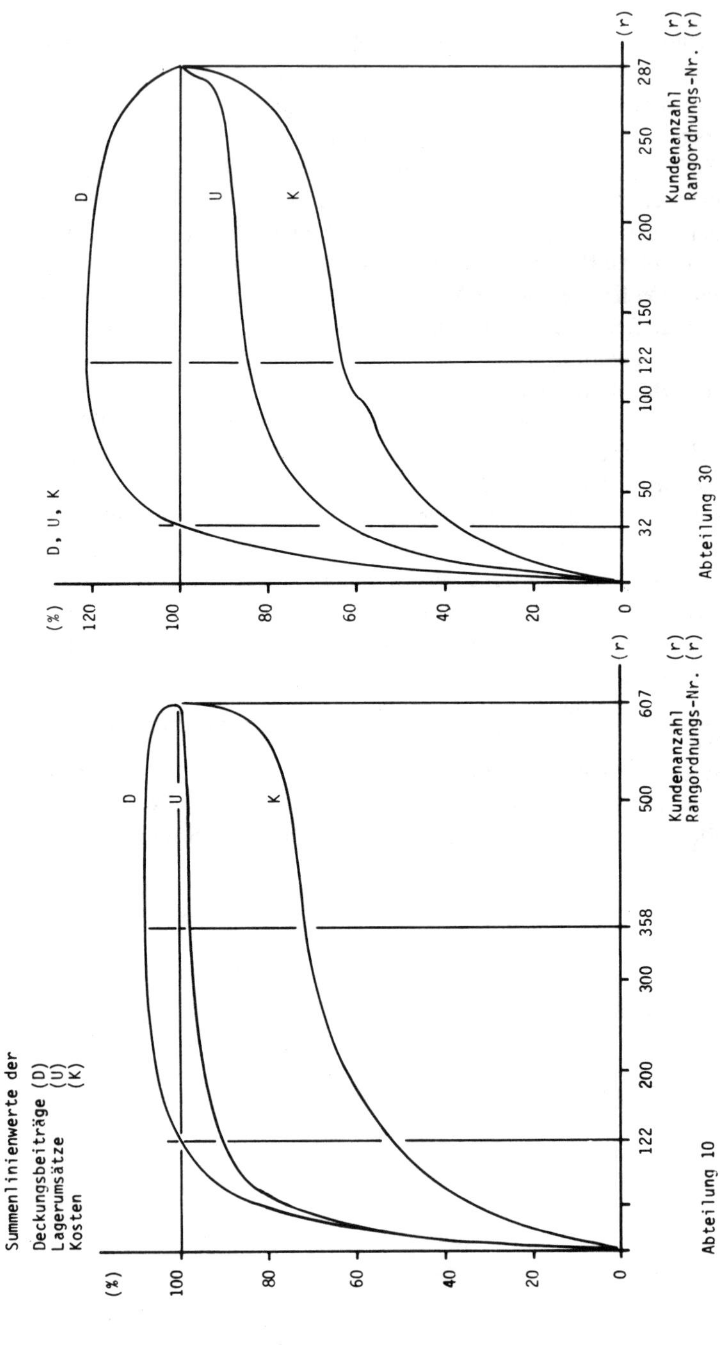
Summenlinienwerte der
Deckungsbeiträge (D)
Lagerumsätze (U)
Kosten (K)
(%)
D
U
K
Kundenanzahl (r)
Rangordnungs-Nr. (r)
Abteilung 10
D, U, K
Abteilung 30

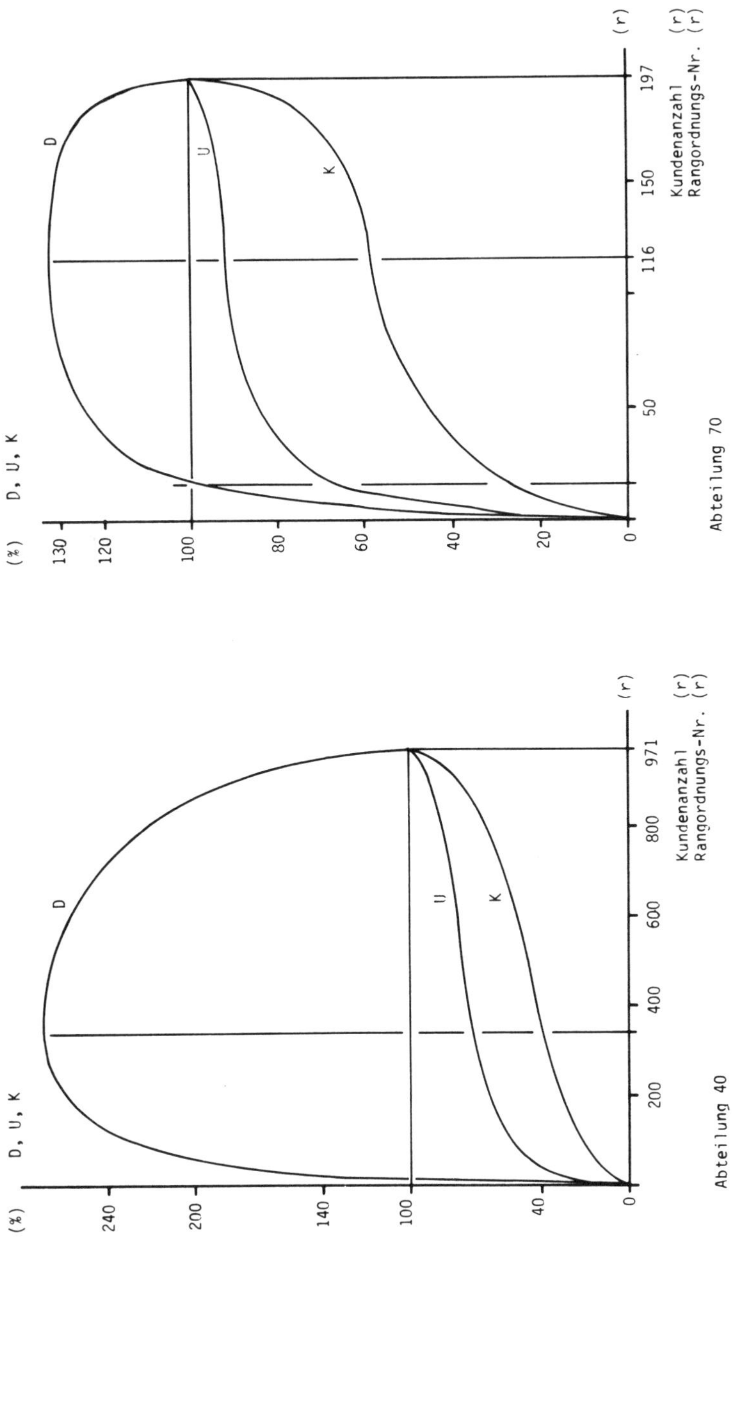

Abb. 39: „Summenlinien" von den nach steigender Betragshöhe geordneten positiven und negativen Deckungsbeiträgen der Kunden der Verkaufsabteilungen und Summenlinien von den dazugehörigen Kunden-Umsätzen und Absatzmittelkosten eines Geschäftshalbjahres – ausgedrückt in Prozentsätzen

	Abt. 10	Abt. 20	Abt. 30	Abt. 40	Abt. 70
1. Rangordnungs-Nummer des Kunden, bei dem das erste Mal der hundertprozentige Deckungsbeitrag (DB) erreicht wird	122	113	32	12	16
2. Gesamtumsatz [%] an der Stelle zu Punkt (1.)	90,7	69,2	62,1	25,2	66,6
3. Gesamtkosten [%] an der Stelle zu Punkt (1.)	52,3	43,1	38,0	6,8	26,9
4. Rangordnungs-Nr. jenes Kunden, der noch einen positiven DB hat und bei dem der höchste DB-Summenlinienwert liegt	358	409	122	342	116
5. DB [%] an der Stelle zu Punkt (4.)	107,6	116,2	121,3	269,1	131,9
6. Gesamtumsatz [%] an der Stelle zu Punkt (4.)	97,8	88,9	85,3	72,0	91,6
7. Gesamtkosten [%] an der Stelle zu Punkt (4.)	71,5	67,4	63,6	40,5	58,3
8. Rangordnungs-Nr. des Kunden, bei dem der DB von Punkt (5.) wieder auf 100 % abgebaut ist	607	883	287	971	197

Abb. 40: Bedeutende Kundenmerkmalswerte der Verkaufsabteilungen des Großhandelsunternehmens der Abbildungen 38 und 39

3. Mathematische Verfahren zur Bestimmung der Erlösfunktion eines Absatzsystems

Einer Unternehmungsführung sollte es mit den zuvor angegebenen Methoden und Modellen möglich sein, die Erlös- und Absatzkostendaten ihrer Kunden zu gewinnen. Die Daten einer Absatzperiode eines Absatzsystems j sind als Anfangs- bzw. Randbedingungen (vgl. Abb. 18) in die allgemeine Erlösfunktion $y_j = f(\alpha_{1a}, \alpha_{2a}, \ldots, \alpha_{na}, \beta_{1a}, \beta_{2a}, \ldots, \beta_{ra}, er_a)$ eines Absatzsystems einzusetzen. Daraus ist dann die in der Realität bestehende Erlösfunktion des untersuchten Absatzsystemzustandes zu bestimmen. Es bedarf dazu der Anwendung mathematischer Verfahren, denn die allgemeine Erlösfunktion y_j stellt nur eine Gleichung dar, die als Hypothese einen Beziehungszusammenhang wiedergibt. Der jeweilige Grad der Absatzvariablen, die Koeffizienten und ein eventuell dazugehöriges konstantes Glied sind unbekannt. Gerade diese Größen müssen ermittelt werden. Auch gilt es, die Wahrscheinlichkeit festzustellen, mit welcher der Systemzustand als erklärt anzusehen ist.

Ein derartiges Vorgehen ist mit erheblichem Arbeitsaufwand verbunden. Ohne eine leistungsfähige ADV-Anlage und ohne mathematisch geschultes, optimal programmierendes Fachpersonal wird die Gewinnung einer Erlösfunktion eines Absatzsystemzustandes kaum gelingen. Eine Unternehmensleitung hat sich darüber im klaren zu sein.

Mit der mathematischen Abbildung einer Erlösfunktion kann nur begonnen werden, wenn die folgenden vorbereiteten Arbeitsschritte schon ausgeführt sind:

(1) die Cluster- und Faktorenanalyse zur Auffindung homogener Absatzsysteme (s. S. 120f.).

(2) die (zweite) Faktorenanalyse, die mit den empirischen Kundendaten eines Absatzsystems getrennt durchzuführen ist, um die spezifischen Faktoren des Absatzsystems zu erhalten (s. S. 139f.).
Vor dieser Faktorenanalyse hat eine Abbildung der Absatzsysteme zu erfolgen, um geeignete Zusammenfassungen der in sich homogenen Absatzsysteme zu Absatzsystemen mit relativ ähnlichen Kunden zu ermöglichen (vgl. dazu S. 138). Für ein derartiges Absatzsystem mit relativ gleichartigen Kunden ist dann eine „zweite“ Faktorenanalyse durchzuführen.
und

(3) die Rotation zur Einfachstruktur, damit eine optimale Approximation der Konfiguration der Kundenpunkte im Faktorenkoordinatensystem mit den Faktorwerten des Absatzsystems erzielt wird und damit eine bestmögliche Interpretation der gewonnenen Faktoren gewährleistet ist (s. S. 127).

Diese Vorbereitungen sind unerläßlich, wenn die Erlösfunktion y_j für ein Absatzsystem j berechnet werden soll. Die multiple Regressionsrechnung ist als Lösungsverfahren zu verwenden. Dabei gilt es, die Erlösfunktion zwischen den Kundenpunkten in dem Faktorenraum des Absatzsystems so ausgeglichen angepaßt festzulegen, daß die Summe der quadratischen Abweichungen aller Abstände der Kundenpunkte von der Erlösfunktion möglichst klein wird (vgl. Abb. 27). [1)]

Die folgenden Daten sind für die Bestimmung einer Erlösfunktion bereitzustellen:

1.) die normierten Merkmalswerte z_{at} der Kunden a (a = 1, . . . , $\underline{l}$) der Variablen j = t, die identisch ist mit der Erlösvariablen (vgl. dazu das Gleichungssystem auf S. 122).
Die Erlöswerte z_{at} sind in der letzten Spalte der Matrix Z enthalten. Die Matrixspalte Z_t ist jedoch nicht identisch mit der Spalte der Matrix Z, die bei der Clusteranalyse (s. S. 130) berechnet wurde. Für die Clusteranalyse wurden nämlich die Erlöswerte sämtlicher Kunden a (a = 1, . . . , m) des Unternehmens normiert. Zur Abbildung der Erlösfunktion eines Absatzsystems sind allein die normierten Erlösdaten der Kunden a (a = 1, . . . , $\underline{l}$) des einzelnen Absatzsystems zu verwenden. Die Daten sind nach dem Arbeitsschritt (2) zur Faktorenanalyse eines Absatzsystems (s. S. 167) als Zwischenergebnisse bekannt.

Die Werte der Matrixspalte sind in der Form

$$Z_t = \left| \begin{array}{c} z_{1t} \\ z_{2t} \\ z_{3t} \\ \cdot \\ \cdot \\ \cdot \\ z_{lt} \end{array} \right| \quad \text{zu speichern.}$$

1) Vgl. dazu u.a. Kreyszig, E.: Statistische Methoden und ihre Anwendungen, 3. Aufl., Göttingen 1968, S. 258f.

2.) die Faktorwerte für die Kunden a (a = 1, . . . , $\underline{l}$), welche bei der Faktorenanalyse für das Absatzsystem nach der Rotation gewonnen wurden (vgl. den Arbeitsschritt (3) auf S. 168).

Die Werte sind für das Absatzsystem j am besten in der Matrix F_j zu speichern:

$$F_j = \begin{vmatrix} f_{11} & f_{12} & \dots & f_{1r} \\ f_{21} & f_{22} & \dots & f_{2r} \\ f_{31} & f_{32} & \dots & f_{3r} \\ . & . & \dots & . \\ . & . & \dots & . \\ . & . & \dots & . \\ f_{\underline{l}1} & f_{\underline{l}2} & \dots & f_{\underline{l}r} \end{vmatrix}$$

Die allgemeine multiple lineare Regressionsgleichung oder die lineare Erlösfunktion y_j eines Absatzsystems j hat die Form:

$$(1) \quad y_j = b_1 \cdot f_1 + b_2 \cdot f_2 + b_3 \cdot f_3 + \dots + b_r \cdot f_r$$

Ein (theoretisch-rechnerischer) Erlöswert ist nach der Gleichung zu erhalten, wenn für die Faktoren F_p (p = 1, . . . , r) Faktorwerte f_{ap} angenommen und in die Gleichung (1) eingesetzt würden. Dabei müßten die partiellen Regressionskoeffizienten b_p bekannt sein. Ist dies der Fall, dann ließen sich z.B. die theoretischen Erlöswerte y_a der Kunden a (a = 1, . . . , $\underline{l}$) des Absatzsystems j mit den Faktorwerten der bekannten Matrix F_j nach der Darstellung I bzw. II (s. S. 170) berechnen. [2)]

2) Vgl. dazu Heidemann, C., und J.Doormann: Statistische . . . , a.a.O., S. 74f.; Weber, E.: Grundriß . . . , a.a.O., S. 342f.; Stange, K.: Angewandte Statistik, 2. Teil, Mehrdimensionale Probleme, Berlin 1971, S. 179f. und Heinhold, J., und K.-W.Gaede: Ingenieur-Statistik, Wien 1972, S. 248f.

Darstellung I:

$$\begin{vmatrix} y_1 \\ y_2 \\ y_3 \\ \cdot \\ \cdot \\ \cdot \\ y_l \end{vmatrix} = \begin{vmatrix} f_{11} & f_{12} & \dots & f_{1r} \\ f_{21} & f_{22} & \dots & f_{2r} \\ f_{31} & f_{32} & \dots & f_{3r} \\ \cdot & \cdot & \dots & \cdot \\ \cdot & \cdot & \dots & \cdot \\ \cdot & \cdot & \dots & \cdot \\ f_{l1} & f_{l2} & \dots & f_{lr} \end{vmatrix} \cdot \begin{vmatrix} b_1 \\ b_2 \\ \cdot \\ \cdot \\ \cdot \\ b_r \end{vmatrix}$$

oder nach den Rechenregeln der Matrizenrechnung ausmultipliziert ⟶

⟶ Darstellung II:

$$Y_j = \begin{vmatrix} y_1 \\ y_2 \\ y_3 \\ \cdot \\ \cdot \\ \cdot \\ y_l \end{vmatrix} = \begin{vmatrix} f_{11} \cdot b_1 + f_{12} \cdot b_2 + \dots + f_{1r} \cdot b_r \\ f_{21} \cdot b_1 + f_{22} \cdot b_2 + \dots + f_{2r} \cdot b_r \\ f_{31} \cdot b_1 + f_{32} \cdot b_2 + \dots + f_{3r} \cdot b_r \\ \cdot \quad \cdot \quad \dots \quad \cdot \\ \cdot \quad \cdot \quad \dots \quad \cdot \\ \cdot \quad \cdot \quad \dots \quad \cdot \\ f_{l1} \cdot b_1 + f_{l2} \cdot b_2 + \dots + f_{lr} \cdot b_r \end{vmatrix}$$

Die Erlöswerte des Vektors Y_j werden von den tatsächlichen Erlöswerten der Kunden des Vektors Z_t (s. S. 168) mehr oder weniger abweichen, je nach dem wie gut die Erlösfunktionsgerade durch die Kundenpunkte verläuft.

Die Annahme, die Regressionskoeffizienten b_p seien bekannt, ist aber nicht richtig; vielmehr ist gerade der Koeffizient b_j zu ermitteln. Wird die Darstellung I in Matrizenkurzform geschrieben, so lautet sie für das Absatzsystem j:

$$(2) \qquad Y_j = F_j \cdot b_j$$

Der gesuchte Vektor b_j ist für die Gleichung (2) nach folgender Formel zu bestimmen:

$$(3) \qquad b_j = (F_j' \cdot F_j)^{-1} \cdot F_j' \cdot Z_t$$ 3)

Die Gleichung (3) läßt sich mit Hilfe von Matrizenrechenregeln und einer ADV-Anlage leicht lösen. Die Regressionskoeffizienten b_p der Erlösfunktion (vgl. Gleichung (1)) sind also zu berechnen. Die Erlösfunktion y_j ist damit bekannt. Ebenfalls weiß eine Unternehmungsführung aufgrund der Rotation zur Einfachstruktur, welches die maßgebenden Faktoren des Absatzsystems j und die mit ihnen jeweils hoch korrelierenden Absatzkosteneinflußgrößen (α_i, $\beta_{\underline{1}}$, er) sind.

Eine Unternehmensleitung hat mit der Abbildung des Zustandes eines Absatzsystems j durch eine Erlösfunktion die Möglichkeit gewonnen, sich das Absatzgeschehen des betrachteten Absatzsystems zu erklären. Das Management verfügt mit einer Erlösfunktion über die Kenntnis des funktionalen Beziehungszusammenhanges zwischen dem Erlös und den Faktoren eines Absatzsystems. Die Ursachen für die Erfolge und Nichterfolge der Absatzpolitik sind quantitativ erkennbar. Eine Unternehmensleitung kann ihre verfolgte Kunden- und Absatzpolitik rational kritisch überprüfen und abgesicherter zukünftige Maßnahmen planen. Die Erlösfunktionen und besonders die erzielten Erkenntnisse bei den vorbereiteten Arbeiten zur Funktionsbestimmung stellen *die* Grundlage dar, nach der absatzpolitische Vorstellungsentwürfe zu gewinnen und zu korrigieren sind (vgl. dazu die Phase (4) des Absatzentscheidungsprozesse auf S. 70).

Es ist nicht beabsichtigt detailliert zu wiederholen, welche Aufgabenstellungen bzw. Analysen bei der Bildung der Erlösfunktionen stufenweise durchführbar sind. Eine Zusammenfassung sei aber gegeben, nach der in den Abschnitten unserer Untersuchung die Analyseverfahren und deren Resultate nochmals verfolgt werden können.

Die sukzessive systematische Wissensmehrung (vgl. Abb. 41, S. 172/173) über die vergangene und gegenwärtige Absatzsituation eines Absatzsystems macht den Systemzustand so transparent, daß letztlich die Erlösfunktion selbst nur noch der Schlußstein für die Erklärung des Geschehens des betrachteten Absatzsystemes ist. Die Phase der Analyse und Erklärung darf in einem Entscheidungsprozeß nicht mit der Kenntnis der funktionalen Abhängigkeit der Kundenerlöse oder der Absatzsystemerlöse von den Faktoren bzw. von den Absatzkosteneinflußgrößen (α_i, $\beta_{\underline{1}}$, er) abschließen. Zwei Untersuchungen haben jeder Erlösfunktionsgewinnung zu folgen. Dieses sind:

3) Vgl. Heidemann, C., und J.Doormann: Statistische . . . , a.a.O., S. 74.

Angewandte Verfahren	Aufgabenstellung oder Analysezweck	Seite
1. Strukturmatrizen	Kontrolle der durchgeführten Absatzstrategien Bestimmung der kundenbezogenen abgesetzten Gütermengen u.der eingesetzten Absatzmittelmengen des Unternehmens Berechnung der Erlöse u.Absatzkosten der Kunden	103f.
2. Deckungsbeitragsrechnung	Ermittlung der Deckungsbeiträge der Kunden u. der Absatzsysteme	110f.
3. (1. + 2.)	Gewinnung von betriebswirtschaftl.Kennzahlen, Rangordnungsreihen u.Möglichkeiten zum Vergleich von Kunden u.Absatzsystemen Erkennen der gewinn- und verlustbringenden Kunden u. Absatzsysteme Bestimmung der strukturellen räumlichen u.zeitlichen Verteilung der Kennzahlen bzw. der Vergleichsgrößen Erkennen von zukünftigen Absatzstrategien u. deren Auswirkungen	113f.

4. Clusteranalyse	Berechnung homogener Absatzsysteme Erkennen der maßgebenden Einflußgrößen auf die Absatzsysteme Erfolgskontrolle der Absatzstrategien u. erkennen zukünftiger Absatzmaßnahmen	116f.
5. Faktorenanalyse	Ermittlung der Zusammengehörigkeit u.Vereinigung von relativ homogenen Absatzsystemen Gewinnung von unabhängigen Absatzkostenfaktoren und gleichzeitige Reduzierung der ursprünglichen Absatzkosteneinflußgrößen Bestimmung der dominierenden Absatzkostenvariablen auf den Erlös eines Absatzsystems Berechnung der Faktorwerte u.Ermöglichung der Erlösfunktionsbestimmung mit der multiplen Regressionsrechnung	120f.
6. Verfahren zur Gewinnung von Absatzkosten	kritische Auseinandersetzung mit den betrieblichen Unternehmensbereichen (z.B. mit dem Transport u.Lagerwesen) Ermittlung betrieblicher Organisations- u. Kostenstrukturen	146f.

Abb. 41: Verfahren und Erkenntnismöglichkeiten bei der Bildung der Erlösfunktionen der Absatzsysteme

(1) die Berechnung des Bestimmtheitsmaßes für die Erlösfunktion und

(2) der Test auf Linearität der Erlösfunktion des Absatzsystems.

Zu (1):
Mit der Regressionsfunktion eines Absatzsystems ist die Art des Zusammenhanges zwischen den Absatzvariablen bekannt, nicht jedoch die tatsächliche Stärke oder der wirkliche Grad des Zusammenhanges. Dieser ist gesondert durch das Bestimmtheitsmaß (B) zu ermitteln. Der Wert für B liefert dem Management die wichtige Information über die Güte der abgebildeten Erlösfunktion. Je geringer die Streuung der empirischen Kundenpunkte um die Erlösgerade ist, desto geringer ist nämlich die Reststreuung, die durch das lineare Regressionsmodell nicht aufgeklärt wird. Die Angaben zur Berechnung von B sind i.a. in jedem Statistikbuch zu finden.[4]

Zu (2):
Eine Unternehmungsführung hat immer den Test auf Linearität einer Erlösfunktion durchzuführen. Nur so kann sie sich Klarheit darüber verschaffen, ob der lineare Ansatz der Erlösfunktion y_j (vgl. Gleichung (1), S. 169) richtig ist. Hinsichtlich der Testverfahren sei wieder auf die einschlägige Literatur verwiesen. [5] Zeigt das Testergebnis, daß die Linearität abzulehnen ist, so muß mit den Ansätzen der nichtlinearen Regression die Erlösfunktion des untersuchten Absatzsystems bestimmt werden. [5]

Das Management hat mit der Ermittlung des Bestimmtheitsmaßes und dem Nachweis, daß mit hoher Wahrscheinlichkeit zwischen dem Erlös und den Absatzkostenvariablen ein bestimmter Zusammenhang besteht, eine Bestätigung dafür erhalten, daß die Erlösfunktion mit ihren Parametern als Hypothese anzunehmen ist.
Die Funktion ist also für die Erklärung des untersuchten Absatzsystemzustandes äußerst brauchbar.[6]

An dieser Stelle sei nochmals auf zwei besondere Tatsachen hingewiesen. Die Berechnung der Erlösfunktion kann nur über Hilfsgrößen, die Faktoren

4) Vgl. u.a. Weber, E.: Grundriß . . . , a.a.O., S. 360f.; Stange, K.: Angewandte Statistik, a.a.O., S. 193f.; Heidemann, C., und J.Doormann: Statistische . . . , a.a.O., S. 15f. und S. 76f. sowie Heinhold, J., und K.-W. Gaede: Ingenieur-Statistik, a.a.O., S. 264f.

5) Vgl. dazu Weber, E.: Grundriß . . . , a.a.O., S. 349f.; Heinhold, J., und K.-W.Gaede: Ingenieur . . . , a.a.O., S. 249 und Kreyszig, E.: Statistische . . . , a.a.O., S. 291f.

6) Zur schärferen Bestätigung oder Stützung einer statistischen Hypothese oder einer Erlösfunktion vgl. Stegmüller, W.: Jenseits von Popper . . . , a.a.O., S. 18f. und S. 218f.

und die normierten Kundendaten eines Absatzsystems, vorgenommen werden. Die direkte Abhängigkeit des Erlöses von den Absatzkostenvariablen (α_i, β_l, e_r) ist mit den beschriebenen mathematischen Methoden und der danach realisierten Erlösfunktion nicht wiederzugeben.

Ein Verfahren zur Bestimmung der Faktorwerte der Matrix F, das ohne Normierung der Ausgangsdaten der Matrix X auskommt, liegt noch nicht vor. Es ist z.B. eine iterative Methode zu entwickeln, nach der mit den empirischen Rohdaten die Erlösfunktion unverzerrt berechnet werden kann. Erst dann wäre es möglich, eine Erlösfunktion aufzustellen, in der die direkte Abhängigkeit des Erlöses von den Faktoren abzulesen ist.

Es bestünde damit nur noch der Nachteil, daß die Erlösfunktion als Variablen Faktoren enthält. Durch die rotierenden Faktorenladungen der Matrix A ist bekannt, aus welcher der Absatzkostenvariablen sich jeder Faktor im wesentlichen zusammensetzt (s. S. 125). Unbestimmt bleibt der funktionale Zusammenhang zwischen den Kosteneinflußgrößen und dem dazugehörigen Faktor. Ausnahmen bilden jene Fälle, in denen allein eine einzige Variable auf einen Faktor hoch lädt, d.h. wo die Kosteneinflußgröße und der Faktor identisch sind. In den übrigen Fällen existiert ein offenes theoretisches Problem.

Wenn eine Unternehmensleitung auch nicht über die direkte Beziehung zwischen einem Faktor und die ihn erklärenden Absatzkostenvariablen verfügt, so kennt sie doch die Mengen- und Kostenanteile einer jeden Kosteneinflußgröße aufgeschlüsselt nach den dazugehörigen Anteilen der Absatzsystemkunden. Es stehen dem Management somit zusätzliche Beurteilungskriterien über das Zueinander von Faktor- und Absatzkosteneinflußgrößen zur Verfügung. Trotzdem sind dies unbefriedigende Erkenntniserweiterungen.

Eine Unternehmungsführung ist also selbst dann nicht in der Lage, an einer Erlösfunktion die Auswirkungen z.B. einer Einsatzerhöhung eines Absatzmittels direkt zu überprüfen, wenn die Funktion über nicht-normierte Ausgangsdaten bestimmt wurde. Sie gelangt zu den Konsequenzen ihrer Maßnahmen jedoch über einen Umweg. Werden nämlich die entsprechenden Kundendaten der Matrix X um die Absatzmitteleinsatzdifferenzen korrigiert, dann ist fiktiv berechenbar, wie stark der absolute Erlös des Absatzsystems und die Erlösfunktion gegenüber der Ausgangssituation variieren. Diese Abweichungen sind über die Merkmalswerte der Kunden des untersuchten Absatzsystems sowie unter Verwendung der Faktorenanalyse und der multiplen Regression festzustellen. Auf diese Weise ist es einer Unternehmensleitung möglich, die Auswirkungen alternativer Absatzstrategien quantitativ bestimmen zu können. Allerdings gelten die Aussagen zu den Auswirkungen mit hoher Bestimmtheit nur unter der Annahme, daß die Kunden trotz der veränderten Absatzmitteleinsätze ihr früheres Kaufverhalten beibehalten. Das wird hauptsächlich dann zutreffen, wenn die korrigierten Absatzmittelaktionen einzig innerbetriebliche Strukturauswirkungen haben.

Im übrigen ist das Management auf Lernprozesse angewiesen. Die Absatzstrategien und die ursprünglich schwachen Ausgangswahrscheinlichkeiten werden mit dem Lernen aus der Erfahrung durch das sich nach und nach vergrößernde Erfahrungsmaterial sukzessiv verbessert. [7)] Dazu muß die Unternehmungsführung rational kritisch handeln und ihr Entscheidungssystem (MEIS) besonders für die Analyse und Erklärung des Absatzgeschehens systematisch nach den geschilderten Verfahren verwenden. Dies hat nicht komparativ statisch nach Jahres-Abrechnungsperioden zu geschehen. Das Management kann Entwicklungen oder Abweichungen des Kundenverhaltens nur rechtzeitig bzw. direkt erkennen, wenn die Verfahren von Abb. 41 in kurzen Zeitabständen durchgeführt und die Erlösfunktionen der Absatzsysteme kontinuierlich mit Hilfe des MEIS berechnet werden.

7) Vgl. Stegmüller, W.: Jenseits von Popper . . . , a.a.O., S. 231.

4. Zur Wirtschaftlichkeit des computer-gestützten dynamischen Entscheidungssystems der Absatzpolitik

Der Aufbau des Entscheidungssystems bindet Organisations- und Programmierkapazität eines Unternehmens und setzt eine Erweiterung des ADV-Systems voraus. Der damit verbundene Aufwand ist von einer Unternehmungsführung i.a. nur zu vertreten, wenn die Realisierung dem Unternehmen einen Ertrag bringt, der größer als der Aufwand ist. Jedes Management hat deshalb eine Wirtschaftlichkeitsanalyse vorzunehmen, bevor es mit der Entwicklung des MEIS beginnt.

Eine Unternehmensleitung muß sich von vornherein darüber im klaren sein, daß eine exakte Rentabilitätsberechnung nicht durchzuführen ist. Die Kosten bzw. der Aufwand werden sich zwar relativ genau bestimmen lassen. Die Erträge werden jedoch meist nur zu schätzen oder ex post zu ermitteln sein, denn eine exakte Bewertung der Vorteile durch das Entscheidungssystem wird schwerlich gelingen. Niemand kann leugnen, daß mit Schwierigkeiten bei der Quantifizierung von Effekten wie z.B. der Verbesserung des Kundendienstes,

der Steigerung der Informationsqualität und
-quantität oder
der schnelleren Entscheidungsbildung

zu rechnen ist. Eine Unternehmungsführung wird sich deshalb zu einer gewissen Risikobereitschaft durchringen müssen, wenn ein Entscheidungssystem installiert werden soll. Das Kostenrisiko kann aber erheblich durch eine stufenweise Einführung des MEIS verringert werden. Es ist allerdings nicht völlig auszuschalten, weil insbesondere auf der Seite der Hardware / Software von einer gewissen Größenordnung des Entscheidungssystems an mit sprungfixen Kosten zu rechnen ist.

Ein Management sollte sich sowohl aus Sicherheitsgründen als auch wegen der Lernmöglichkeiten für einen sukzessiven Aufbau eines Entscheidungssystems der Absatzpolitik entscheiden. Für diesen Fall wird eine Verfahrensmöglichkeit zur Wirtschaftlichkeitsanalyse angegeben. Allerdings darf nicht erwartet werden, daß die geschilderte Vorgehensweise umfassend ist. Die den Aufwand und Ertrag verursachenden Faktoren werden nämlich i.a. in jedem Unternehmen äußerst verschieden sein. Die Elemente eines Unternehmenssystems dürften sich sowohl bestandsmäßig als auch in ihrer Art stark unterscheiden, z.B.

a) in der Art und dem Grad der Integration der ADV in den Unternehmensbereichen
b) in dem Auslastungsgrad des bestehenden ADV-Systems
c) in dem qualitativen Niveau des ADV-Personals
d) in den verwandten Methoden zur Absatzanalyse
e) in der Art und Menge der Daten usw.

Der Umfang der neu zu schaffenden und der zu integrierenden Elemente für das MEIS wird gemäß solcher unternehmensspezifischen Gegebenheiten stark differieren. Aber auch spezielle Anforderungen einer Unternehmungsführung an das Entscheidungssystem werden die Wirtschaftlichkeit erheblich beeinträchtigen, wie z.B.

a) der Umfang der Real-Time- und Off-Line-Verarbeitung
b) der Umfang der Datenfernverarbeitung
c) der Umfang von Absatzanalysen, der über die Bestimmung der Erlösfunktionen hinausgeht.

Um solche Besonderheiten unberücksichtigt lassen zu können, gehen wir bei unseren Überlegungen zur Feststellung der Wirtschaftlichkeit des MEIS von einem Basismodell des Entscheidungssystems aus.

Es sei eine Beschreibung der Kennzeichen des Basismodelles gegeben:

1. Das Modell hat Übergangscharakter. D.h. die erforderlichen Einrichtungen und Maßnahmen zur Ermittlung der Erlösfunktionen werden organisationsmäßig vorerst noch nicht fest im Unternehmen installiert.
2. Bei den Datenerhebungen handelt es sich um „Einmal"-Erhebungen, die nur für die Untersuchungszeit den betrieblichen Zustand verändern.
3. Die Programme und Daten werden auf konventionelle Art der ADV einbezogen, also Stapelverarbeitung (Batch-Processing) findet statt.
4. Das Bereitstellen, Laden und Verarbeiten der Programme und der Daten erfolgt sequentiell nach einem Arbeitsplan. Er ist in seinen Grundzügen in den Abschnitten 2.4.1 bis 2.4.5 und 2.3.3 geschildert worden.

Die Verwendung des Basismodells genügt nicht nur dem Sicherheitsbedürfnis, sondern schafft vor allem genaue Kenntnisse im Hinblick auf eine Dauerinstallation des MEIS über

a) den zusätzlichen Personalbedarf
b) die ADV-Systemerweiterung (Zentraleinheit, externe Speicher, Steuereinheiten, Übertragungseinheiten, Rechenzeiten)
c) betriebliche Engpässe und Grenzen
d) nicht erfaßbare Absatzkostenvariable
e) erforderliche Organisationsveränderungen.

Nach unserer Auffassung ist die beschriebene Vorgehensweise sogar zwingend. Eine kritische Unternehmungsführung wird nämlich nach einer Interpretation der erfaßten Absatzkosten (vgl. Abschnitt 2.4) soviel Verbesserungsmaßnahmen ergreifen, daß die Organisationsstruktur erhebliche Veränderungen erfährt. Wäre eine sofortige feste Einführung des Entscheidungssystems der Absatzpolitik erfolgt, müßte aufgrund der Verbesserungen mit zusätzlichen Umstellungskosten und betrieblicher Unruhe gerechnet werden.

Managementeinwände, ein Unternehmen brauche selbst mit dem Basismodell Jahre, um in der Lage zu sein, Erlösfunktionen zu bestimmen, können wir nicht akzeptieren. Als Begründung für diese Aussage sei der Arbeitsaufwand angegeben, der nötig war, um die Erlös- und Absatzkostendaten in der untersuchten Großhandelsunternehmung zu erhalten. Ergänzend wird der Aufwand abgeschätzt, der für die Programmierung der Faktoren- und Clusteranalyse sowie für das Verfahren zur mathematischen Berechnung der Erlösfunktionen nötig sein wird (vgl. Abb. 42 auf S. 181).

Ein mittleres Unternehmen (von ca. 150 bis 500 Mio. DM Umsatz), das mit einer ADV-Anlage arbeitet, dürfte u.E.nach einer Entwicklungszeit von einem Vierteljahr das Basismodell einsetzen und die Erlösfunktionen bestimmen können. Voraussetzung für das Gelingen ist die Schaffung eines Arbeitsteams von vier bis zwölf Personen, das interdisziplinär zusammenarbeitet und mit Weisungsbefugnissen ausgestattet ist.
Dem Aufwand nach Abb. 42 steht folgender Ertrag gegenüber:

1.) die Rationalisierungserfolge
Mit Hilfe der gewonnenen Absatzkosten ist eine Unternehmensführung in der Lage, die betrieblichen Organisations- und Kostenstrukturen zu ermitteln. Dadurch werden schnell zu realisierende Maßnahmen zur Kostensenkung möglich, z.B. infolge
   a) der Verringerung des Reisendenpersonals und der damit verbundenen Einsparungen (Pkw, etc.)
   b) der Verringerung des Lagerpersonals und der Warenzinskosten (geringeres Warenvolumen)
   c) der Verringerung des Fuhrparkpersonals sowie der Lkw-Fahrzeuge
   d) der Verringerung des ausstehenden Kunden-Rechnungsbetragsvolumens (schnellerer Geldeingang)
   e) der Verringerung des Verkaufspersonals.

2.) die Erfolge (höhere Umsätze, höhere Erträge) aufgrund der besseren Absatzführung, z.B. durch

a) die Kenntnis der unrentablen Kunden und Absatzsysteme
b) Kooperationsvereinbarungen mit den Kunden:
über ein vereinfachtes Bestellwesen (Rabattgewährung)
über die Abnahme von größeren Wareneinheiten (Verpackungseinheiten, Rabattgewährung)
c) besseren Kundendienst
d) die Kenntnisse gemäß Abb. 41 auf Seite 172/173.

Innerhalb eines Jahres ist nach unseren Erfahrungen insgesamt eine Erlösverbesserung von mindestens zwanzig bis dreißig Prozent zu erwarten, wenn die Rationalisierungs- und Absatzstrategiemöglichkeiten wahrgenommen werden. Dabei sei betont, daß die Schätzung der Ertragserhöhung nur auf der Basis der einmaligen Zusammenstellung der Erlöse, der Absatzkosten und der Deckungsbeiträge der Kunden gilt. Wird von der Annahme ausgegangen, ein Unternehmen erziele einen einprozentigen Gewinn vom Umsatz, so bedeutet die Annahme der Erlösverbesserung bei einem 150 Mio. DM Umsatz eine Gewinnsteigerung von 300 bis 450 TDM. Diesem Betrag steht nach Abb. 42 folgender Aufwand gegenüber:

a) Kosten für 10 Monate Arbeitszeit	ca.	50 000 DM
b) Kosten für 40 Stunden Test- und Rechenzeit auf einer 64 k-Anlage	ca.	60 000 DM
c) Kosten für 10 Stunden Test- und Rechenzeit auf einer 16 k-Anlage	ca.	4 000 DM
Gesamtkosten	ca.	114 000 DM

Schon nach einem Jahr dürften sich nicht nur die Investitionskosten amortisiert, sondern sogar eine Ertragssteigerung verursacht haben. Dieses Wirtschaftlichkeitsergebnis sollte eine Unternehmensleitung ermutigen, das Basismodell einzusetzen. Sie kann dann selbst den Aufwand und Ertrag messen. Geht das Management dabei ganz vorsichtig vor und bestimmt die Absatzkostendaten und die Rationalisierungserfolge für jeden Unternehmensbereich nacheinander, so vermeidet es u.E. jede Verlustgefahr.

Eine Unternehmungsführung ist nach der einmaligen Berechnung der Erlösfunktionen der Absatzsystemzustände in der Lage abzuschätzen, welche Einführungskosten eine dauerhafte Installation des Entscheidungssystems verursachen wird. Maßgebend sind dafür ihre Ansprüche hinsichtlich der zeitlichen Abstände bzw. des Echtzeitbetriebsumfanges, nach denen die Absatzanalysen durchgeführt werden sollen. D.h. eine Unternehmensleitung hat

(1)	Arbeitszeit für Organisationsmaßnahmen und für Zeitstudien im Großhandelsunternehmen	4,5 Monate
(2)	Programmier- und Rechenzeiten an der Univac 9300 (16 k) des Handelsunternehmens zur Zusammenstellung der Ausgangsdaten	1 Monat
	Die Test- und Rechenzeit wurde nicht gesondert ausgewiesen. Sie wird geschätzt auf	12 Stunden
(3)	Programmierzeit für die Auswertungsprogramme, mit denen an den Rechenanlagen der Technischen Universität Braunschweig gerechnet wurde	2,5 Monate
(4)	Test- und Rechenzeit an der ICL 1907 (64 k) der TU	20 Stunden
	Test- und Rechenzeit an der Electrologica X 1 (32 k) der TU	10 Stunden
(5)	Programmierzeit für die Verfahren der Faktoren- und Clusteranalysen weniger als Es ist zu bedenken, daß die Programme in der Literatur vorhanden sind und nur noch Verbindungsprogramme entwickelt werden müssen. Die Literaturangaben sind in dem Abschnitt 2.3.3 zu finden.	1 Monat
(6)	Test- und Rechenzeit an einer 64 k-Anlage (je nach Anzahl der Absatzsysteme)	ca. 10 Stunden
(7)	Programmierzeit für das Verfahren der multiplen Regressionsrechnung zur Erlösfunktionsbestimmung	ca. 1 Monat
(8)	Test- und Rechenzeit an einer 64 k-Anlage (je nach Anzahl der Absatzsysteme)	ca. 10 Stunden

Abb. 42: Zeitmäßiger Arbeitsaufwand für die Entwicklung des Basismodells zur Erlösfunktionsbestimmung

sich zu entschließen, in welchem Maße sich die Dateien der allgemeinen Datenbank (vgl. Abb. 17 auf S. 64) in einem ständigen Bereitschaftszustand zu befinden haben und ob die Daten dieser Dateien laufend für die Management (MEIS)-Datenbank zu verdichten sind. Entsprechend ihrer Anforderungen wird selbstverständlich auch die Höhe der Kosten für die laufenden Arbeiten (Maschinen-, Operating-, Leistungs- und Nebenkosten) sein.

Alternativ zu den unterschiedlichen Niveauansprüchen stehen die Ertragseffekte

(1) höhere Reagibilität / Flexibilität
(2) schnellere und rationalisiertere Entscheidungsbildung
(3) Verkürzungen der Zykluszeiten bei den Absatzsystemkontrollen
(4) aktuellere und detailliertere Absatzstrategie-Planungen
(5) Vorteile gegenüber der Konkurrenz
(6) Verringerung der Beschaffung von Zusatzinformationen von Dritten
(7) Wegfall konventionellen Berichtswesens
(8) Entlastung des Managements
(9) Erhöhung der Gewinne.

Läßt sich eine Unternehmungsführung von dem Grundgedanken des sukzessiven Aufbaues des MEIS leiten, so wird ihr das Entscheidungssystem der Absatzpolitik Erfolg bringen.

5. Zusammenfassende Betrachtung

Das steigende Ausmaß der Befriedigung materieller Bedürfnisse macht den Absatz produzierter Güter seit längerem schwieriger. Aus der daraus entstandenen Notwendigkeit der verstärkten Orientierung der unternehmerischen Tätigkeit am Absatzmarkt hat sich das „Marketing" als eine umfassende absatz- und unternehmungspolitische Konzeption entwickelt. Es wird als eine „Unternehmens-Philosophie" begriffen, in der die Probleme, Wünsche und Bedürfnisse ausgewählter Kundengruppen im Mittelpunkt des unternehmerischen Denkens stehen sollen.

Die Verwirklichung der Marketingidee verlangt eine planmäßige und systematische Erforschung des Marktes und gründliche Auseinandersetzungen mit dem Verhalten der Kunden. Sie erfordert eine wohl-organisierte Entwicklung und Gestaltung von Marketingstrategien oder eines „Marketing-Mix" und eine simultane Kontrolle der Auswirkungen der Marketingmaßnahmen.[1)]

Eine konsequente Durchführung des programmatischen Konzeptes des Marketing ist allerdings noch längst nicht gesichert. Das bisher bestehende Instrumentarium ist nicht weit über verbale Programme hinausgekommen. Dieser Mißstand wird durch unsere Arbeit gemildert.

Speziell für die Analyse und Erklärung des absatzwirtschaftlichen Geschehens sind Grundlagen geschaffen worden, die einen gezielten Aufbau eines computer-gestützten dynamischen Entscheidungssystems der Absatzpolitik ermöglichen. Die dargelegten Grundlagen verringern den Nachholbedarf an mathematisch-analytischen Verfahren. Es wurden software-artige Modelle für das Entscheidungssystem erarbeitet, die u.a. eine funktionale Abbildung von Absatzsystemzuständen durch Erlösfunktionen erlauben. Die beschriebenen algorithmischen Verfahren versetzen eine Unternehmungsführung in die Lage, Kundenstrukturen und relativ homogene Kundengruppen zu erkennen. Eine solche Kundengruppe, für die ein erfolgter spezieller Absatzmitteleinsatz für den Verkauf bestimmter Produkte strukturell nachzuweisen ist, stellt ein Absatzsystem dar. Die Beziehungszusammenhänge zwischen den Kundenerlösen und den eingesetzten Absatzmitteln eines Absatzsystems können in einer Erlösfunktion mit den angegebenen Modellen quantitativ abgebildet werden. Dadurch werden absatzstrategische Fehldispositionen

1) Vgl. zu dieser Marketing-Darstellung u.a. Marr, R., und A.Picot: Absatzwirtschaft, a.a.O., S. 349f.

sichtbar, so daß zukünftige absatzpolitische Maßnahmen und Alternativen zielgerichteter und abgesicherter zu entwerfen sind.

Der Vorgang der Analyse und Erklärung ist in einem rational kritisch geführten Absatzentscheidungsprozeß vorzunehmen. Das Management hat dabei informative von normativen Aussagen zu unterscheiden. Dazu bedarf es einer Unternehmensleitung, die gewillt ist, die Methode der kritischen Prüfung konsequent anzuwenden und die bewußt ihr computer-gestütztes Entscheidungssystem mit den Methoden-, Modell-, Hypothesen- und Datenbänken dynamisch handhabt. Es ist gezeigt worden, wie eine Unternehmungsführung zu einem derartigen Verhalten gelangt.

Vielfach scheitert die Verwirklichung theoretischer Konzeptionen an der Beschaffung der erforderlichen Daten. Es wurden deshalb Datengewinnungsverfahren geschildert und in einem Unternehmen mit Erfolg praktisch erprobt, so daß eine Realisierung der Grundlagen des computer-gestützten dynamischen Entscheidungssystems der Absatzpolitik in einer Betriebswirtschaft sichergestellt ist.

Literaturverzeichnis

Adorno, T.W.: Der Positivismusstreit in der deutschen Soziologie, Sonderausgabe, Neuwied-Berlin 1972.

Albach, H.: Entscheidungsprozeß und Informationsfluß in der Unternehmensorganisation, in: Organisation, S. 355f., Hrsg. E.Schnaufer und K.Agathe, Berlin 1961.

Albert, B.: Die absatzpolitisch bedingte mittel- bis langfristige Absatzprognose – ein offenes Modell der Informationsbeschaffung und -verarbeitung. Würzburg 1975.

Albert, H.: Konstruktion und Kritik, Hamburg 1972.

Albert, H.: Plädoyer für kritischen Rationalismus, 2. Aufl., München 1971.

Albert, H.: Traktat über kritische Vernunft, 2. Aufl., Tübingen 1969.

Albert, H.: Theorien in den Sozialwissenschaften, in: Theorie und Realität. S. 3f., Hrsg. H. Albert, 2. Aufl., Tübingen 1972.

Albert, H.: Probleme der Wissenschaftslehre in der Sozialforschung, in: Handbuch der empirischen Sozialforschung, Bd.1, 2. Aufl., S. 38f., Hrsg. R. König, Stuttgart 1967.

Albert, H.: Marktsoziologie und Entscheidungslogik, ökonomische Probleme in soziologischer Perspektive, Neuwied am Rhein 1967.

Alewell, K.: Die Kopplung des Systems Unternehmung in dem Umsystem, dargestellt am Beispiel des Absatzsystems, in: Organisation als System, S. 323f., Hrsg. K.Bleicher, Wiesbaden 1972.

Amedeo, D.: An optimization approach to the identification of a system of regions, in: The Regional Science Association Papers, Vol. 23, S. 25f., Hrsg. M.D.Thomas, University of Washington 1969.

Amstutz, A.E.: Marketing- und Management-Informations-Systeme, in: Marketing-Management und Organisation, S. 648f., Hrsg. S.H. Britt und H.W. Boyd jr., München 1971.

Bardet, Ph.: Die Organisation der Planung, Stuttgart 1965.

Beer, St.: Decision and Control, 2. Aufl., London 1967.

Bendixen, P., und H.W.Kemmler: Planung, Organisation und Methodik innovativer Entscheidungs-Prozesse, Berlin 1972.

Berr, U.: Fertigungssteuerung, in: Management Enzyklopädie, Bd.2, S. 866f., München 1970.

Berr, U.: Mathematische Methoden für die Unternehmensführung, nicht veröff. Vorlesungs-Manuskript, Braunschweig 1971.

Bidlingmaier, J.: Marketing, Bd.1 und 2, Hamburg 1973.

Bierfelder, W.H.: Optimale Informationsverhalten im Entscheidungsprozeß der Unternehmung, Berlin 1968.

Böckel, J.-J., und F.G.Hoepfner: Moderne Kostenrechnung lernpsychologisch aufbereitet, Stuttgart 1972.

Boschenski, J.M.: Die zeitgenössischen Denkmethoden, 5. Aufl., München 1971.

Boudon, R.: Mathematische Modelle und Methoden, Hauptströmungen der sozialwissenschaftlichen Forschung, Hrsg. Unesco, Frankfurt a.M., 1973.

Bühlmann, H., H.Loeffel und E.Nievergelt: Einführung in die Theorie und Praxis der Entscheidung bei Unsicherheit, 2. Aufl., Berlin 1969.

Cuttle, G., und P.B.Robinson: Aufbau von Betriebssystemen, München 1972.

Demirmen, F.: Multivariate Procedures and Fortran IV Program for Evaluation and Improvement of Classifications, in: Computer Contribution 31, S. 1f., Hrsg. D.F. Merriam, University of Kansas, Lawrence 1969.
Dlugos, G.: Analytische Wissenschaftstheorie als Regulativ betriebswirtschaftlicher Forschung, in: Wissenschaftstheorie und Betriebswirtschaftslehre, S. 29f., Hrsg. G.Dlugos, G.Eberlein und H. Steinmann, Düsseldorf 1972.
Dworatschek, S.: Management Informations-Systeme, Berlin 1971.
Dworatschek, S.: Einführung in die Datenverarbeitung, Berlin 1969.

Edin, R.: Dynamische Analyse betrieblicher Systeme, Berlin 1971.
Essler, W.K.: Wissenschaftstheorie, Bd. 1, Freiburg 1970.

Fischer, K.-P.: Industrielle Vertriebskostenrechnung, Stuttgart 1963.
Fortier, J.J., und H.Solomon: Clustering Procedures, in: International Symposium on Multivariate Analysis, S. 493f., New York 1966.
Fraas, G.: Kostenverursachung und Kostenzurechnung, Berlin 1969.
Friedman, H.P., und J.Rubin: On some invariant criteria for grouping data, in: American Statistical Association Journal, S. 1159f., December 1967.

Gabler, H.: Aufbau und Einführung eines integrierten Marketing-Informations-Systems, in: Computer-gestützte Entscheidungen in Unternehmungen, S. 195f., Hrsg. E. Grochla, Wiesbaden 1971.
Gäfgen, G.: Theorie der wirtschaftlichen Entscheidung, 2. Aufl., Tübingen 1968.
Geist, M.: Selektive Absatzpolitik, Stuttgart 1963.
Geist, M., und J.Witt: Erfolgskontrolle der Verkaufsbezirke, Schriftreihe der Rationalisierungs-Gemeinschaft „Industrieller Vertrieb und Einkauf", Heft 7, Hamburg 1965.
Gerth, E.: Betriebswirtschaftliche Absatz- und Marktforschung, Wiesbaden 1970.
Gerth, E.: Zwischenbetriebliche Kooperation, Stuttgart 1971.
Gerth, E.: Probleme der Absatzkosten-Rechnung, in: Betriebswirtschaftliche Forschung und Praxis, S. 693f., 1969.
Gerth, E.: Die Bedeutung des Konsumprozesses für die Absatzpolitik, in: Zeitschrift für Betriebswirtschaft, S. 632f., 1966.
Gerth, E.: Die Bestimmung der Zielpersonen für die Absatzpolitik der Unternehmung bei der Neueinführung von Konsumgütern, in: Zeitschrift für Betriebswirtschaft, S. 330f., 1968.
Griem, H.: Der Prozeß der Unternehmungsentscheidung bei unvollkommener Information, Berlin 1968.
Grochla, E.: Modelle als Instrumente der Unternehmensführung, in: Zeitschrift für betriebswirtschaftliche Forschung, S. 384f., 1969.
Grochla, E.: Analyse gegenwärtiger und zukünftiger Entwicklungstendenzen bei der Planung, Entwicklung und Implementierung computer-gestützter Entscheidungssysteme, in: Computer-gestützte Entscheidungen in Unternehmungen, S. 219f., Hrsg. E.Grochla, Wiesbaden 1971.
Gutenberg, E.: Grundlagen der Betriebswirtschaftslehre, Bd. II, Der Absatz, Berlin 1968.

Handbuch der Empirischen Sozialforschung, Bd. 1, 2. Aufl., Hrsg. R.König, Stuttgart 1967.
Handwörterbuch der Organisation, Hrsg. E. Grochla, Stuttgart 1969.
Handwörterbuch des Rechnungswesens, Hrsg. E. Grochla, Stuttgart 1970.
Hanisch, G.: Die Einführung des IMS bei Bayer, in: IBM-Nachrichten, Heft 212, Hrsg. IBM Deutschland, S. 330f., Stuttgart 1972.
Harman, H.H.: Modern factor analysis, 2. Aufl., Chicago 1962.
Hartmann, B.: Integrierte Datenverarbeitung, in: Handwörterbuch der Organisation, Sp. 779f., Hrsg. E. Grochla, Stuttgart 1969.
Hartmann, B.: Organisationssysteme der betriebswirtschaftlichen elektronischen Datenverarbeitung, Freiburg i.Br. 1971.
Häusler, J.: Der Führungsprozeß in der industriellen Unternehmung, in: Unternehmensführung auf neuen Wegen, S. 20f., Hrsg. R.W. Stöhr, Wiesbaden 1971.
Häusler, J.: Planung als Zukunftsgestaltung, Wiesbaden 1969.
Hax, H.: Die Koordination von Entscheidungen, Köln 1965.
Hax, K.: Grundlagen unternehmerischer Entscheidungen in der Wirtschaftspraxis, in: Computer-gestützte Entscheidungen in Unternehmungen, S. 11f., Hrsg. E. Grochla, Wiesbaden 1971.
Heidemann, C.: Gesetzmäßigkeiten städtischen Fußgängerverkehrs, Bad Godesberg 1967.
Heidemann, C.: Über informative und normative Sätze in der Planung, in: Stadtbauwelt, Heft 32, S. 292f., Berlin 1971.
Heidemann, C., und J.Doormann: Statistische Methoden in der Planung, nicht veröff. Vorlesungsumdruck des Instituts für Stadtbauwesen, Braunschweig SS. 1973.
Heinen, E.: Industriebetriebslehre, Entscheidungen im Industriebetrieb, Wiesbaden 1972.
Heinen, E.: Einführung in die Betriebswirtschaftslehre, 3. Aufl., Wiesbaden 1970.
Heinen, E., E.Fahn und C.Wegenast: Informationswirtschaft, in: Industriebetriebslehre, Entscheidungen im Industriebetrieb, S. 684f., Hrsg. E. Heinen, Wiesbaden 1972.
Heinhold, J., und K.-W.Gaede: Ingenieur-Statistik, Wien 1972.
Hempel, C.G.: Aspects of Scientific Explanation and other Essays in the Philosophy of Science, New York - London 1965.
Herbold, R.: Internationaler Entwicklungsstand und Tendenzen auf dem Gebiet computer-gestützter Entscheidungssysteme, in: Computer-gestützte Entscheidungen in Unternehmungen, S. 209f., Hrsg. E. Grochla, Wiesbaden 1971.
Hermes, H., und E.Mittenecker: Methoden der Logik und Mathematik, Statistische Methoden, München 1968.
Hessenmüller, B.: Kosten- und Erfolgsrechnung im industriellen Vertrieb, Baden-Baden 1966.
Hillmann und Jahn: Die Faktorenanalyse – eine Arbeitsmethode der Verkehrsplanung, in: Die Straße, Heft 12, S. 622f., Dez. 1965.
Hofstätter, P.R.: Faktorenanalyse, in: Handbuch der Empirischen Sozialforschung, Bd. 1, 2. Aufl., S. 385f., Hrsg. R. König, Stuttgart 1967.
Horvath, P.: Betriebliche Entscheidungen als Teile eines Lernprozesses, Meisenheim am Glan 1971.
Hummel, S.: Wirklichkeitsnahe Kostenerfassung, Berlin 1971.

Jaeck, H.-J.: Marketing and Regional Science, Berlin 1972.

King, B.: Stepwise Clustering Procedures, in: American Statistical Association Journal, S. 86f., March 1967.

Kirsch, W.: Entscheidungsprozesse, 3 Bände, Wiesbaden 1970/71.

Klaus, G.: Wörterbuch der Kybernetik, Bd. 1 und 2, Frankfurt a.M. 1971.

Klaus, G.: moderne logik, 4. Aufl., Berlin 1967.

Klein, H.: Heuristische Entscheidungsmodelle, Wiesbaden 1971.

Knoblich, H.: Ertragsarten, in: Beiträge zur betriebswirtschaftlichen Ertragslehre, S. 137f., Hrsg. P. Riebel, Opladen 1971.

Koller, H.: Zur Kritik der Gewinnmaximierung als Unternehmungsziel, in: Probleme der Unternehmensführung, S. 88f., Hrsg. H. Koller und H.-P. Kicherer, München 1971.

Koreimann, D.S.: Methoden und Organisation von Management-Informations-Systemen, Berlin 1971.

Kramer, F., und F.Kranz: Kosten- und Leistungsrechnung mit Datenverarbeitungsanlagen, Köln-Braunsfeld 1970.

Kreusslein, G.: Modelle zur Bestimmung der Gewinnwartung im Rahmen der Neuprodukt-Planung, Berlin 1971.

Kreyszig, E.: Statistische Methoden und ihre Anwendungen, 3. Aufl., Göttingen 1968.

Kühn, R.: Möglichkeiten rationaler Entscheidung im Absatzsektor unter besonderer Berücksichtigung der Unsicherheit der Information, Bern 1969.

Lenk, H.: Erklärung, Prognose, Planung, Freiburg 1972.

Lenk, H.: Philosophie im technologischen Zeitalter, Stuttgart 1971.

Löhr, H.-W.: Elektronische integrierte Datenverarbeitung im Bereich der Kostenrechnung als Beispiel zeitgemäßer Unternehmensführung, in: Beiträge zur Unternehmensführung und Unternehmensforschung, S. 88f., Hrsg. R. Schwinn, Würzburg – Wien 1972.

Lutz, Th., und H.Klimesch: Die Datenbank im Informationssystem, München 1971.

Lutz, Th., und P.Miottke: Management Information Systems (MIS), in: IBM-Nachrichten, Heft 193, Hrsg. IBM Deutschland, S. 534f., Stuttgart 1969.

Lutz, Th.: Taschenlexikon der Kybernetik, München 1972

Lutz, Th., und H.Klimesch: Management Information System (MIS), in: IBM-Nachrichten, Heft 192, Hrsg. IBM Deutschland, S. 457f., Stuttgart 1968.

March, J.G., H.A.Simon und H.Guetzkow: Organizations, 9. Aufl., New York 1967.

Marr, R., und A.Picot: Absatzwirtschaft, in: Industriebetriebslehre – Entscheidungen im Industriebereich, S. 345f., Hrsg. E. Heinen, Wiesbaden 1972.

Mellerowicz, K.: Kosten und Kostenrechnung, 2. Teil, 4. Aufl., Berlin 1968.

Mertens, P.: Simulation, Stuttgart 1969.

Meschkowski, H.: Mathematisches Begriffswörterbuch, Mannheim 1971.

Morse, St.: Marketing Management für den Praktiker, Frankfurt a.M. 1973.

Mrachacz, H.-P., und R.Bauer: Daten optimal erfassen, München 1970.

Mus, G.: Zur Problematik von Entscheidungsprozessen, unveröff. Protokoll aus dem Seminar „Entscheidungstechnik" an der Technischen Universität Braunschweig,

WS. 1971/72, Protokollführer: R. Heidorn, befindlich am Lehrstuhl für Betriebswirtschaftslehre der TU Braunschweig.

Myrdal, G.: Das Zweck-Mittel-Denken in der Nationalökonomie, in: Zeitschrift für Nationalökonomie, S. 310f., 1933.

Naschold, F.: Gesellschaftsform und politische Planung, in: Politische Planungssysteme, S. 59f., Hrsg. F. Naschold und W. Väth, Opladen 1973.

Ondrick, C.W., und G.S.Srivastava: Corfan-Fortran IV Computer Program for Correlation, Factor Analysis (R- and Q-Mode) and Varimax Rotation, in: Computer Contribution 42, S. 1f., Hrsg. D.F. Merriam, University of Kansas, Lawrence 1970.

Ozbekan, H.: Toward a General Theory of Planning, in: Perspectives of Planning, S. 124f., Hrsg. E. Jantsch, Paris 1969.

Parks, J.M.: Fortran IV Program for Q-Mode Cluster Analysis on Distance Funktion with printed Dendrogram, in: Computer Contribution 46, S. 1f., Hrsg. D.F. Merriam, University of Kansas, Lawrence 1970.

Pawlik, K.: Dimensionen des Verhaltens, 2. Aufl., Bern 1971.

Pfanzagl, J.: Allgemeine Methodenlehre der Statistik, Bd. 2, Berlin 1966.

Popper, K.R.: Das Elend des Historizismus, 3. Aufl., Tübingen 1971.

Popper, K.R.: Die Logik der Sozialwissenschaften, in: Der Positivismusstreit in der deutschen Soziologie, S. 103f., Hrsg. Th.W. Adorno u.a., Neuwied 1972.

Popper, K.R.: Naturgesetze und theoretische Systeme, in: Theorie und Realität, 2. Aufl 2. Aufl., S. 43f., Hrsg. H. Albert, Tübingen 1972.

Popper, K.R.: Conjectures and Refutations, The Growth of Scientific Knowledge, London 1963.

Popper, K.R.: Die Logik der Forschung, 4. Aufl., Tübingen 1971.

Pümpin, C.: Langfristige Marketingplanung, 2. Aufl., Bern 1970.

Riebel, P.: Einzelkosten- und Deckungsbeitragsrechnung, Opladen 1972.

Riebel, P.: Ertragsbildung und Ertragsverbundenheit im Spiegel der Zurechenbarkeit von Erlösen, in: Beiträge zur betriebswirtschaftlichen Ertragslehre, S. 150f., Hrsg. P. Riebel, Opladen 1971.

Riebel, P.: Innerbetriebliche Statistik, in: Allgemeines Statistisches Archiv, Heft 1, S. 54f., 1965.

Riebel, P.: Die Deckungsbeitragsrechnung als Instrument der Absatzanalyse, in: Einzelkosten- und Deckungsbeitragsrechnung, S. 169f., Hrsg. P. Riebel, Opladen 1972.

Riebel, P.: Deckungsbeitragsrechnung, in: Handwörterbuch des Rechnungswesens, Sp. 387, Hrsg. E. Kosiol, Stuttgart 1970.

Rieper, B., und J. Waldmann: Programmierte Einführung in das betriebliche Rechnungswesen, München 1972.

Rutishauser, H., E. Stiefel und H.R. Schwarz: Numerik symmetrischer Matrizen, Stuttgart 1968.

Sauberer, M.: Anwendungsversuche der Faktorenanalyse in der Stadtforschung: Sozialräumliche Gliederung Wien, in: Seminarbericht 7, S. 173f., Hrsg. Gesellschaft für Regionalforschung, Heidelberg 1973.

Schäfer, E.: Der Industriebetrieb, Bd. 2, Opladen 1971.
Schäfer, E.: Die Unternehmung, Köln 1966.
Schäfer, E.: Zur Ertragslehre, in: Betriebswirtschaftliche Forschung und Praxis, S. 363f., 1955.
Schneider, C.: Datenverarbeitung, Stuttgart 1973.
Schott, K.: Deckungsbeitragsrechnung in der Spedition, Hamburg 1971.
Schwarzmann, J.: Möglichkeiten und Grenzen des Einsatzes der elektronischen Datenverarbeitung für Planung und Kontrolle der Wahl der Werbemedia, Diss. Braunschweig 1971.
Stange, K.: Angewandte Statistik, Bd. 2, Mehrdimensionale Probleme, Berlin 1971.
Stegmüller, W.: ' Jenseits von Popper und Carnap ': Die logischen Grundlagen des statistischen Schließens, Studienausgabe Teil D, Berlin 1973.
Stegmüller, W.: Probleme und Resultate der Wissenschaftstheorie und Analytischen Philosophie, Bd. 1, Wissenschaftliche Erklärung und Begründung, Berlin 1969.
Stegmüller, W.: Hauptströmungen der Gegenwartsphilosophie, 4. Aufl., Stuttgart 1969.
Stegmüller, W.: Rudolf Carnap: Induktive Wahrscheinlichkeit, in: Grundprobleme der großen Philosophen, Philosophie der Gegenwart I, S. 45f., Hrsg. J. Speck, Göttingen 1972.
Süllwold, F.: Bedingungen und Gesetzmäßigkeiten des Problemlösungsverhaltens, in: Denken, 3. Aufl., S. 279f., Hrsg. C.F. Graumann, Köln 1966.
Szyperski, N.: Vorgehensweise bei der Gestaltung computer-gestützter Entscheidungssysteme, in: Computer-gestützte Entscheidungen in Unternehmungen, S. 37f., Hrsg. E. Grochla, Wiesbaden 1971.

Tenbruck, F.H.: Zur Kritik der planenden Vernunft, München 1972.
Than, R.: Betriebliche Kundenpolitik und Kundenauswahl mit Hilfe der Deckungsbeitragsrechnung, Diss. Braunschweig 1970.
Thiele, H.-H.: Das System der mittelfristigen Absatzpolitik, Modernes Marketing 3.1, Würzburg – Wien 1974.
Thummel, D.: Entwicklung einer Konzeption zur Bestimmung des langfristig-strategischen Marketing-Mix, Stuttgart 1972.
Tietz, B.: Grundlagen der Handelsforschung, Bd.1, Marketing-Theorie, Zürich 1969.
Toulmin, St.: Voraussicht und Verstehen, ein Versuch über die Ziele der Wissenschaft, Frankfurt a.M. 1968.
Tryon, R.C.: Cluster Analysis, Ann Arbor: Edwards Brothers, Inc., 1939.
Tryon, R.C.: General Dimensions of Indivual Differences: Cluster Analysis vs. Factor Analysis, in: Educational And Psychological Measurement, Vol. XVIII, No. 3, S. 488f., 1958.
Tryon, R.C.: Cumulative Communality Cluster Analysis, in: Educational and Psychological Measurement, Vol. XVIII, No. 1, S. 3f., 1958.

Überla, K.: Faktorenanalyse, Berlin 1968.

Wacker, W.H.: Betriebswirtschaftliche Informationstheorie, Opladen 1971.
Wahl, M.P.: Grundlagen eines Management-Informationssystems, in: IBM-Nachrichten, Heft 194, Hrsg. IBM Deutschland, S. 582f., Stuttgart 1969.

Watkins, J.W.N.: Karl Raimund Popper: Die Einheit seines Denkens, in: Grundprobleme der großen Philosophen, Philosophie der Gegenwart. Bd. 1, S. 151f., Hrsg. J. Speck, Göttingen 1972.
Weber, E.: Grundriß der Biologischen Statistik, Stuttgart 1967.
Weber, H.K.: Untersuchungen zum Ertragsbegriff, in: Beiträge zur betriebswirtschaftlichen Ertragslehre, S. 50f., Hrsg. P. Riebel, Opladen 1971.
Wegner, G.: Systemanalyse, in: Handwörterbuch der Organisation, Sp. 1610f., Hrsg. E.Grochla, Stuttgart 1969.
Weinberg, F., und C.A.Zehnder: Heuristische Planungsmethoden, Berlin 1969.
Wishart, D.: Fortran II Programs for 8 Methods of Cluster Analysis (Clustan I), in: Computer Contribution 38, S. 1f., Hrsg. D.F.Merriam, University of Kansas, Lawrence 1969.
Witte, E.: Entscheidungsprozesse, in: Handwörterbuch der Organisation, Sp. 497, Hrsg. E. Grochla, Stuttgart 1969.
Witte, E.: Die Organisation komplexer Entscheidungsverläufe – ein Forschungsbericht – in: Zeitschrift für Betriebswirtschaftliche Forschung, Heft 9, S. 581-599, 1968.
Wöhe, G.: Einführung in die Allgemeine Betriebswirtschaftslehre, Berlin 1968.

Zurmühl, R.: Matrizen, 4. Aufl., Berlin 1964.

Abkürzungs- und Schrifttumsverzeichnis

A	Anweisung
Abb.	Abbildung
ADV	Automatische Datenverarbeitung
BGB	Bürgerliches Gesetzbuch
BFuP	Betriebswirtschaftliche Forschung und Praxis (Zeitschrift)
DB	Deckungsbeitrag
MEIS	Management-Entscheidungs- und Informations-System
SM	Strukturmatrix
ZfB	Zeitschrift für Betriebswirtschaft
ZfbF	Zeitschrift für betriebswirtschaftliche Forschung

Abbildungsverzeichnis

Abbildung